Colocs (et rien d'autre)

EMILY BLAINE

Colocs (et rien d'autre)

roman

HARPERCOLLINS FRANCE

83-85, boulevard Vincent-Auriol, 75646 PARIS CEDEX 13.
Service Lectrices — Tél. : 01 45 82 47 47
www.harlequin.fr

ISBN 978-2-2803-6495-9

Mois 1

Ash, tu peux penser
à faire les courses ?
On est en rade de lait,
de sucre, de pâtes
et de céréales. ♡

Pour les céréales, je te prends
celles avec le petit jouet
phosphorescent ou celles
avec le labyrinthe
du singe ?

Le singe, évidemment !
J'ai fini la collection de
jouets la semaine
dernière ! Il faut que
tu rappelles Steve.

Steve ? Le neuro ?
Il n'a pas déjà appelé
la semaine dernière ?

La semaine dernière,
et celle d'avant.
J'ai trouvé le 9 vertical.
Mais je te laisse
mariner dans ton jus.
Dîner demain ?

Tu me laisses mariner ?
Tu sais, je suis une
des rares femmes qui
n'apprécient que moyennement
les préliminaires.
Italien ?

Italien.
Range tes chaussures et,
par pitié, change la
sonnerie de ton téléphone.
Si Patrick n'était pas déjà
mort, j'irais l'étrangler.

Patrick Swayze
n'est pas mort.
Il vit sur une île avec
Marilyn et Elvis.
☺

Peut-être que tu
devrais demander
un scanner à ton
neurologue ? Sinon, j'ai
une camisole qui traîne
dans le coin...

Mois 3

J'ai laissé de la pâte
à muffins dans
le réfrigérateur.
18 minutes à 185°C.
Et tu démoules
à froid !

Ton post-it était condescendant.
Les muffins sont au four,
tout est sous
contrôle.

Je t'ai déjà dit vingt
fois que les parfums
d'intérieur ne
masquent pas l'odeur
de brûlé.
Il faut que tu rappelles
John.

John ? Le dermato ?
Pourquoi ton caleçon
sèche sur
le radiateur ?

La laverie est en travaux.
Tu le saurais si tu allais
faire des lessives !
John. Il a juste donné
son prénom.
Je t'attends pour dîner ?

Ai-je une tête à faire des lessives ?
Sympa, le caleçon.
Mais je ne t'imaginais
pas aussi… floral.
Dîner demain, je t'invite.

Tu m'invites ?
Raye la mention inutile :
A - Tu n'as pas de rendez-vous galant ?
B - Tu ne trouves pas le 4 horizontal ?
C - Tu es de garde et on se retrouve
à la cafétéria infecte de l'hôpital ?

Ding, ding, ding !
Réponse C !
J'ai rêvé de ton caleçon
cette nuit. Je le découpais
pour en faire un bikini, tout en
chantant « Can't Touch This ».
J'y vois une
symbolique.

J'y vois un excès
de sucre.

Pense aux courses.
Et ta robe attend
toujours au pressing.

Mois 6

Il y a un faire-part rouge vif dans ton courrier. Si Maddie et Connor se marient, je bute Cupidon.

Explique-moi comment, au juste, tu as vu qu'il y avait un faire-part dans MON courrier, toujours cacheté ?

Euh...
Lumière du jour ?
Dîner ce soir ?

Il faut refaire l'annonce sur le répondeur, j'ai dû tout démonter suite à une chute impressionnante de l'appareil...

Si tu veux, mais je ne chante pas sur le message d'accueil !

Dîner ce soir.
Et champagne, je suis sélectionné pour être jeune talent de la pâtisserie !

On ne devrait pas boire autant... même pour une bonne raison. Aspirine dans le tiroir du haut, dans ma salle de bains.

Merci pour l'aspirine. Il faut que tu rappelles Maddie, pour leurs horaires d'avion.

I believe, I can flyyyyyyyyyyyyy
Vol AL 5887, le 15 novembre à 16 h 45. Et sinon, le 7 horizontal ?

« Cacophonie. »

Mark a rappelé.

Carl aussi.

Jane aussi !

Jane est une collègue. Je devrais te la présenter. Mark est nul. Carl est pire. Où sont mes muffins ?

Chapitre 1

▪ *Récupérer Maddie et Connor à l'aéroport, tout en gérant Ash (au passage, éviter de lui faire manger autant de sucre, ça la rend insupportable !) : réussite estimée à 100 %*

▪ *Trouver le 8 vertical : réussite estimée à 45 %*

▪ *Rester à distance d'Ash et cesser de fantasmer sur elle : échec prévisible*

Je n'avais même plus besoin de regarder le réveil. Je savais qu'il était 7 h 13.

Et je le savais car, depuis six mois, je vivais avec Patrick Swayze. Enfin, je vivais avec Ashley, présidente du fan-club, amoureuse invétérée et fan absolue de Patrick-she's-like-the-wind-Swayze.

Depuis six mois, à chaque fois que j'entendais la voix rocailleuse de Patrick, je savais qu'Ashley était en train de se réveiller. Durant les premiers jours de notre cohabitation et en l'absence de la cellule diplomatique « Connor-Maddie », j'avais fait ce que n'importe quel homme aurait fait : j'avais grogné, lancé mes chaussures contre le mur, pesté et j'avais finalement pris une mesure drastique : la suppression de la ration quotidienne de muffins de ma gourmande de colocataire.

Au bout du deuxième jour de privation, elle avait balayé

le bar du regard. Le nerf de la guerre avec Ashley, c'est son estomac. Quand ses yeux verts avaient trouvé les miens, je m'étais contenté de cacher mon sourire triomphant dans mon mug de café.

— Tu n'as pas fait de muffins ? avait-elle demandé.

— Tu n'as pas changé la sonnerie de ton réveil. Les murs sont très fins.

— Et tu penses que me priver de tes muffins matinaux va me faire changer d'avis ?

— Il est fort possible que je connaisse tes points faibles.

Elle avait simplement éclaté de rire, avant de secouer la tête. J'étais sûr de moi et j'étais persuadé que fixer les règles de notre cohabitation nous serait bénéfique. Gérer Ashley et sa douce folie impétueuse était un axe majeur dans la réussite de notre vie commune. Ça, et le fait que je devais cesser de fantasmer sur elle dès que l'occasion se présentait.

— Il est fort possible que tu me sous-estimes, avait-elle répondu.

Le lendemain, j'avais compris qu'elle avait raison : j'avais totalement sous-estimé Ashley et son pouvoir de nuisance. A 7 h 13, la voix de Patrick Swayze avait résonné partout. Dans la chambre d'Ashley, comme d'habitude ; dans la cuisine, dans le salon et, à ma grande stupéfaction, dans ma propre chambre. Comment avait-elle réussi à trafiquer mon téléphone ? Mystère. J'avais coupé le réveil, grommelant contre ma colocataire démoniaque.

— C'est bon, t'as gagné ! avais-je hurlé.

Mon téléphone avait sonné. Sur l'écran, le visage d'Ashley et, en bande-son, Patrick Swayze. Malgré moi, je n'avais pas pu m'empêcher de rire, avant de décrocher.

— Pour les muffins, je te laisse le choix du parfum, avait-elle annoncé dans sa grande mansuétude.

— Je devrais me méfier de toi, tu es redoutable.

— Tu n'as pas idée.

Je n'avais pas eu gain de cause sur le réveil. Mais vivre avec Ashley pouvait se révéler agréable.

Vivre avec Ashley pouvait même se révéler très agréable.

Si mon réveil de 7 h 13 était désastreux, l'apparition matinale de ma colocataire à 7 h 18 pour son petit déjeuner était divine. Assis sur le canapé, mon mug à la main, j'attendais le signal : le grincement de la porte de sa chambre. Ce fameux bruit qui annonçait mon moment préféré de la journée : l'instant où Ash apparaissait avec sa longue chevelure blonde maintenue dans une pince rose vif et ses yeux verts encore ensommeillés. Son short en soie bleu mettait en valeur sa peau diaphane, et son haut Minnie se révélait innocemment érotique.

Cette maudite souris était torride au réveil.

Ashley était torride au réveil. Ashley était torride tout le temps. Vivre avec elle était certes agréable, mais terriblement douloureux. Chaque matin, Ashley devenait l'incarnation de mon dilemme préféré : devais-je sauter le pas et partir à l'assaut du mont Ashley ?

C'était tentant. Dangereux. Casse-gueule. Suicidaire.

Il ne m'avait pas fallu six mois pour le réaliser. Dès ma rencontre avec elle, chez Sher, dès qu'elle m'avait souri, j'avais été sous le charme. A l'époque, je vivais avec Jenny et, techniquement, j'aurais dû regarder Ashley comme si elle avait été transparente. Oui, j'aurais dû.

Mais cette fille était loin d'être transparente et, maintenant que je la connaissais mieux, j'appréciais le grain de folie qu'elle mettait dans les rouages parfaits de ma vie calme. J'aimais son rire cristallin, son regard pétillant et sa façon cruelle de jouer à l'équilibriste sur le fil de notre relation. Amis, colocataires, cruciverbistes. Il n'y avait pas de mots pour vraiment définir le statut de ma relation avec Ash.

Il y avait en revanche un son : le bruit étouffé de mes

soupirs de désespoir à chaque appel d'un nouveau prétendant. Si Ash était une religion, j'en étais le martyr absolu.

La porte grinça à 7 h 18 précises, et Ashley s'avança vers moi. Je m'étouffai avec ma gorgée de café en découvrant ma colocataire habillée seulement d'une chemise noire à peine boutonnée. D'ici, je devinais la courbe tentatrice de sa poitrine. Le tissu tranchait audacieusement avec la couleur de sa peau, ses jambes semblaient interminables, et je me surpris à pencher la tête avec curiosité.

Oubliez ce que je viens de dire. Il y a bien un mot pour définir ma relation avec Ashley : fruit défendu.

— Tu en as un peu, juste là, plaisanta-t-elle en tapotant son menton de l'index.

— Oh !

Je me redressai vivement, mortifié. Je me cachai de nouveau dans mon mug, mal à l'aise et rougissant.

(Eh oui, je rougis. Je rougis comme un adolescent prépubère, beaucoup trop souvent et beaucoup trop devant ma colocataire.)

— Du café, je veux dire.

Elle s'assit près de moi et étendit ses jambes sur mes cuisses. Elle passa son pouce sur mon menton, inconsciente — du moins, je l'espérais — de l'effet qu'elle me faisait. Elle m'adressa un sourire complice, tandis que je me sentais comme un adolescent perdu dans une tempête hormonale.

— Tu en veux ? Du café, je veux dire, ajoutai-je en voyant un sourire coquin s'étirer sur ses lèvres.

Je me levai du canapé et lançai le percolateur. Le sifflement me rappela la guerre intestine que menait Connor contre cette machine. Je devais admettre que j'étais heureux de le retrouver aujourd'hui. J'étais surtout pressé de constater les dégâts qu'avaient provoqués six mois de vie commune avec Maddie.

La tasse d'Ashley à la main, je me réinstallai sur le

canapé. Elle reposa ses jambes sur moi, puis bascula la tête en arrière en marmonnant.

— Dure soirée ? demandai-je.

— J'étais avec Peter.

— Peter le cardiologue ou Peter le radiologue ?

— Peter l'ambulancier, sourit-elle. C'était notre deuxième rendez-vous.

Je grimaçai, cherchant dans mes souvenirs un dénommé Peter. Régulièrement, je rejoignais Ashley à l'hôpital. Je ne connaissais pas tout le monde, mais certains visages devenaient familiers. Soudain, cela me revint.

— Le Peter qui a refusé mes muffins pour des donuts industriels ? Le Peter au sourire trop blanc pour être honnête ?

— Il a fait des photos pour Calvin Klein, m'informa-t-elle en arquant un sourcil.

— Et ça fait donc de lui un mec bien ?

— Ça fait de lui un type archi-baisable.

Son regard détailla mon bas de jogging miteux et mon T-shirt troué. Apparemment, ce matin, j'étais loin de faire partie de la catégorie des archi-baisables. Je retrouvai une minuscule once de dignité et enchaînai avec désinvolture :

— Je ne comprends vraiment pas comment tu peux être attirée par ce genre de mec.

— Quel genre ? s'enquit-elle en se tournant finalement vers moi.

Un sourire amusé se dessina sur ses lèvres. Mes yeux s'attardèrent sur sa bouche, avant de descendre le long de sa gorge pour trouver le haut de ses seins. Ce matin, ma colocataire était archi-baisable. Ashley claqua des doigts, me ramenant à la réalité.

— Ne t'égare pas, jeune padawan. Quel genre de mec, alors ? répéta-t-elle.

— Le genre Peter : grand, brun, trop bronzé, tatoué et un tantinet stupide.

— Par opposition à : petit, chauve, pâlichon et suprêmement intelligent ?

Elle tapota le bout de ses doigts sur son menton, semblant réfléchir à cet improbable dilemme. J'en profitai pour finir mon café et attaquer mon muffin. Je testais régulièrement de nouvelles recettes, et Ash avait un formidable palais pour le sucré.

— Juste pour me faire une idée, tu te places où, toi, entre petit chauve et grand brun ? demanda-t-elle.

— Je suis ton colocataire, je suis forcément hors concours.

— Donc, parce que tu es mon colocataire, tu ne peux pas être mon type d'homme ?

Le regard perçant de ses yeux verts me déstabilisa. Je cherchais simplement à la taquiner, et voilà qu'elle me provoquait. C'était la marque de fabrique d'Ashley : pousser les gens dans leurs retranchements pour leur faire avouer l'inavouable.

Avec moi, elle se révélait particulièrement joueuse. Elle non plus ne pouvait ignorer cette tension sexuelle entre nous. Mais c'était là notre seul point d'accord.

Ashley jouait, me taquinait, adorait me mettre mal à l'aise. Et moi, je tombais chaque jour un peu plus sous son charme, entre fascination et agacement.

Je tendis à Ashley l'assiette de muffins aux framboises que j'avais préparés hier soir. Ses yeux s'agrandirent de gourmandise, et elle prit un morceau qu'elle glissa dans sa bouche.

— Framboise, cœur coulant au chocolat blanc, l'informai-je.

Elle ferma les yeux et laissa échapper un gémissement qui me fit sourire. Je posai la main sur une de ses chevilles. Sa peau était douce, parfaitement lisse. Je ravalai un grognement et me réajustai sur le canapé. Ce n'était pas le moment d'être excité. Mais, au fur et à mesure de notre relation, j'avais découvert qu'Ash pouvait se montrer étonnamment tactile. Je n'avais pas l'intention de renoncer à ce petit privilège.

— Je pensais que tu étais hors concours parce que tu étais encore un peu... bleu canard délavé ?

Je passai une main dans ma chevelure sacrifiée sur l'autel de la vengeance de mon ex. Jenny. Une chic fille, une petite amie exemplaire, un tantinet jalouse et possessive, et diaboliquement perverse. Suite à une soirée très arrosée que j'avais passée avec Connor, elle avait décidé que je méritais d'être puni. Elle avait donc saboté mon shampooing avec du colorant et, pour s'assurer de la perfection de son piège, avait ajouté du fixateur à mon gel douche. Depuis six mois, ma chevelure arborait donc un élégant bleu turquoise.

Ma main remonta le long du mollet d'Ashley. Je la sentis se figer quand j'atteignis le creux de son genou. Elle frissonna, et sa respiration s'accéléra. On pouvait être deux à jouer. Je pouvais le faire, je pouvais avoir le dernier mot et mener la danse.

— Parce que je suis ton colocataire, je ne pourrai jamais franchir le seuil de ta chambre, murmurai-je en plantant mon regard dans le sien.

Elle s'humecta les lèvres et darda la pointe rose de sa langue. Je reposai ma tasse, puis écartai ses jambes pour pouvoir m'installer entre elles. Je la surplombais, et son regard soutint le mien. Je lui pris son café, puis son muffin et les déposai sur la table.

Son souffle balaya mon visage, et j'eus la sensation que nous étions seuls au monde. Peut-être était-ce le moment que j'attendais, l'instant où je finirais par embrasser Ashley pour redéfinir notre relation ?

Elle garda ses mains le long de son corps et bougea sur la gauche. Elle esquissa un sourire. Je l'entendis déglutir lourdement. Mon regard se posa sur ses lèvres, tandis que mon sexe sortait de sa léthargie.

Je voulais Ash. Et je la voulais maintenant.

Elle fronça les sourcils et me repoussa avec douceur en posant son index contre mes lèvres. Quand elle reprit la parole, mon beau fantasme romantique se fendilla.

— Donc, soit on cesse de vivre ensemble, soit on règle la situation sur le canapé ? dit-elle finalement.

— La situation ? répétai-je d'une voix blanche.

— Ton rétablissement dans le concours. Sincèrement, je préférerais cette option.

— Tu veux qu'on... sur... enfin..., bégayai-je.

Je m'écartai, dévisageant avec stupeur Ashley. J'y voyais l'étincelle de malice habituelle, avec une pointe de sérieux qui me désarma totalement. Elle reprit sa tasse et but une longue gorgée de café. Je retrouvai ma position initiale : assis sur le canapé, la main enserrant une des chevilles de ma colocataire.

— Je ne veux pas qu'on cesse de vivre ensemble, notamment à cause de ça, expliqua-t-elle en désignant les muffins. Une fille normale ne fait pas ça, une fille normale n'abandonne pas des muffins.

Elle lécha ses doigts un à un, s'assurant que je la regardais faire. Une salve de désir se propagea dans mon corps, et mes doigts remontèrent sur son mollet.

— En revanche, une fille normale accepterait de... sur le... canapé, complétai-je.

— Tu es peut-être mon type d'homme alors je ne vois pas pourquoi ta moralité mormone viendrait interférer dans ma quête de l'être suprême.

Je pouvais avoir toute la volonté du monde, Ashley, en deux reparties et un léchage de doigts, avait tout le temps gain de cause. Je n'avais pas encore cerné si elle savait à quel point je la désirais à cet instant.

Y compris sur ce canapé.

Avec du chocolat blanc liquide sur son corps. Oh ! et des framboises.

Fantasme #323.

— Je ne suis pas mormon ! m'agaçai-je.

— Tu es en train de rougir parce que j'ai envisagé de régler ça sur ton précieux canapé. Quel est le problème ? Tu ne veux pas le traumatiser ?

Si seulement tu savais pourquoi j'ai rougi...

Elle suça consciencieusement son index couvert de chocolat, son regard émeraude défiant le mien. J'avais envie d'elle. Maintenant, ici. Sur ce canapé ou dans sa chambre. Peu importe. Mon corps me faisait mal à force d'être tendu. Mon sexe envisageait de rentrer dans les ordres d'ici aux prochaines semaines si je ne mettais pas fin à sa disette actuelle.

On pouvait faire ça : on pouvait baiser comme des sauvages sur ce canapé et redevenir colocataires ensuite. Elle voulait juste savoir si j'étais son genre de mec, c'était une expérience purement scientifique. Et j'aime les expériences scientifiques. Cela pouvait aller vite et cela résoudrait mon dilemme.

Mais ma conscience se réveilla brutalement. J'étais en train de me mentir. Je désirais ma colocataire, mais je voulais plus. Je voulais les pétales de roses, les violons et les dîners romantiques, pas une vulgaire expérience scientifique sur le canapé. Elle méritait mieux. Je repoussai les jambes d'Ash et me levai du canapé.

— Je ne suis pas ce genre de mec, dis-je finalement.

— Le genre à traumatiser le canapé ? Ou le genre à franchir le seuil de ma porte avec de mauvaises intentions ?

Son regard était incendiaire et provocant. C'était ce qui compliquait ma vie avec Ashley : je devais systématiquement déceler si elle était sérieuse ou non. Son humour était une arme à double tranchant : elle s'en servait pour se protéger, mais aussi pour prendre des risques. Elle s'amusait de me voir patauger dans mes pensées, rougissant et embarrassé comme jamais.

Je devais sortir la tête haute de cette confrontation. Je poussai un soupir las, maudissant Ash de piper les règles du jeu en ayant revêtu cette chemise au lieu de son pyjama habituel. Avec Minnie en face de moi, j'en étais certain, cette conversation n'aurait pas dérapé.

Elle prit un autre morceau de muffin et le mit dans sa bouche.

— Peut-être que je suis du genre à te retirer cette chemise et à t'attacher avec, lançai-je, d'un air faussement à l'aise.

Elle cessa de mastiquer et releva les yeux vers moi. Le silence bourdonna à mes oreilles, pendant que je savourais ce moment parfait où j'avais enfin réussi à faire taire Ashley. Elle finit par arquer un sourcil, puis avala son morceau de muffin.

— C'est ta chemise, chuchota-t-elle.

Mon regard se porta sur le vêtement. J'étais éberlué. Ashley portait effectivement ma chemise. Un sourire victorieux barra son visage, tandis qu'elle léchait à nouveau son index. Une nouvelle vague de désir courut dans mes veines. Elle n'avait aucune idée de l'effet qu'elle me faisait.

Fantasme #324 : lui retirer cette chemise.

Dieu maudisse ma satanée bonne conscience d'homme prévenant. Parfois, j'enviais la personnalité impulsive de Connor. Lui ne s'était jamais posé de questions.

— Il est fort possible que je sois en panne de linge, expliqua-t-elle.

— Il est fort possible que cela ne me dérange pas vraiment.

— Je n'en suis pas au stade où je vais déambuler nue dans le salon.

— Préviens-moi quand ce sera le cas. Je ne voudrais pas rater une miette de ce spectacle.

— Il est fort possible que tu ne sois pas si mormon que ça.

— Il est fort possible que je veuille réellement t'attacher.

Je fus récompensé d'un sourire heureux. Je nageais toujours entre deux eaux : entre excitation et malaise. Je n'avais jamais été du genre à draguer une fille, encore moins à lui faire des avances explicites. Mais, avec Ashley, au-delà du désir fulgurant qu'elle avait fait naître en moi ce matin, il y avait surtout une lutte de pouvoir. Elle mettait à mal mes principes avec les femmes, et cela me désorientait.

— Je vais aller prendre une douche, dis-je finalement.

— Eh bien, je vais devoir décliner cette délicieuse invitation, plaisanta-t-elle.

— Tu ne sais pas ce que tu loupes.

— Retire ton T-shirt et donne-moi une idée. Pour voir.

— Rends-moi ma chemise, et j'aurai une bonne excuse pour retirer mon T-shirt.

— Tu sais, je crois que le débat est clos : tu n'es vraiment pas mon genre ! s'esclaffa-t-elle.

— Peureuse ! criai-je en entrant dans ma chambre.

— Allumeur ! hurla-t-elle à son tour.

Je m'effondrai à peine la porte de ma chambre refermée. Cette fille allait avoir ma peau.

En sortant de la douche, je retrouvai Ashley en profonde méditation devant le réfrigérateur. Elle portait toujours ma chemise et, quand elle se pencha, je découvris qu'elle portait un boxer noir.

Mon boxer noir.

Mon téléphone posé sur l'oreille manqua de m'échapper. Dans un brouillard érotique, je perçus tout de même la voix de ma colocataire.

— Bonjour, vous êtes bien sur le portable d'Ashley. Je

suis dans mon bain moussant et entièrement nue. Mais chantez-moi *Call me*, et je vous rappellerai peut-être.

Ashley pirouetta devant moi, avant de prendre mon téléphone d'entre mes mains et de couper la communication.

— C'est celui d'hier soir, il faut que je le mette à jour, expliqua-t-elle.

— Et tu t'es dit que faire ça dans mes vêtements allait t'inspirer ?

J'écarquillai les yeux, m'interrogeant vaguement sur la possibilité de tenir un inventaire précis de mes vêtements. Ash pivota vers moi et, devant mon regard sidéré, se contenta de sourire.

— Je suis vraiment à court de linge, dit-elle.

— Aucun... problème, bafouillai-je.

— Je les laverai, promit-elle.

— « Les » ?

— J'ai pris le blanc et le bleu aussi. Ils sont super confortables.

Et moi, j'étais super embarrassé. Jamais une femme n'avait porté mes vêtements, jamais une femme ne m'avait paru aussi sexy. Jamais il n'avait été aussi urgent qu'Ashley aille à la laverie.

— Quand tu écris « rappeler James », c'est James des ressources humaines ? s'enquit-elle en agitant un post-it dans sa main.

— Euh, je crois.

— Et ce gribouillis dans le coin ?

— Ce n'est rien. Il me racontait à quel point tu étais superbe et fantastique. Juste... profondément ennuyeux !

— Désolée de t'ennuyer, railla-t-elle en recollant le papier sur le réfrigérateur.

— Il ne m'apprenait rien que je ne sache déjà.

Elle pivota à nouveau vers moi, m'adressant un sourire éblouissant, à en carboniser mon cœur, mes poumons et mon corps tout entier. Je parvins à me reprendre. Ash était la Méduse : tant que je ne la regardais pas dans les yeux, tout allait bien.

— Et pour ce soir, tu veux que je te prête un jean ? proposai-je d'une voix étranglée.

Je ne plaisantais qu'à moitié : je refusais que la Ashley que je voyais en face de moi ce matin — à moitié nue, sexy et dangereuse — apparaisse au bar dans cette tenue. L'idée qu'un homme la voie ainsi me dérangeait.

La Ashley du réveil n'appartenait qu'à moi. J'espérais juste qu'un jour la Ashley de toute la journée le soit aussi.

— Eh bien, je pensais garder ta chemise et ajouter une ceinture.

Elle posa ses mains dans le creux de sa taille et releva les yeux vers moi, attendant mon avis.

— Cela me semble... bien. Et tu gardes le boxer.

— Oui, si cela ne te dérange pas.

— Ce n'était pas une question. Tu gardes le boxer, répétai-je d'une voix un peu plus forte.

— Tu me donnes des ordres ? lança-t-elle en s'appuyant au bar.

— Tu pourrais aimer ça, dis-je avec sérieux.

— Je pourrais, oui.

Elle m'adressa un petit sourire complice, qui me paralysa. Comment en étions-nous venus à cette conversation ? Je soutins son regard quelques secondes, pendant que l'air se raréfiait dans mes poumons. La gorge serrée, j'ignorai les images qui fleurissaient dans mon esprit.

Fantasme #325 : lui faire l'amour sur ce bar en lui laissant cette chemise sur les épaules.

Dernièrement, ma liste de fantasmes avait suivi une courbe exponentielle. Vivre avec Ashley était génial, jouer avec elle était fantastique. Depuis quelques semaines, j'avais la sensation que nous jouions tout le temps, une sorte de cache-cache inventif où Ashley passait son temps à me glisser entre les doigts.

— Connor et Maddie arrivent en début d'après-midi, tu as le temps de descendre à la laverie pour te mettre à jour, remarquai-je.

Je retournai au salon, tourmenté, et rangeai les quelques affaires qui y traînaient. Je retrouvai une chaussure à talon de ma colocataire coincée sous le canapé. Sous les coussins, je récupérai sa page de mots croisés inachevée. Au pied du fauteuil, ses livres d'anatomie et de neurologie s'empilaient, marqués par des post-it multicolores. Derrière moi, j'entendis Ashley s'agiter.

— Tu as de la lessive ? demanda-t-elle finalement.

— Tu sais où sont mes caleçons, mais pas où se trouve la lessive ? m'étonnai-je en me tournant vers elle.

— Je gère mes priorités.

Elle tenait contre elle une panière à linge très remplie. Elle se dandinait d'un pied sur l'autre, embarrassée. De toute évidence, Ashley était aussi à l'aise avec la laverie que moi avec la danse de salon.

— En fait, j'aime bien le parfum de ton linge.

— Tu as pris des jetons ? demandai-je en sortant un bidon de lessive du placard de l'entrée.

— Des jetons ?

— Pour mettre dans la machine.

— Depuis quand il faut des jetons ?

— Depuis toujours. As-tu déjà fait une lessive ici ?

Je ne parvins pas à retenir le sourire qui ornait mes lèvres. Ashley avait un esprit débridé et créatif mais, dès qu'il s'agissait de la vie normale, elle perdait toute son énergie. Soudain, son visage s'éclaira.

— Un jour, j'ai regardé Maddie en faire une ! s'écria-t-elle. C'était vraiment...

— Instructif ?

— Un des moments les plus pénibles de mon existence. Tu ne veux pas m'accompagner ?

Elle releva les yeux vers moi, dégainant son arme

ultime : le regard larmoyant. Le regard qui vous faisait accepter n'importe quoi. Le regard qui aurait pu faire de moi un tueur à gages, le regard qui aurait pu me faire me raser la moitié de la tête.

— S'il te plaît ? ajouta-t-elle d'une voix suave.

Le regard qui me rendait incapable de dire non. La fichue Méduse.

Je soupirai lourdement pendant que le sourire d'Ashley s'élargissait. En six mois, elle avait parfaitement compris comment me faire céder. Je trouvais ça à la fois agaçant et attendrissant. J'adorais qu'Ashley me connaisse si bien, au point de lire mes pensées.

— Laisse-moi le temps de prendre mon linge, abdiquai-je finalement.

Je détestais qu'elle ait autant d'emprise sur moi.

— Ce n'est pas du tout le souvenir que j'en avais. Où sont les tapettes à souris ?

La laverie de l'immeuble, au sous-sol, avait été rénovée le mois dernier. A la place du néon vacillant se trouvait maintenant une rangée de spots. Les vieilles machines avaient été changées pour des lave-linge chromés. Le lieu était désert à cette heure matinale.

— Choisis une machine, lui intimai-je en lui donnant un jeton.

Elle posa sa panière sur la première machine, puis me lança un regard hésitant. Je ravalai un rire. Ashley était toujours d'une nature confiante, limite tête brûlée, se fichant, la plupart du temps, des conséquences que pouvaient avoir ses choix.

— Excellent choix, souris-je. Six kilos cinq de charge, essorage mille quatre cents tours par minute, faible consommation.

— J'ai toujours rêvé qu'un homme me chante la sérénade devant une machine à laver ! s'esclaffa-t-elle.

— Je n'ose imaginer ce que cet homme gagnerait en retour !

— Eh bien... moi. Coiffée et maquillée évidemment. Mais devant toi, je peux me permettre d'apparaître au naturel.

— Je ne sais pas si je dois être flatté ou vexé ! m'amusai-je.

— Tu dois te sentir honoré. Imagine le nombre d'hommes qui rêveraient d'être à ta place, qui rêveraient de me voir au réveil.

— Avec ton haleine de chacal, tes cheveux en vrac et devant une machine à laver ? Tu crois qu'il y en a tant que ça ?

— Probablement autant que de femmes qui fantasment sur les mecs aux cheveux turquoise, option mormon ?

— Tu devrais te sentir honorée, la plagiai-je. Et si tu me piques mes caleçons, c'est que je ne suis pas si repoussant.

— Parce que tu crois que je te pique tes caleçons uniquement parce qu'ils me plaisent et qu'ils sont vraiment confortables ?

— Tu me les prends parce que tu ne sais pas lancer une machine à laver.

Ashley vint vers moi, son regard vert plongeant avec intensité dans le mien. En une seconde, l'ambiance changea : la légèreté des plaisanteries laissa place à un crépitement inédit. Ma colocataire approcha son visage du mien, s'humecta les lèvres du bout de la langue, puis posa la main sur mon biceps, le serrant doucement.

— Je les prends pour qu'un jour tu tombes en panne. Pour qu'un jour tu sois obligé de franchir le seuil de ma chambre pour me les réclamer, chuchota-t-elle.

Je m'entendis déglutir lourdement. Les yeux mi-clos, je refoulai les images d'une Ashley nue dans son lit. Le désir bouillonnait dans mes veines, prêt à me faire exploser. Ma respiration était saccadée et s'accéléra un peu plus encore, quand la main de ma colocataire remonta le long de mon bras, atteignit mon épaule et redescendit lentement le long de mon torse. Mes muscles se tendirent à son passage. Elle me rendait fou.

Ce petit jeu devenait dangereux et addictif. Mais Ash collectionnait les hommes comme je collectionnais les livres de pâtisserie. Je la voulais, mais je voulais encore plus qu'elle ne désire que moi.

— On devrait... Tu... Il faut... trier ton linge, bégayai-je. Le blanc d'un côté, les couleurs de l'autre.

— Tu rougis ? s'étonna-t-elle.

— Trie ton linge ! Et le noir est à part, évidemment.

— Ben, est-ce que je te mets mal à l'aise ?

— Non. Mais tu vas finir par nous mettre en retard pour aller chercher Connor et Maddie. Je vais t'aider.

— Benjamin Harris, êtes-vous en train de me faire une « feinte-double-feinte » ? s'écria-t-elle, stupéfaite.

— Tout dépend. Ashley Jordan, êtes-vous en train de me draguer ouvertement dans le but de réaliser un de vos fantasmes pervers dans cette laverie ? demandai-je en triant ses vêtements.

— Comment sais-tu pour mon fantasme ? s'étonna-t-elle, troublée.

— Tu viens juste de me l'avouer, dis-je avec un clin d'œil complice. Je croyais que je n'étais pas ton genre d'homme ?

— Tu ne l'es pas. Je tente de réveiller le macho dominateur qui sommeille en toi.

— Je suis tout sauf un macho dominateur.

— « Garde mon boxer » ? me rappela-t-elle sournoisement.

— Tu as un tas de numéros de téléphone de machos dominateurs accrochés au réfrigérateur. Je suis certain qu'ils ne demandent qu'à réaliser tes fantasmes obscurs. Retire ma chemise, lui intimai-je.

Elle arqua un sourcil et croisa les bras sur sa poitrine, attendant une explication.

— Je lance une lessive pour le noir. Si tu veux crâner au bar ce soir avec cette chemise, il faut au moins qu'elle soit propre. Enfile ça à la place, proposai-je en retirant mon T-shirt.

Elle me tourna le dos et fit glisser la chemise de ses épaules. Je fis mon possible pour ne pas la regarder, concentrant mon attention sur la programmation de la machine à laver. Entre Ashley et moi, il y avait toujours eu ce jeu de séduction. Mais, ce matin, j'y étais beaucoup plus sensible, et Ashley était particulièrement affûtée.

Quand elle se retourna vers moi, je dus admettre qu'elle était vraiment attirante avec mes vêtements. Mon T-shirt blanc tombait sur le haut de ses cuisses, et, par transparence, on pouvait apercevoir le boxer qui lui couvrait les fesses.

— Programme normal, expliquai-je à Ashley. Il y en a pour une heure. On va en lancer deux autres et ensuite on refera le tri pour le séchage.

— Mais où as-tu appris tout ça ?

— J'ai été élevé par ma mère, elle tenait à me rendre autonome. Je n'ai pas... euh... touché à tes... enfin... à ta lingerie, ajoutai-je en désignant sa panière.

Un sourire lumineux éclaira son visage. Elle se contenait pour réprimer un rire. Je me réfugiai dans mon linge et le triai à mon tour.

— Ben ?

— Ash ?

— J'adore vivre avec toi. Comment je fais pour la lingerie ?

— Comment faisais-tu avant de vivre ici ?

— Je vivais dans une autre colocation. Ils ont fini par

me virer. Apparemment, je n'étais pas assez « digne de confiance », soupira-t-elle en mimant dramatiquement les guillemets.

J'éclatai de rire en voyant sa moue incrédule. Ashley était un électron libre : lui faire confiance revenait à s'en remettre au destin, en priant pour que rien de grave ne vous arrive. Elle fouilla dans sa panière et en sortit un soutien-gorge rouge vif qu'elle plaqua contre mon T-shirt sur sa poitrine.

— Alors ? J'en fais quoi ?

Je parvins difficilement à détacher mon regard de son sous-vêtement. J'eus même une pensée fugace pour ces taureaux qu'on appâtait avec du rouge. Charger Ashley maintenant était certainement contraire à la réglementation en vigueur sur la vie en colocation.

Mais l'idée était tentante.

Fantasme #326 : la voir habillée de ce seul soutien-gorge. Et le lui enlever avec les dents.

— Ben ?

— Oui ?

Ma voix n'était qu'un couinement honteux. Je me raclai la gorge et me concentrai sur ma pile de linge. Le blanc, les couleurs, le délicat. Trier, empiler, lancer une machine et oublier les multiples possibilités qu'offrait ce soutien-gorge.

— Ben ? Pour ma lingerie ?

— Tu... euh... tries. Et... tiens, voilà une taie d'oreiller. Tu... Tu les mets dedans et tu lances un programme... délicat.

— Délicat ?

— Sans essorage et basse température, sauf si tu veux qu'ils ressortent en miettes et...

— Et après la sérénade, Ben Harris me suggéra de déchirer mes sous-vêtements, rit-elle. Franchement, c'est une belle journée pour ma libido.

Je baissai les yeux sur mon linge. Si je parvenais parfois

à surprendre Ashley, elle était, de toute évidence, bien meilleure que moi pour les sous-entendus. En cuisine, j'avais l'habitude d'être dans mon monde, d'être rigoureux, d'être précis. Mais, dès qu'Ashley pénétrait dans mon univers, mon monde ne devenait que chaos. Un beau chaos. Un beau chaos qui me faisait peur, mais qui me fascinait.

Je lui tendis un nouveau jeton, et elle lança une machine.

— Et après ? demanda-t-elle.

— On attend. Tu as ta grille ? Celle qu'on a commencée hier matin ? Je crois que j'ai trouvé le 8 vertical.

— Vraiment ? Je vais aller la chercher. Je te ramène un café ?

— Ça serait fabuleux.

— Ben ?

— Ash ?

— Je suis une fille fabuleuse. Ne l'oublie pas. Un sucre et une dose de lait entier ?

— Tu es une fille fabuleuse, approuvai-je.

Après une heure d'attente, la vérification du 8 vertical et mon café parfait, Ashley vida ses machines. Dieu merci, il n'y eut aucun drame : le blanc était blanc, les couleurs avaient tenu, et ses sous-vêtements étaient en parfait état. Ashley piailla de joie comme un enfant l'aurait fait à Disneyland. Je l'aidai à refaire le tri de ses vêtements pour le séchage.

Quand les machines se mirent en marche, elle contempla le spectacle avant de m'adresser un sourire heureux.

— Merci. Grâce à toi, je garderai un excellent souvenir du jour où j'ai perdu ma virginité de lessive.

— Félicitations, mademoiselle Jordan, je suis certain que vous vous sentez différente maintenant, plaisantai-je.

— Je me suis toujours sentie différente. Ce que je ressens maintenant est donc très proche d'une certaine normalité. Sincèrement, je ne suis pas sûre d'aimer ça, grimaça-t-elle.

— Tu n'es pas faite pour la vie normale. Il faut encore patienter une heure.

— Benjamin Harris, êtes-vous en train de suggérer que nous nous adonnions ensemble à une activité tendancieuse et hautement intime ?

— Pourquoi pas ? C'est ton tour de toute façon.

— Mais c'était déjà mon tour la semaine dernière !

— Tu as négocié : tu es de corvée de courses, si je fais la vaisselle.

Elle fronça les sourcils et bougonna, mécontente. Ashley et la vie normale : une véritable collision frontale, dont personne ne pouvait vraiment sortir vainqueur.

— Tu étais ivre. Tu n'aurais même pas dû te souvenir de cette négociation.

— Mais je ne m'en souvenais pas, contrai-je, victorieux.

Elle éclata de rire, avant de lever les mains devant elle pour admettre sa défaite. Bluffer Ash était devenu un passe-temps comme un autre. Elle ne marchait pas, elle courait. Et j'adorais la voir courir si vite dans mes pièges. Au moins un point sur lequel j'étais en position de force.

Elle s'assit sur l'une des machines, retourna sa grille de mots croisés, griffonna quelques mots et planta son regard dans le mien.

— Bien, souffla-t-elle, je t'écoute. J'ai déjà noté tequila, sel, citron, framboises et chocolat blanc.

— Chips, ajoutai-je. Et des pizzas.

Même si je savais qu'on passerait une grande partie de la soirée chez Sher, nous risquions de la prolonger au loft. A la fin de la liste, je donnai un billet de cinquante dollars à Ash pour payer ma part.

— Et prends de la glace. Tu as dévoré le dernier pot avant-hier soir.

— C'était une urgence.

— Une urgence prévisible, tu savais que ce type était

un crétin. Ça n'aurait tenu qu'à moi, je l'aurais pourchassé et... frappé plein sud pour défendre ton honneur bafoué.

Elle soupira, puis me jeta un regard. Depuis quelques semaines, ma colocataire enchaînait les rendez-vous avec des types tous plus crétins les uns que les autres. Le dernier en date, Henry, avait très mal pris le fait qu'elle vive avec un homme. Un crétin, donc.

Et je le dis en toute objectivité.

— Tu es mon chevalier en armure, sourit-elle. Que ferais-je sans toi ?

— Tu te pavanerais en chemise d'homme et en boxer. Oh ! et tu serais vierge, ajoutai-je dans un élan de spontanéité qui me surprit autant qu'Ashley.

— Il est fort possible que tu parviennes... à la cheville de Patrick Swayze.

— Il est fort possible que ses chevilles soient... décrépites, répondis-je.

— Patrick Swayze est éternel, me réprimanda-t-elle. Et ses chevilles aussi.

Elle descendit du sèche-linge, et nous patientâmes jusqu'au signal de fin. Nous récupérâmes nos vêtements et nous remontâmes vers le loft. Ma colocataire alla se changer pour aller faire des courses, pendant que j'entreprenais le pliage méticuleux de mes affaires. Quand elle réapparut, elle avait encore les cheveux humides de sa douche. Elle portait toujours ma chemise, mais avait finalement eu la décence d'enfiler un jean.

Ashley capta immédiatement mon regard et se pinça les lèvres nerveusement.

— J'ai gardé ton boxer, m'annonça-t-elle en soulevant la chemise pour me montrer l'élastique.

— Tu vas demander une rançon ?

— Tout dépend. Tu es prêt à payer ?

— Je vis avec toi, il me semble que je paye suffisamment, non ?

— Ben, un point. Ben, *one point* ! déclama-t-elle. Je file. Je reviens dans une heure, et on part ensuite les récupérer ?

— Sans problème. Et Ash, n'oublie pas ton...

La porte claqua avant que je puisse finir ma phrase. Je lui donnai trois secondes avant de revenir. 3... 2...

Le bras d'Ashley apparut dans l'entrebâillement de la porte. Elle agita sa main et cria un « merci » quand je glissai le portable dans sa main. Je soupirai : dans toute son imprévisibilité, Ashley avait quand même une certaine routine. Revenir au moins une fois sur ses pas quand elle quittait l'appartement était une de ses habitudes.

— Tu as acheté quatre bouteilles de tequila ? m'écriai-je en déballant le sac de courses.

— Pas assez, tu crois ?

— Je pense qu'on va être court pour l'étage en dessous, effectivement ! raillai-je.

— Ma copine Maddie revient. Je ne l'ai pas vue depuis des mois et je suis au regret de t'annoncer qu'en ce moment je vis par procuration. Il fallait que je prévoie de quoi déprimer !

Elle prit les bouteilles et les plaça dans le réfrigérateur. Je rangeai le reste de ses achats et pris mes clés de voiture. Nous avions une bonne heure devant nous pour rejoindre l'aéroport. J'ouvris la porte de l'appartement et invitai Ashley à passer devant moi.

— Plus personne ne fait ça de nos jours, rit-elle.

— Je suis certain que Patrick Swayze le faisait, dis-je avec un clin d'œil.

Son regard pétillant trouva le mien, et elle se mit sur la pointe des pieds pour déposer un baiser furtif sur ma joue.

— Tu es une espèce en voie de disparition, Ben.

— Elevé par ma mère, lui rappelai-je.

Je refermai la porte derrière nous. Dix jours avec Connor, Maddie et Ashley dans un même appartement.

Ash avait raison : on allait être court avec quatre bouteilles. Cette pensée me tira un nouveau soupir. Je vivais dans un monde où Ashley avait raison. Misère.

Sous son charme, je suis ; fou, elle me rendra.

Chapitre 2

Bonjour, vous êtes bien sur le portable d'Ashley. Je suis en pleine séance photo avec mon colocataire, mais chantez-moi *Shut up and Dance with Me*, et je vous rappellerai peut-être…

Il y avait tout un tas de choses que j'adorais chez Ben. Ses muffins, en premier lieu ; ses fossettes enfantines quand il souriait ; ses cheveux turquoise délavé, un peu trop longs et hirsutes au réveil ; sa politesse désuète et attendrissante ; le rougissement adorable de la pointe de ses oreilles quand il était embarrassé. Mettre mal à l'aise Ben était devenu un vrai passe-temps. Il ripostait parfois à mes attaques, mais il manquait dramatiquement d'endurance.

Oui, j'adorais vivre avec Ben. Il était mon yin de sérénité dans le yang de ma vie tumultueuse. Il était devenu mon point d'ancrage, après mes journées horribles à l'hôpital. J'aimais mon métier, j'avais toujours rêvé d'être infirmière, mais être affectée au service de pédiatrie me tourmentait régulièrement. Gérer de jeunes malades, m'occuper des familles, canaliser l'espérance était épuisant.

Vivre avec Ben était rassurant, apaisant. Même si

nos conversations pouvaient parfois déraper, même s'il existait une forme d'attirance entre nous, je savais que Ben avait cette élégance mâtinée de bonnes manières qui lui interdisait d'aller plus loin. J'adorais le taquiner, car je savais justement qu'il ne tenterait rien. Un pari, sans aucune prise de risques.

Une des rares choses que je n'aimais pas chez Ben, c'étaient ses goûts musicaux.

— Mais qu'est-ce que c'est que ce truc ? ! m'écriai-je dans sa voiture.

— Liszt. *Sonate en si mineur.* C'est grandiose, tu devrais écouter.

Il augmenta le son de l'autoradio, et les notes de piano envahirent l'habitacle. Je grimaçai, puis secouai la tête. Ben cherchait à me faire découvrir la musique classique depuis six mois. Je soupçonnai une vengeance à mon réveil matinal.

— Il te suffit de fermer les yeux. Dis-moi ce que tu ressens en écoutant ça.

— Un ennui profond ? répondis-je.

— Je vais finir par te confisquer ta tequila. Fais un effort, allez, ferme les yeux. Laisse la musique te pénétrer.

Je rouvris un œil et pouffai de rire. La pointe des oreilles de Ben vira au cramoisi, et cela me fit redoubler de rire. Mon pauvre colocataire serra les mains un peu plus fort autour du volant.

— Enfin… je veux dire… laisse la musique… prendre possession… euh…

— Explique-moi pourquoi au juste je devrais fermer les yeux ?

— On ferme les yeux quand le plaisir nous submerge. Ça fonctionne pour… la musique, pour les muffins, pour un dessert. Pour le sexe aussi, murmura-t-il précipitamment.

Il me jeta un regard gêné, comme s'il avait été pris en flagrant délit de lecture d'une revue érotique. Je me demandai furtivement comment un homme comme lui avait pu survivre à l'adolescence. Cela avait dû être un moment douloureux pour lui et ses hormones.

— Donc tu compares ce truc, dis-je en désignant l'autoradio, à une partie de sexe endiablée ?

— Euh... oui. Je crois que c'est effectivement... On peut changer si tu veux, proposa-t-il.

— Non, laisse. J'ai toujours rêvé de sexe endiablé dans une voiture.

Et le jeu reprenait, faisant crépiter l'air autour de nous.

Il esquissa un sourire tendre, et mon estomac entama une pirouette digne d'un grand huit. Oui, il y avait de l'attirance, de la tension et parfois même du désir entre Ben et moi. Parfois, j'imaginais la perspective qu'il y ait plus. J'imaginais que sa main passait du volant à l'autoradio, pour finir sur ma jambe ; j'imaginais ses lèvres dans mon cou pendant que je remplissais notre grille de mots croisés.

Puis j'imaginais qu'il partait, me laissant seule et désemparée. Cela suffisait à me ramener sur Terre. Ben était mon colocataire et, à l'heure actuelle, la seule relation stable dans ma vie. Je ne pouvais pas gâcher ça.

Les notes de piano s'envolèrent à nouveau, dans une litanie puissamment triste. Au bout de dix minutes, je me surpris à fermer les yeux une courte seconde. Quand je les rouvris, je paniquai presque et vérifiai si j'avais été prise en flagrant délit d'orgasme musical par mon colocataire.

— Je t'ai vue, chantonna-t-il, victorieux.

— Et je t'ai vu battre du pied devant *Dirty Dancing*.

— Ce n'est pas parce que j'aime la musique classique que je suis hermétique au reste.

— Aurai-je donc le plaisir de voir ton superbe

déhanché sur la piste de danse ce soir ? m'enquis-je en esquissant une vague chorégraphie dans mon siège.

— Aucune chance, rit-il.

— Au gala alors ?

Il leva les yeux au ciel d'exaspération. Cela faisait des semaines que je taquinais Ben avec cette histoire de nomination. Quoi qu'il en dise, être nommé pour gagner le prix du jeune talent de la pâtisserie était important. Suffisamment important pour qu'il achète un smoking et qu'il invite Maddie et Connor à venir passer quelques jours au loft. Dieu merci, il n'avait pas été jusqu'à inviter Jenny.

Jenny, son ex maléfique. Si j'en croyais Connor, Terminator ferait pipi dans sa culotte s'il la croisait. Je n'étais pas franchement ravie à l'idée qu'elle puisse, un jour, resurgir dans la vie de Ben, mais d'après Maddie — et suite à une longue séance de psychologie par téléphone — je n'avais pas le droit d'intervenir.

— Comment faisais-tu plus jeune ? demandai-je.

— Je ne faisais pas. Dans quel terminal est prévu leur avion ?

— Tu me double-feintes ? Moi ? Ta colocataire préférée ? Tu oses ? C'est honteux, monsieur Harris. Honteux !

— Tu n'as aucune idée du terminal, n'est-ce pas ? répondit-il en empruntant la bretelle d'accès vers l'aéroport.

— Pas la moindre. On peut reparler de ta jeunesse débridée ?

— Soûle-moi d'abord. Tentons le terminal 1, on regarde le tableau des arrivées et on avise.

Voici la seconde chose que je détestais chez Ben : il était bien trop terre à terre, bien trop raisonnable, bien trop rationnel. J'aurais aimé le voir habité d'une pointe de folie, le surprendre quand il perdait les pédales.

C'était désormais mon but : lui faire perdre le contrôle.

— J'adore l'ambiance dans les aéroports, dis-je pendant que nous nous dirigions vers le panneau d'affichage central. C'est rempli d'émotion.

— C'est rempli de gens qui flippent de s'écraser à l'atterrissage, contra Ben.

— Pour un héros évadé du siècle dernier, tu manques cruellement de romantisme.

— De romantisme ? Tu trouves les aéroports romantiques ?

— Je suis une fille, Ben. C'est dans nos gènes. Toutes les filles rêvent d'être poursuivies dans un aéroport, d'avoir la déclaration d'amour qui finira par « ne prends pas cet avion, sinon je vais me couper les veines avec une enveloppe ».

Ben m'adressa un sourire et secoua la tête.

— Tu es un cœur d'artichaut, Ash.

— Tu es un cœur de pierre, Ben.

— Porte 8. Ils sont annoncés avec vingt minutes de retard. Que dirais-tu d'un café en attendant ? proposa mon colocataire, le nez relevé vers le panneau d'affichage.

— J'ai une meilleure idée. Viens, ça va peut-être t'attendrir.

Sans attendre sa réponse, je saisis son coude. Ben trébucha et se rattrapa in extremis, en entourant ma taille de son bras. Ses doigts s'enfoncèrent dans ma hanche, marquant ma peau. Il se figea, et un troupeau d'anges passa. Connaissant mon colocataire, il devait être en train de chercher un moyen de préserver ses bonnes manières et sa galanterie.

Il se redressa lentement, ses doigts glissèrent de ma hanche sur le bas de mon dos, et son visage se retrouva à la hauteur du mien. Ses joues étaient adorablement rosées, et ses yeux furetaient partout, sans jamais se fixer aux miens. Sa paume appuya un peu plus fortement sur mon dos et embrasa ma peau. Au milieu de la foule grouillante, perdue dans le brouhaha des appels à l'embarquement et autres annonces publicitaires, je ne sentais plus que cette délicieuse chaleur. La même chaleur que je ressentais quand, installée sur le canapé, j'étendais mes jambes sur lui et qu'il posait délicatement ses mains sur mes chevilles. Ben était timide, guindé, même, mais l'avantage, c'est qu'il se révélait d'une prévenance et d'une douceur incroyables.

— Je sais maintenant pourquoi tu ne danses pas ! plaisantai-je pour détendre l'atmosphère.

— Je te prie de m'excuser. Je...

— Ta main est...

— Oh ! pardon, s'inquiéta-t-il en retirant vivement sa main.

— Non, c'était... bien, murmurai-je. Plutôt agréable, même. Et puis c'est l'endroit où elle doit se trouver pour une valse digne de ce nom.

— Sous ta chemise ? s'amusa-t-il.

— Eventuellement. Allez viens, ça fait des semaines que je me dis qu'on doit faire ça.

Je glissai ma main dans la sienne, constatant avec joie qu'il la serrait en retour. La cabine de Photomaton était juste devant nous. Je fouillais dans mon sac, à la recherche d'un billet de cinq dollars.

Il jeta un coup d'œil dans mon sac et, avant que je puisse réagir, en retira un guide de voyages.

— Rome ?

— Rome. La semaine dernière, j'ai lu Rio de Janeiro. Plutôt sympa, mais à éviter pendant le carnaval.

— Tu lis des guides de voyages ?

— Et tu lis des livres de cuisine ! Ah, je l'ai ! m'écriai-je en sortant triomphalement un billet de cinq dollars de mon sac.

Je lui arrachai le guide des mains et le rangeai, pendant qu'un Ben entre consternation et hilarité me dévisageait. J'étais ravie de le surprendre encore, même après six mois de vie commune.

Et j'aimais encore plus la façon dont il me fixait, avec douceur et bienveillance. Ben avait dû être un héros de romance anglaise dans une autre vie.

— Tu as de l'argent ? s'étonna-t-il.

— Si on veut. C'est la monnaie de ce que je devais te rendre des courses. Après toi, souris-je en tirant le rideau.

— Tu veux qu'on entre à deux là-dedans ?

— Je veux avoir ma photo avec le lauréat du prix du jeune talent de la pâtisserie, avant qu'il soit célèbre et trop convoité.

— Je te laisserai ma recette des muffins, plaisanta-t-il.

— N'essaye même pas de quitter l'appartement, le menaçai-je.

Je le poussai à l'intérieur de la cabine, et il s'assit sur le tabouret en étouffant un cri de surprise. Sans le prévenir, j'entourai ses épaules de mon bras droit et m'installai sur ses genoux. A nouveau, il laissa échapper un hoquet de surprise.

— Oui, je sais, je devrais sûrement arrêter tous ces muffins... et toutes ces choses délicieuses que tu me fais manger avant de finir obèse.

— Tu es loin d'être obèse. Et tu as un palais incomparable, à qui ferai-je tester mes nouvelles recettes si tu refuses de les goûter ?

— Tu tentes de m'amadouer ?

— J'essaye, murmura-t-il en enroulant son bras autour de ma taille.

— Dit-il en tripotant mes poignées d'amour.

— D'une, tu n'as pas de poignées d'amour. Et de deux, si vraiment je les tripotais, tu serais loin de te plaindre. Tu es très jolie, Ash, et tu le resterais même avec des poignées d'amour.

Son bras m'étreignit un peu plus fort, pendant que je lançais la machine. Je programmai cinq clichés et posai ma joue sur la chevelure bicolore de Ben. Le premier flash éclaira la petite cabine, figeant nos sourires. Ben fit pianoter ses doigts sur mes hanches, me faisant éclater de rire.

— Je pense que j'ai repéré la zone de stockage de la mousse fraise des bois aux éclats de chocolat noir.

Il me chatouilla à nouveau, me faisant gesticuler sur ses jambes et rire à gorge déployée. Un compte à rebours sonore annonça l'imminence du deuxième flash. Je me redressai et passai ma main dans les cheveux de mon colocataire, les ébouriffant. La deuxième photo nous captura dans une position improbable : Ben hilare et moi, tordue en deux, tentant de reprendre ma respiration.

— Cette mousse était délicieuse, tu devrais en refaire.

— Que crois-tu que j'ai fait pendant que tu étais au supermarché ?

Je tournai mon visage vers lui et pris son menton entre mes mains. Il éclata de rire et plongea son regard noisette dans le mien.

— Je vais finir par t'épouser ! gloussai-je, avant de le libérer.

— J'ai aussi fait une tarte au citron.

Ben m'offrit un sourire empreint de tendresse. Il était certainement le seul homme qui connaissait mon dessert préféré. Ses attentions m'émouvaient régulièrement, mais aujourd'hui, dans cet endroit confiné, cela me frappa un peu plus fort. Je soudai mon front au sien, et le compte à rebours reprit.

— Et tu ne t'es pas rasé, murmurai-je.

— Tu m'as dit que je devrais me laisser pousser la barbe.

Le flash se déclencha quand je passai ma main sur sa joue. La main de Ben remonta dans mon dos jusqu'à atteindre ma nuque. Une douce chaleur envahit ma poitrine et elle s'intensifia quand mon colocataire glissa ses doigts dans ma chevelure, massant mon crâne avec délicatesse. Je me cambrai un peu, les yeux clos, laissant ses caresses dissiper la tension qui crispait mes épaules. Ma main accrocha son épaule, la pressant doucement.

— Tu fermes les yeux, murmura Ben.

Sa main glissa le long de mon cou et, du bout des doigts, il suivit la ligne de ma mâchoire. Son toucher était léger, délicat, et pourtant son contact enflammait ma peau et faisait vibrer mon corps.

Trois...

Le compte à rebours reprit, rythmant les battements frénétiques de mon cœur. Cette fois, il n'y avait plus de jeu, plus de défi provocant. Ben menait la danse. Sa main retrouva ma nuque, et je rouvris les yeux.

Deux...

Le regard perçant de Ben me scrutait. Nos visages étaient proches l'un de l'autre, nos souffles courts. Les yeux de mon colocataire se braquèrent sur mes lèvres entrouvertes.

Un...

Quand le flash se déclencha, Ben m'embrassa. Il pressa ses lèvres avec douceur contre les miennes, avant de s'écarter. Le cœur battant, j'enroulai mes bras autour de sa nuque et l'attirai contre moi. Sa langue caressa mes lèvres, pendant que sa main plongeait dans ma chevelure et maintenait mon visage contre le sien. Un soupir m'échappa, mélange de soulagement et de désir, et je vacillai sur mes jambes. Ben enfonça sa main libre dans mes hanches pour m'éviter de tomber.

Soudain, ses doigts abandonnèrent mes cheveux, et il plaça ses mains sous mes cuisses pour me soulever.

— Viens sur moi, murmura-t-il contre ma bouche.

L'esprit court-circuité, je m'exécutai et entourai les hanches de Ben de mes jambes. Mon colocataire m'attira contre lui d'un coup sec. Je ravalai un cri, et Ben en profita pour glisser sa langue dans ma bouche. Un gémissement mourut contre ses lèvres — à moins que ce ne fût le sien —, et je maintins mon équilibre précaire en plaquant mes mains contre la paroi.

Je me consumais de désir et de plaisir. Ben embrassait comme il me regardait : avec dévotion et tendresse. C'était enivrant et inédit. Son baiser était lent et profond, comme s'il cherchait à ralentir le temps.

Quand ses lèvres quittèrent les miennes, il partit à la conquête de mon cou, et ses mains passèrent sous la chemise que je portais. Ses paumes un peu rêches explorèrent mon dos, son pouce allant et venant le long de mon échine, réveillant chacune de mes terminaisons nerveuses.

— Ben, murmurai-je.

Le souffle court et à contrecœur, je le repoussai. Ses yeux trouvèrent les miens et, tentant d'ignorer mon bas-ventre en feu et mes jambes en coton, je me redressai. Mon colocataire saisit ma main, mais je la retirai vite et secouai la tête.

— Ce n'est pas une bonne idée, expliquai-je.

— C'est une excellente idée. Ne dis pas l'inverse, je t'ai sentie contre moi, Ash. Tes jambes étaient autour de moi, ton corps se collait au mien. Tu en as envie.

L'air était suffocant dans ce petit espace. Ma peau me picotait encore du contact de la peau de Ben. Elle en voulait encore. Elle le voulait toujours. Mais nous faisions fausse route.

Assouvir un désir physique ne ferait que ruiner notre relation. Soudain, un flash se déclencha, nous aveuglant et anéantissant définitivement la magie de l'instant.

— Sortons d'ici, proposai-je.

— Ash, attends, on peut...

Ben cligna des yeux et retira sa main vivement. Je me levai en même temps que lui, et nous manquâmes de nous assommer l'un contre l'autre, puis hésitâmes à sortir le premier. Finalement, Ben posa ses mains sur mes épaules et laissa apparaître ses fossettes dans un sourire complice.

— Après toi, dit-il en tirant le rideau de la main.

Je n'avais pas réellement envie de sortir, mais Ben nous ramenait ainsi brutalement à la réalité. Je regrettais presque de ne pas avoir un autre billet de cinq dollars pour prolonger l'expérience. Pourtant, je savais que ce n'était pas raisonnable, pas viable pour nous deux.

Je sortis de la cabine et me postai devant pour récupérer nos photos. Ben croisa les bras sur sa poitrine, comme s'il craignait de me toucher à nouveau. Je lui lançai des regards en biais, qu'il fit semblant d'ignorer pendant de longues minutes, avant de soupirer.

— Je plaisantais... pour ta réserve de mousse fraise des bois, bégaya-t-il en désignant mes hanches.

J'arquai un sourcil, incrédule. Je venais de vivre un des moments les plus intenses et les plus romantiques de ma vie, et il me parlait... de mousse à la fraise ? La pointe de ses oreilles vira au rouge, puis au cramoisi quand je fronçai les sourcils.

— C'est comme ça que tu... gères ce qui s'est passé là-dedans ? En me parlant de mes cinq kilos en trop ?

— Tu n'as pas cinq kilos en trop !

— Ne change pas de sujet. Tu sais ce qu'on a fait là-dedans. On a failli... passer du côté obscur, m'agaçai-je.

— Et j'en ai adoré chaque seconde.

Bon sang, c'était catastrophique. J'étais frustrée, mais je refusais de mettre en péril notre relation. J'aurais été dévastée que notre petite routine agréable et légère soit chamboulée par un malheureux baiser. Nous devions passer au-dessus de ça. Nous devions agir en adultes.

Et nous devions retourner dans cette cabine, car embrasser Ben était une expérience mystique, entre révélation divine et épanouissement suprême. Jamais on ne m'avait embrassée comme ça, comme s'il m'avait demandé avec douceur la permission d'être dans ma vie.

— C'était ton idée de nous faire faire des photos, me rappela-t-il.

Il s'approcha de moi et, pendant une trop longue seconde, nous fixâmes, en silence, l'endroit où les photos devaient tomber. Ce truc prenait une éternité.

— Et tu as fermé les yeux, ajouta-t-il un ton plus bas.

— Ben, s'il te plaît. J'aime ce que nous sommes, oublions ça !

— C'est toi qui voulais en parler.

— Ecoute, j'ai au moins dix façons de te faire rougir, là maintenant. Ne me pousse pas à prendre des mesures draconiennes pour te faire taire et avoir le dernier mot. Crois-moi, tu n'as aucune chance !

— La frustration décuple tes superpouvoirs donc ?

— Pour un type pétri de bonnes manières, je te trouve plutôt culotté. Tu es donc le genre de type à embrasser une fille comme ça ? Je t'imaginais plus chandelles, dîner romantique et soirée à l'Opéra...

— C'est un sacré budget ! plaisanta-t-il.

— Et la goujaterie prit possession de mon colocataire ! déclamai-je dramatiquement.

— Et ça en vaudrait chaque centime.

Son regard descendit sur ma bouche. Je pinçai les lèvres, incapable d'ignorer l'attraction entre nos deux corps. Pour la première fois en six mois, Ben parvenait à me mettre mal à l'aise. Je sentis mes joues chauffer et je baissai les yeux. La machine éjecta nos photos, m'offrant une distraction bienvenue. J'en aurais presque poussé un cri de joie. Près de moi, j'entendis Ben rire.

— Quoi ? râlai-je, de mauvaise humeur.

— Je suis parvenu à te clouer le bec, se réjouit-il. Ce qui porte à deux le nombre de techniques efficaces pour te faire taire.

— Deux ?

— Te faire manger et t'embrasser, énuméra-t-il avec malice.

En fait, j'aurais aimé pouvoir le gifler. Et l'embrasser. Et le gifler. Et l'embrasser à nouveau. Il était déroutant et chamboulait mes points de repère habituels. Je fixai mon attention sur nos cinq photos, m'attardant un peu plus sur la dernière. Mon cœur s'emballa aussitôt, tandis que je retrouvais le regard pénétrant de Ben sur moi.

— Tu as une certaine expertise dans les deux domaines, le félicitai-je.

— Je sais. Je peux te l'expliquer en détail, si tu veux.

— Prétentieux ! ris-je.

— Frustrée !

Ben approcha de moi et glissa sa main sur ma nuque. Avant que je puisse réagir, il fondit sur mes lèvres et me vola un nouveau baiser. A la différence du premier, celui-ci était plus passionné, avec un goût de revanche. Quand il s'écarta, je remarquai sa respiration saccadée. J'étais à peine remise de ma crise d'arythmie dans la cabine du Photomaton qu'il remettait ça. La foule autour de nous disparut, les photos glissèrent de mes mains, et mon corps ne sentait plus que celui de Ben contre moi. Il souda son front au mien, et son souffle caressa mes lèvres. Je n'avais aucune idée d'où il sortait cet élan d'arrogance mâtinée de courage, mais je devais admettre que j'étais loin d'y être indifférente. Un sourire lumineux éclaira son visage. Les fossettes étaient là, incontournables. Il était irrésistible. Même avec ses cheveux turquoise. Sa barbe le rendait terriblement sexy, et son parfum m'enveloppa.

Aussi agréable que cela avait été, c'était une erreur. Nous ne devions pas faire ça, nous devions rester à distance. Autant pour lui que pour moi.

— C'était quoi, ça ? haletai-je.

— Ton colocataire qui t'embrasse. Et je le ferai encore.

— Non ! criai-je presque. Non... Tu... Entre toi et moi, c'est uniquement la colocation.

— C'est vraiment ce que tu penses ? demanda-t-il.

— C'est mieux pour tout le monde, répondis-je en le repoussant de la main gauche.

En un instant, l'atmosphère changea et devint lourde et pesante. Je ramassai les photos au sol, les rangeai dans mon sac et nous fis pivoter pour rejoindre Maddie et Connor.

Leur avion avait pris dix minutes supplémentaires de retard. La foule s'agglutinait devant la porte avec impatience. Je fis mon possible pour ne pas regarder Ben, pour m'écarter de lui et garder une distance de sécurité raisonnable. Mais, après seulement quelques secondes, le silence était insoutenable. J'avais besoin de savoir que tout allait bien entre lui et moi.

J'avais besoin de savoir si nous avions tout gâché en cinq ridicules secondes et quatre photos.

J'avais besoin d'entendre son rire heureux, de sentir sa présence amicale, de retrouver notre relation joueuse et bienveillante.

— On parie qu'ils ont baisé comme des dingues dans l'avion ? murmurai-je à l'oreille de Ben.

Il me lança un regard surpris et soupira.

— Tu as besoin d'argent ? s'enquit-il.

— C'est ce que tu fais dans un avion, pour passer le temps.

— Ils n'avaient que trois heures de vol. A mon avis,

ils ne l'ont pas fait. En plus, Connor est devenu un type raisonnable. Cinquante dollars ?

— Cent dollars qu'ils l'ont fait, proposai-je.

— Cent dollars ? Tu as l'air sûre de toi, réfléchit-il à voix haute.

— Oublie les cent dollars, fis-je précipitamment en me tournant vers lui.

Je posai mes mains sur son torse et arborai mon plus beau visage d'ingénue. Je sentis la poitrine de Ben se soulever, laissant échapper un rire.

— Quel genre d'idée tordue germe dans ta tête ? demanda-t-il alors que je triturais le premier bouton de sa chemise.

— Une danse endiablée ce soir, chez Sher. Avec trois bières dans le sang, je suis certaine que tu peux te détendre et être décent sur la piste.

— Tu veux que je danse ?

— Exactement. Et avec moi, bien sûr. Que je puisse constater par moi-même ton degré d'incompétence.

J'ouvris le bouton de sa chemise et remis en place son col. Il me laissa faire, et ses adorables fossettes apparurent de nouveau. Quand Ben souriait, il était vraiment craquant.

J'étais officiellement très mal barrée, si je commençais à réfléchir avec autre chose que mes neurones.

— Ça fait beaucoup moins strict comme ça, expliquai-je en sentant son cœur battre sous ma main.

— Et si je gagne ?

Son sourire entendu fit accélérer les battements de mon propre cœur. M'aurait-il proposé une faveur sexuelle que je n'étais pas certaine de dire non. Depuis que nous étions sortis de la cabine, je me sentais faible et impuissante devant lui.

— Si je gagne, on retourne dans ce Photomaton.

Il captura ma main dans la sienne et ancra son

regard au mien. Le Ben timide et attendrissant avait disparu au profit d'un homme sauvage et déterminé que je ne connaissais pas.

Homme sauvage, déterminé et foutrement sexy.

Si Clark Kent pouvait devenir Superman en s'enfermant dans une cabine téléphonique, Benjamin Harris pouvait tout à fait devenir archi-baisable après cinq minutes dans un Photomaton. Imaginer Ben en train d'écarter les pans de sa chemise, en faisant sauter tous les boutons, était particulièrement alléchant.

OK, mes neurones étaient définitivement perdus, morts au champ d'honneur, carbonisés dans une cabine de Photomaton.

— Je suis d'accord pour la danse, ajouta-t-il, comme pour mieux me convaincre.

Dans sa voix, je ne parvins pas à percevoir s'il tenait mon pari ou s'il me faisait une véritable promesse. Cette nouvelle facette de Ben ne cessait de me surprendre.

— D'accord pour... D'accord pour le pari, dis-je d'une voix enrouée.

Et si tu pouvais me prendre dans tes bras pour me faire survoler la Terre, je ne suis pas contre non plus.

Ben esquissa un petit sourire entendu. Il était satisfait de me voir plonger tête baissée dans ce qui était, de toute évidence, un guet-apens.

Soudain, un raclement de gorge nous tira de notre bulle. Je plaquai un sourire factice sur mon visage, optai pour une attitude neutre et affrontai les sourires moqueurs de mes ex-colocataires.

— On dérange peut-être ? demanda Connor, son regard amusé passant de Ben à moi.

— Ça fait une éternité qu'on vous attend, soupirai-je dramatiquement.

Je pris Maddie dans mes bras et la serrai contre moi. Du coin de l'œil, je vis Ben faire de même avec Connor.

— Tu es rayonnante de joie, je te déteste, soufflai-je à son oreille.

— Tu sens la frustration à des kilomètres, gloussa-t-elle. La frustration et... la lessive, s'étonna-t-elle.

— Tu es surprise ?

Je m'écartai d'elle et remarquai ses cheveux un peu plus longs et son teint hâlé. Le soleil du Texas lui allait bien. A sa main, elle portait toujours cette improbable bague en plastique rose. Et sur les lèvres, ce sourire digne d'une pub pour dentifrice...

Bon sang, elle était affreusement heureuse !

J'étreignis ensuite Connor, qui me souleva dans ses bras en riant.

— Hurricane Ashley ! s'écria-t-il.

Il me tint à bout de bras, comme un père aurait fait tournoyer sa progéniture. Connor fronça les sourcils, puis coula un regard vers Ben, avant de secouer la tête.

— Laisse-moi prendre tes sacs, proposa Ben à Maddie.

De toute évidence, mon colocataire avait retrouvé ses bonnes manières et sa galanterie habituelle. Il prit sa valise à roulettes et cala le sac à dos de Maddie sur son épaule. A son tour, Maddie nous observa, puis tendit la main vers Connor.

— Tu me dois cinquante dollars, rit-elle.

J'échangeai un regard avec Ben, qui réprima un sourire. Apparemment, nous n'étions pas les seuls à faire des paris idiots.

— Connor était certain qu'il se passait quelque chose entre vous. Quelque chose de sauvage, de trépidant et de sexuel, expliqua ma meilleure amie.

— Qui te dit que ce n'est pas le cas ? intervint Ben. Nous avons peut-être une relation clandestine et débridée.

Il me suffit de jeter un coup d'œil au visage coquelicot de Ben pour savoir que Maddie ne goberait pas ce mensonge éhonté. Je poussai un soupir à fendre l'âme. Qu'avais-je fait pour tomber, au XXIe siècle, sur un homme échappé des livres de Jane Austen ?

— Essaye de le dire sans rougir, proposa Connor. On te croira peut-être.

Ce dernier tendit un billet de cinquante dollars à Maddie et jeta son sac sur l'épaule. De son autre main, il entoura la taille de sa petite amie. Ben et moi les suivîmes alors que nous nous dirigions vers la sortie de l'aéroport.

— J'ai hâte de retrouver les lieux du crime ! s'exclama Connor.

Un peu écœurée, je constatai que sa main s'aventurait sur la fesse de ma meilleure amie, avant de glisser dans sa poche. Je grimaçai, avant d'admettre ma défaite. Connor ressemblait plus à une bête assoiffée de sexe qu'à un homme épuisé par des activités indécentes dans les toilettes de l'avion.

Ou alors, il était dans une forme exemplaire, et j'en détestais un peu plus Maddie.

— J'ai cinq dollars dans ma poche, on peut gérer ça tout de suite, si tu veux, proposa Ben.

— Cinq dollars ? Tu m'as prise pour une fille facile, Harris ?

— Crois-moi, Ash, « facile » est le dernier mot qui me vient à l'esprit te concernant.

Devant nous, Connor et Maddie roucoulaient à m'en coller la nausée. Cela ne fit que raviver ma frustration.

— J'ai besoin d'une bouteille de tequila. Ou deux, soupirai-je, lasse. Ensuite, nous ferons ces photos. Tu auras retiré cette chemise et...

— Pourquoi retirerais-je ma chemise ?

— Donne-moi une bonne raison de la garder, et je te donne une bonne raison de la retirer.

Les joues de Ben se colorèrent presque aussitôt, et

ma frustration s'évanouit. J'adorais gagner contre mon colocataire, cela me redonnait toujours le moral.

Il était presque 23 heures, quand nous franchîmes la porte du bar de Sher. La musique battait son plein, et les quelques tables autour de la minuscule piste de danse improvisée étaient déjà bien occupées. Sher se fraya un chemin jusqu'à nous et offrit une franche accolade à Connor.

— La première tournée est pour moi, proposa ce dernier. Ben et moi, on va tenter de trouver une table. Tu me prends une bière, bébé ?

Il agrémenta sa demande d'une petite tape sur les fesses de Maddie, qui me laissa bouche bée. Cette dernière gloussa, et cela me fit lever les yeux au ciel. Apparemment, la dose de féminisme de Maddie était portée disparue depuis son départ pour Houston. Ce n'était pas beau à voir.

— Je prendrai une bière aussi, m'indiqua Ben.

Instinctivement, je serrai les fesses. Mais Ben se contenta de longer mon bras nu du bout des doigts, avant de chatouiller le creux de ma main. Avant que je puisse réagir, il s'était déjà éloigné, me laissant pantoise et paralysée. Quand je retrouvai mes esprits, Maddie me fixait, un sourcil levé, attendant une explication.

— Deux bières, donc, résumai-je.

— Tu ne vas pas t'en tirer comme ça ! C'était quoi, ça ? s'enquit-elle en désignant l'espace entre Ben et moi.

— Je crois que c'est le syndrome de Superman. Il est persuadé que rien ni personne ne lui résiste. Il a développé ce truc après avoir reçu sa nomination au gala. Sincèrement, la façon dont te traite Connor est beaucoup moins légitime.

Maddie éclata de rire, avant de lever les mains devant elle, en signe de défaite.

— Woow. C'était une double-feinte olympique, je m'incline ! s'esclaffa-t-elle.

— Connor t'a claqué les fesses comme on félicite une vache qui a donné le meilleur d'elle-même à la traite. Il t'a marquée au fer rouge, aussi ?

— Ash, j'ai simplement demandé ce qui se passait entre Ben et toi.

— On a fait la lessive ensemble, dis-je précipitamment.

Et on s'embrasse dans les Photomaton. Rien d'anormal.

J'approchai du bar, Maddie à mes côtés. Au loin, je vis Connor et Ben s'installer à une table et rire aux éclats. Nous avions passé le début de la soirée au loft, à grignoter des pizzas, partager les anecdotes des clients de Connor en riant. Je devais admettre qu'un début de nostalgie de notre vie à quatre, ici, à Chicago, me gagnait.

Comme s'il sentait mes yeux posés sur lui, Ben se tourna, et nous échangeâmes un regard. Je lui adressai un sourire furtif, avant de revenir vers Sher.

— Quatre bières et quatre tequilas.

— Citron ? cria-t-il.

— Oui. Et sel, ajoutai-je.

— Tu devrais te méfier : certains ont très mal fini après avoir partagé de la tequila, rit-il en désignant Maddie du menton.

Je pivotai vers ma meilleure amie et pris, à mon tour, le rôle de la grande inquisitrice. Elle haussa les épaules et fit semblant de regarder la foule se déhancher sur la piste de danse.

— Qu'est-ce que Sher sait que je ne sais pas ?

— Toi d'abord ! Que se passe-t-il entre toi et Ben ? Hormis cette improbable histoire de lessive commune.

— Rien ! Il ne se passe rien !

— Tu portes sa chemise. Soit vous baisez ensemble, et auquel cas je ne saurais que trop te recommander le bar de la cuisine...

Je grimaçai de dégoût, imaginant Connor et Maddie en train de... Bon sang, j'avais tout de même léché ce bar en voulant camoufler à la va-vite les preuves de mon vol de caramel. Sher posa les bières sur un plateau, puis remplit nos quatre petits verres de tequila. Il m'en faudrait bien plus que ça pour tenir la soirée.

— Laisse-nous la bouteille. Connor a bien dit qu'il payait la première tournée ?

Maddie ignora totalement mon commentaire et poursuivit son argumentaire. C'était le point commun de toutes les personnes qui vivaient en couple : pour elles, le célibat était une erreur à rectifier au plus vite.

— Soit vous ne baisez pas ensemble... Et dans ce cas, je vous encourage à recycler toute cette tension sexuelle dans quelque chose de plus productif.

— Comme ?

— Le macramé ? proposa-t-elle. Ash, rassure-moi et dis-moi que vous avez bien fait des choses salaces sur ce bar ?

— Définis « salace ».

— Qui implique la langue, de la nudité et un orgasme ravageur, énuméra ma meilleure amie en se saisissant du plateau.

— Mince, deux sur trois, me lamentai-je faussement.

— Orgasme ?

— Nudité. Crois-moi si tu veux, mais Ben ne se promène jamais nu. A mon avis, c'est péché : il devrait s'exhiber pour faire le bonheur autour de lui.

— Tu veux dire autour de toi ?

— Est-ce ma faute si le loft est trop petit pour héberger l'humanité tout entière ?

Maddie se faufila entre les tables et je la suivis. Elle posa le plateau devant son petit ami et s'assit sur ses genoux. Je m'installai près de Ben, sur la banquette en velours, et pris ma bière. Mes trois amis levèrent leurs bouteilles, et nous trinquâmes en riant.

— Sympa ce début de barbe, commenta Maddie.

— Et tu noteras la chemise ouverte, ajoutai-je.

Malgré l'éclairage aléatoire des spots du bar, je vis distinctement les oreilles de Ben virer au rouge. Il cacha son embarras dans sa bière, et Maddie m'adressa un regard, comprenant soudainement pourquoi le bar de la cuisine était déserté.

Le bar, la chambre, la salle de bains... et toutes les surfaces de l'appartement. La frustration avait élu domicile dans mon corps, avec une préférence pour la zone sud.

— Et j'ai déjà repéré deux filles au bar, ajouta Connor.

— Sûrement parce que je ne t'ai pas encore éborgné, ironisa Maddie. Tu es censé n'avoir d'yeux que pour moi.

— Pour toi et tes seins, sourit-il.

— Très classe, soulignai-je.

— Crétin, lança Maddie dans un grand sourire.

— Sale gamine, rétorqua-t-il.

Ben se pencha vers moi, posa son bras sur le dos de la banquette, et ses doigts effleurèrent mon épaule. Il se pencha vers moi, et son souffle chaud caressa ma peau.

— Ils sont en pleins préliminaires, m'informa-t-il dans un murmure.

— Je sais, marmonnai-je en attrapant mon verre de tequila.

— Ce qui veut dire que la nuit va être mouvementée, ajouta-t-il. Et bruyante. Maddie est un peu comme toi, elle vocalise.

J'écarquillai les yeux, ébahie. L'alcool me brûla la gorge et réchauffa mon corps, mais ce n'était rien face au regard incendiaire de Ben. Cela atomisa toute ma repartie, enflamma mes sens et me fit oublier la foule et la musique assourdissante. Devant mon silence, il arqua un sourcil victorieux.

Touchée.

— Comment sais-tu que je vocalise ?

— Maintenant, je sais. Une autre tequila ? proposa-t-il.

A ce stade, même la bouteille tout entière n'aurait pas suffi à calmer mon trouble. Ben pivota un peu plus vers moi, calant sa cheville droite sur son genou, et les pans de sa chemise s'ouvrirent un peu plus. Le Ben confiant et aguicheur était terriblement sexy. Il remplit nos deux verres et me donna le mien.

— Je peux mordre dans ton citron ? demanda-t-il d'une voix suave.

Coulée. Torpillée. Cuite. Emportée dans les cieux par Superman.

— Bien sûr, répondis-je avec désinvolture. Et, pour ta gouverne, je ne vocalise pas tant que ça !

— Et elle se drapa dans sa dignité, commenta-t-il. Tu ne sais rien faire en silence, Ash.

Il mordit dans mon quartier de citron, et une larme de jus s'écoula sur son menton. Je passai mon pouce dessus rapidement, avant de le fourrer dans ma bouche. Le regard de Ben étincela, et sa respiration s'alourdit. Je le fixai, un léger sourire sur les lèvres. Je devais gagner cette manche.

— Et ces deux filles au bar ? lui rappelai-je d'un mouvement du menton.

— Ce n'est pas mon style.

— Elles sont jolies pourtant.

— Non, ce que je veux dire, c'est que je ne suis pas du genre à draguer des filles dans un bar.

— Tu as tort, intervint Connor. Ça a été la meilleure décision de ma vie.

Il coula un regard langoureux à Maddie qui lui frappa l'arrière de la tête avec une mine consternée.

— C'est moi qui ai dragué Connor, corrigea-t-elle. Le pauvre n'a rien vu venir ! Et c'est quoi alors, ton style, Ben ?

— Les nonnes, ronchonnai-je, boudeuse.

— Les filles normales, répondit-il sans un regard pour moi.

Un coup de poignard ne m'aurait pas fait plus mal. Le sourire de Maddie s'effaça quand elle me vit blêmir. Il aurait pu répondre une rousse, une chauve ou même un homme. J'aurais pu m'adapter.

Mais une « fille normale », c'était vexant. Une « fille normale », c'était tout ce que je ne voulais pas devenir. Une « fille normale », c'étaient l'ennui, la routine, les 2,5 enfants, le mariage. Une « fille normale », c'était un étouffoir.

— Je vais aller danser, annonçai-je en me levant précipitamment.

Le cœur battant et déçue par Ben, je me faufilai sur la piste. La musique était forte, idéale pour oublier mon amertume. Je dansais en rythme et tentais de refouler les mots de Ben. Maintenant, je comprenais : tout cela n'était qu'un jeu entre nous, une sorte de course au trésor géante pour ruiner au plus vite notre colocation. Ben était un ami — l'un de mes plus proches amis depuis le départ de Maddie —, et que notre amitié puisse vaciller pour un simple baiser me révulsait.

Un grand brun m'attira dans ses bras, et nous dansâmes de longues minutes ensemble. Au fur et à mesure, ses mains me pressaient un peu plus et parcouraient mon corps. Il me désirait, et je n'avais pas particulièrement envie de lui résister. Quand il me fit tourner, je captai le regard de Ben sur moi. Il sirotait sa bière, tout en écoutant Connor. Il m'adressa un sourire, avant d'éclater de rire à une blague de Maddie. Pour une raison que je ne comprenais pas, cela m'horripila un peu plus. Je me rapprochai de mon cavalier, décidée à lui donner ce qu'il espérait.

Je jetai un coup d'œil sur ma gauche. Ben me fixait toujours, avec une lueur inédite dans le regard. Il tapait furieusement du pied, entre agacement et impatience.

Soudain, il se leva de table et avança vers moi à grandes enjambées. Il baissa les yeux au sol, sa réserve habituelle prenant le dessus sur sa mine déterminée. Ben aurait été un formidable joueur de poker : j'étais incapable de deviner ses intentions. Je m'arrêtai de danser, et en quelques secondes mon colocataire fut près de nous.

— Je peux ? demanda-t-il à mon cavalier.

Je fronçai les sourcils. Mais qu'est-ce qui lui prenait ?

Deux lignes parallèles ne se croisent jamais.

L'huile et l'eau ne se mélangent pas.

Et Ben ne danse pas. Jamais. C'était un principe immuable auquel il ne dérogeait pas. Cette belle initiative allait sûrement provoquer un tsunami quelque part sur la planète. Mon cavalier s'interposa entre nous deux, protégeant ainsi son lot de la soirée.

— J'ai un pari à honorer, expliqua-t-il en tendant sa main vers moi.

Un sourire flotta sur mes lèvres quand je vis ses bonnes manières resurgir. Ses bonnes manières et une dose insoupçonnée de testostérone qui le rendait irrésistible. J'en oubliai ma déception, et un gloussement m'échappa. Je repoussai mon grand brun de la main et saisis celle de mon colocataire. Il fit une petite courbette, qui me tira un nouveau rire. De toute évidence, nous allions danser le menuet, et Ben s'apprêtait à regarder mes chevilles avec convoitise et concupiscence.

Il m'attira contre lui, posa ses mains sur mes hanches

et commença à onduler du bassin. A ma grande surprise, nous bougeâmes en harmonie sur la piste de danse. Il ne me regardait cependant pas et surveillait ses pieds comme si ces derniers allaient prendre la fuite.

— Alors, ce pari ? demandai-je pour briser la glace.

— Connor m'a avoué avoir fricoté avec sa presque fiancée dans les toilettes de l'avion, me dit-il à l'oreille.

— Vraiment ?

Je réprimai un fou rire en constatant à quel point il était dépité d'avoir mal jugé son meilleur ami.

— Crois-moi, cela me désole.

— Tu danses pourtant très bien.

Sa main glissa sur le bas de mon dos, et il me retint contre lui. Cette brutale proximité m'arracha un hoquet de surprise. Je posai mes mains sur ses bras, son regard enflammé sondant le mien.

— Je ne parlais pas de la danse. Je pensais plutôt au Photomaton.

Qu'est-ce qu'il y a après touchée-coulée au juste ? Ah oui, absolument perdue.

Il s'écarta à nouveau de moi, instaurant une distance en accord avec sa galanterie habituelle. Je ne parvenais plus à réfléchir, Ben soufflait le chaud et le froid, brouillait nos repères habituels. Peut-être était-ce l'alcool ? Ou l'euphorie de voir nos anciens amis ? Ou une substance toxique dans la lessive ?

Il m'entraîna dans un des recoins de la piste, où la foule était moins dense et l'éclairage moins fort. Il plaça une de ses mains près de ma tête, me retenant captive. Ma gorge s'assécha, pendant que mon cœur s'emballait à un rythme encore plus trépidant que celui de la musique.

— En fait, il y a quelque chose que j'aimerais te demander.

M'embrasser ? Partager une douche ? M'épouser ?

Et, non, je ne raye pas la fichue mention inutile ! Je voulais tout, y compris les muffins, le tout avec Patrick Swayze en musique de fond.

— Ah oui ?

J'aurais pu mériter un oscar pour cette seule réplique. Sauf que ma voix n'avait été qu'un couinement honteux. Ben riva les yeux au sol, masquant son malaise. Quand il releva le visage, il évita soigneusement mon regard.

— Quoi ? m'inquiétai-je. Qu'est-ce...

— Tu fais quelque chose demain soir ?

Une chorale d'enfants entonna un alléluia endiablé, pendant que des colombes s'envolaient en formant un cœur parfait. Et le meilleur, c'était que je n'étais pas assez ivre pour avoir tout oublié d'ici demain.

— Non. J'ai prévu de réviser pour mon examen d'après-demain.

— Tant mieux.

— Ah oui ?

Apparemment, une des colombes venait de s'engouffrer dans un réacteur d'avion, et la chorale venait de subir une extinction de voix massive. J'étais figée et sous le choc. Comment avais-je pu croire qu'il allait passer à l'action ?

— J'ai un... dîner, précisa-t-il. J'espère que cela ne te dérange pas de me laisser l'appartement.

— Non. Non, bien sûr que non. Non, pas du tout. Vraiment pas. Non.

— Tu en es certaine ?

— Aucun problème. Je t'assure. Que font Connor et Maddie ?

— Ils ont prévu de sortir. Tu peux peut-être te joindre à eux après tes révisions ?

Il déposa une bise furtive sur ma joue et, sans le savoir, porta l'estocade finale :

— Merci beaucoup, t'es une colocataire géniale.

Je poussai un petit soupir qui, heureusement, passa inaperçu noyé dans la musique. J'affichai mon plus beau sourire et masquai une nouvelle déception. Cette soirée était un véritable ascenseur émotionnel.

— Je t'offre une autre bière ? proposa-t-il.

— Je veux bien, oui.

Il se dirigea vers le bar, pendant que je traversais la piste de danse en direction de notre table. Je retrouvai Maddie et Connor, qui se bécotaient honteusement.

— Tout va bien ? demanda Connor en voyant ma mine attristée.

— Oui. Ben danse affreusement mal, me lamentai-je. Et ses cheveux... Et il a réussi à draguer une fille dans cet état ?

Connor et Maddie échangèrent un regard, visiblement surpris. J'observai Ben, accoudé au bar, ses fesses moulées dans un jean impeccablement ajusté. Je pouvais avoir beaucoup d'hommes mais, ce soir, je voulais Ben. Et malgré tout, je savais que c'était une mauvaise idée.

— Il n'a dragué personne, répondit ma meilleure amie. Il n'a pas bougé de cette table.

— C'est ça ! Et vous n'avez pas non plus fait l'amour dans les toilettes de l'avion ! m'esclaffai-je.

— Non plus, confirma Connor. Crois-moi, j'ai tenté de convaincre Maddie, mais je t'assure que nous sommes restés très sages.

— Mais Ben m'a dit que...

— Qu'est-ce que j'ai dit ? fit ce dernier, tout sourires.

En un instant, les pièces du puzzle se remirent en place. Puisqu'il avait un dîner, il y avait forcément une autre femme. Et, s'il y avait une autre femme, notre petite escapade au Photomaton n'avait plus lieu d'être.

Et, s'il ne voulait plus retourner dans cette cabine, c'est que le jeu était fini. Il m'avait embrassée et avait décidé d'en rester là. J'allais entrer dans le *Guinness Book* pour le plaquage le plus rapide de l'histoire.

Mon ego se ratatina dans un coin. Me mentir pour mieux me quitter, je connaissais. Mais là, c'était une performance. De la part d'un ami et de mon colocataire, cela me blessa d'autant plus.

Ben m'avait donc menti pour éviter de gagner le pari et de se retrouver avec moi dans le Photomaton de la tentation. Je me servis une rasade de tequila, puis une seconde, fusillant du regard mon colocataire.

— Ash, tu devrais peut-être...

Mais Maddie n'eut ni l'occasion de finir sa phrase ni la chance de saisir mon bras. Je me levai de la banquette, chaloupai des hanches et retournai sur la piste de danse.

C'était quoi le 8 vertical déjà ? Ah oui... « Illusions ».

Chapitre 3

- *Racheter de l'aspirine, réussite estimée à 20 % (en étant optimiste sur mes capacités à marcher droit)*
- *Corriger le 2 horizontal, réussite estimée à 5 % (en étant large... et en retrouvant mes neurones)*
- *Cesser de rougir comme un adolescent, échec prévisible*

Jusque-là, j'avais toujours pensé que les gens qui fixaient le plafond de leur chambre se posaient des questions. Maintenant je comprenais que c'était simplement parce qu'ils avaient une gueule de bois monumentale et attendaient paisiblement que la grande Faucheuse vienne abréger leurs souffrances. Mon crâne était une place de village bondée sur laquelle une fanfare rivalisait avec une braillante Céline Dion. A côté d'eux, un troupeau d'éléphants dansait la salsa en tapant des pieds, pendant qu'un marteau-piqueur vrombissait.

Je plaquai un oreiller sur ma tête. J'étais certain que j'allais mourir. Ouvrir les yeux m'avait déjà coûté une énergie monstre. Sortir de ce lit était inenvisageable.

Je n'avais que de très vagues souvenirs de la journée d'hier. Heureusement, je gardais en mémoire les deux baisers que j'avais échangés avec Ashley. Après six mois de retenue, après moult tergiversations, après avoir lutté le matin même contre l'envie et le désir qui me taraudaient, je l'avais fait.

J'avais gravi le mont Ashley, j'avais levé les bras en signe de victoire... et, juste après, Ash m'avait poussé dans le vide.

Je soupirai lourdement. Son rejet avait été cuisant et inattendu. Elle n'avait pas lutté quand je l'avais embrassée, je l'avais même sentie frémir entre mes mains. Mais, pour une raison que j'ignorais, elle m'avait repoussé et avait décidé toute seule que notre relation devait s'arrêter au stade de la colocation.

Je n'approuvais pas. Mais j'avais été pris de court. Et cela avait mené à cette monstrueuse migraine ce matin, provoquant une multitude de trous noirs et une sensation de vide.

J'avais bu des bières, j'avais ri, j'avais racheté une bouteille de tequila et j'avais dansé avec Ashley.

Peut-être étais-je déjà ivre à ce moment-là, car, par principe et par respect pour les gens qui aiment danser, je ne dansais jamais.

Je baissai les yeux sur mon corps étendu sur la couette. J'étais parvenu à rentrer au loft et à baisser mon pantalon jusqu'aux chevilles. Mais l'effort avait dû m'achever, car ledit pantalon ceinturait mes pieds, ma chemise avait l'odeur ignoble des lendemains de fête, et mon haleine fétide aurait même pu faire de l'ombre au doux parfum d'un vestiaire de joueurs de foot.

Je claquai ma langue contre mon palais et réalisai, trop tard, que c'était la pire des idées. J'avais la bouche en carton, et ma langue avait triplé de volume.

— Bordel, soupirai-je.

Je retirai mes chaussures et enlevai mon jean. Je me décidai à me redresser, mon cerveau encaissant très mal ce simple geste. Je n'étais plus au loft, j'étais dans un cargo qui affrontait la tempête du siècle. Je fermai les yeux, puis les rouvris et, tout en poussant sur mes poings, réussis à me relever. Je tanguai un peu.

Ben, ce n'est plus de ton âge ce genre d'âneries.

Je me glissai sous la douche, m'extasiant des bienfaits de l'eau chaude sur mon corps douloureux. Je jurai solennellement de ne plus jamais boire.

Du moins, je jurai solennellement de ne plus jamais boire autant.

Je me brossai les dents deux fois, malheureusement sans effets sur ma langue chargée. Je ronchonnai devant le miroir, avant de contempler mes cheveux.

Mes cheveux.

— Bordel de merde, mais qu'est-ce que... Ashley ! hurlai-je.

Je sortis de ma salle de bains précipitamment, puis de ma chambre. De rage, j'arrachai presque la porte de ses gonds. Connor et Maddie étaient attablés dans la cuisine, sirotant en silence leurs cafés.

— Où est Ash ? criai-je, en colère.

— Tu en avais assez du turquoise ? C'est quoi au juste ? Rose ? s'enquit Connor en plissant les paupières.

— Elle finit sa douche, me répondit finalement Maddie. Je dirais plutôt framboise, non ?

— C'est elle qui a fait ça, râlai-je en m'installant à leurs côtés.

Connor saisit une mèche de cheveux entre ses mains et la tritura avec curiosité, avant d'acquiescer. J'écartai sa main d'un geste nerveux et irrité.

— Tu as raison, c'est framboise. Ne fais jamais ça sur mes cheveux, ajouta-t-il très sérieusement à l'intention de sa petite amie.

— Je vais la tuer, promis-je dans un grognement. Pourquoi a-t-elle fait ça ?

Maddie porta son mug à ses lèvres, mais je vis distinctement le regard stupéfait qu'elle échangea avec Connor.

Apparemment, ils savaient quelque chose que je ne savais pas. Maddie baissa les yeux, reposa sa tasse et se saisit de la grille de mots croisés d'Ashley. Elle avait toujours détesté ça, et sa tentative d'évitement du sujet tomba donc à plat.

— Quoi ? m'agaçai-je.

— Tu as parié, avoua-t-elle finalement, les yeux rivés sur la grille.

— J'ai quoi ?

— Tu as parié et tu as perdu, résuma Connor. Et, de toute évidence, tu as tout oublié. On a essayé de t'arrêter.

— Tu aurais dû essayer plus fort ! m'énervai-je.

— Ne t'en prends pas à moi. Tu as parié avec Ashley que tu obtiendrais le numéro de téléphone de la serveuse.

— J'ai fait ça ? m'écriai-je, surpris. Mais enfin, tu sais très bien que je ne fais jamais ce genre de choses. Je ne drague pas dans les bars et je ne cherche pas à coucher avec des filles que je connais à peine. C'est contre tous mes principes.

— Je sais. C'est justement pour ça que nous sommes devenus amis : tu ne marcheras jamais sur mes plates-bandes !

— Je suis toujours dans la pièce, intervint Maddie avec ironie.

Ash sortit de sa chambre, vêtue d'une robe courte et de bottes. Quand elle me vit, ses yeux s'éclairèrent d'une lueur victorieuse et jubilatoire. Elle avança vers nous d'une démarche conquérante. Dans ma tête, le marteau-piqueur redoubla d'intensité, et la fanfare s'emballa. Etais-je vraiment en état d'affronter Ashley ?

Elle me contourna et lança le percolateur qui siffla jusqu'au fond de mes os. Je fermai les yeux, serrai les poings et attendis patiemment qu'elle s'installe pour lui parler. Le café s'écoula dans une lenteur affreuse, me torturant à chaque seconde.

— Je savais que le framboise t'irait bien, dit-elle finalement en s'asseyant près de Maddie.

Connor fixa Ashley, comme il aurait regardé une grenade prête à exploser. Je pris une profonde inspiration et me lançai.

— Tu te rends compte que j'ai un dîner de gala après-demain et que je ressemble à une satanée framboise ?

— Oui, je m'en rends compte. A ta place, j'essayerais de trouver une explication plausible.

— Une explication plausible ? Tu as profité de ce que j'étais ivre mort pour me lancer un pari idiot au sujet d'un numéro de téléphone !

Elle éclata de rire et, à mon grand désarroi, je constatai que, de leur côté, Connor et Maddie avaient du mal à se contenir.

— Vous n'avez rien de mieux à faire ? leur demandai-je dans un rictus énervé.

— Honnêtement, non. Et puis on compte les points, répondit Maddie.

Je secouai la tête et massai mes tempes du bout des doigts. Survivre à cette journée devenait de plus en plus compliqué.

— Et toi, tu as parié quoi au juste ? m'enquis-je.

— Que j'allais retirer ma chemise. Enfin, *ta* chemise.

Mes yeux se braquèrent sur sa poitrine, et je sentis mon visage se réchauffer d'embarras. A mon âge, rougir n'est plus attendrissant mais mortifiant. Mais j'étais incapable de rester de marbre devant les sous-entendus d'Ash.

Fantasme # 329 : un strip-tease privé de ma colocataire.

Je secouai la tête, chassant les images peu catholiques qui surgissaient. Ma mère m'avait appris à traiter les femmes avec respect et déférence. Et ces deux mots à eux seuls annihilaient toutes les possibilités qu'offrait le bar de la cuisine.

Ash posa une main sur la mienne et me rassura :

— Mais tu as perdu tellement vite que j'avais à peine retiré un bouton. Mon honneur est sauf, ne t'inquiète pas !

Je me pinçai l'arête du nez, partagé entre colère et soulagement. J'étais heureux qu'elle ne se soit pas montrée à moitié nue devant tout le monde. Ash avait une propension manifeste à vouloir s'exhiber quand, moi, je voulais juste la protéger.

— Et comment ai-je pu perdre si vite ?

Cette fois, j'entendis distinctement un fou rire étouffé de la part de Connor. Maddie pinça les lèvres, pendant que ma colocataire conservait un sérieux déroutant. Elle avala d'un trait son reste de café et se leva de son tabouret.

— Il faut que j'y aille, j'ai un partiel ce matin. On se voit plus tard ?

— Dis-moi au moins pourquoi j'ai perdu ce fichu pari !

— Sher n'a aucune serveuse.

Je restai sans voix, assommé, le cerveau au bord de l'implosion. J'observai Ashley s'habiller de son imperméable beige et prendre son parapluie. Je parvins à m'arracher du bar et la rejoignis à la porte. Ce n'est que près d'elle que je vis ses mâchoires serrées et son regard flamboyant de colère.

— Il faut que j'y aille, s'excusa-t-elle d'une voix étranglée.

— Est-ce que ça va ? Qu'est-ce que... ?

— Maintenant, tu sais ce que ça fait de perdre un pari pour de vrai.

Elle quitta l'appartement dans l'instant, me laissant éberlué, la poignée de la porte dans la main. Maddie et Connor ne riaient plus. Ils semblaient anxieux et tellement sérieux que cela m'inquiéta. Je n'avais pas choisi le bon jour pour avoir cette gueule de bois atroce.

— Elle m'en veut, et je ne comprends pas pourquoi. Si vous avez une idée, je suis preneur.

Maddie tira un billet de cinquante dollars de la poche de son jean et le tendit à Connor, dépitée.

— Tu as gagné, il se passe vraiment quelque chose entre eux, ronchonna-t-elle.

— Reste à deviner quoi, conclut Connor en prenant le billet.

Les minutes refusaient de s'écouler. Je fixais toujours le plafond, à la recherche de l'inspiration qui me permettrait de dénouer les méandres diaboliques du cerveau de ma colocataire. Je me redressai et, tout en faisant les cent pas dans ma chambre, listai les éléments de la veille dont je me souvenais.

Nous avions dansé.

Nous avions bu.

Nous avions échangé quelques mots.

C'était maigre comme indices, et mes capacités de réflexion étaient encore plus maigres. Je vérifiai de nouveau mon téléphone, mais je n'avais aucune nouvelle d'Ash. Cela me rendait dingue, et je me décidai à prendre les devants en lui envoyant un message. De toute façon, il ne pouvait rien m'arriver de pire.

Sauf, peut-être, devenir chauve. Oui, c'était tout à fait jouable.

Je sortis de ma chambre et fus surpris de découvrir Connor assis sur le canapé. Il portait ses lunettes et dévorait un vieil Agatha Christie passablement jauni.

— Maddie t'a lâché ?

— Elle voulait faire du shopping pour le gala. Avec ma carte de crédit, ajouta-t-il, incertain.

— Je te présente mes condoléances tout de suite ou j'attends un peu ?

— Très drôle. Mais, en attendant, ma vie sexuelle n'est pas un désert interminable. Tu te sens mieux ?

— Ce n'est pas la gueule de bois qui me tourmente le plus. Je vais me faire un café.

— Quel prétentieux, tu fais ! rit Connor.

— Toujours des problèmes relationnels avec le percolateur ?

— Je préfère mes problèmes relationnels que les tiens. Des nouvelles de Hurricane Ashley ?

— Aucune, soupirai-je. Et je n'aime pas quand tu l'appelles comme ça !

Je préparai nos deux cafés, me rejouant la scène de ce matin. Je ne parvenais toujours pas à comprendre. Puis je m'installai avec Connor sur le canapé. Mon téléphone n'affichait toujours aucune réponse de ma colocataire.

— Je devrais peut-être aller à l'hôpital et tenter de lui parler, dis-je, pensif.

Connor but une gorgée de son café et replongea dans son livre. Je lui assenai un léger coup de coude dans les côtes, attendant une réaction de sa part.

— Attends, tu veux mon avis ? demanda-t-il.

— J'aimerais bien, oui.

— Je croyais que tu étais un professionnel aguerri des relations amoureuses ? railla-t-il.

— Tu t'en sors mieux que moi en ce moment.

— Je lui ai donné ma carte bancaire pour qu'elle aille faire du shopping. Je suis certainement suicidaire, conclut-il.

— Tu es amoureux d'elle. Mais avant ça, tu habitais avec elle. Tu savais gérer les crises diplomatiques à grande échelle, vous parliez, vous partagiez des choses. Je ne veux pas que vivre avec Ashley devienne un cauchemar et que...

— C'est ça qui t'inquiète ? Votre colocation ? Si tu réponds « oui » à cette question, je vais devoir rendre mes fichus cinquante dollars à Maddie, alors réfléchis bien avant d'affirmer quoi que ce soit.

— Ashley est ma colocataire, donc oui, je m'inquiète des conséquences.

Connor poussa un long soupir, retira ses lunettes et

frotta son visage des deux mains. Je repris une gorgée de mon café.

— C'est une blague, c'est ça ? demanda Connor, incrédule. C'est forcément une blague !

— Mais de quoi...

— Quand je vais dire à Maddie que tu es encore plus idiot que moi, elle ne voudra jamais le croire ! Tu n'as jamais envisagé qu'Ashley et toi puissiez, disons, optimiser votre colocation ? Rassure-moi, tu as invité Ashley au gala, n'est-ce pas ?

— Au gala ? m'étonnai-je. Mais non, j'ai...

— Maddie va te tuer. Elle va lancer un tueur à gages à tes fesses, et on retrouvera ton corps au fond du lac Michigan, affirma-t-il avec conviction.

— Ashley est une amie. Une excellente amie et une colocataire géniale. De toute façon, je ne peux pas espérer mieux, marmonnai-je.

Connor marqua un temps d'arrêt. Il prit ma main et la tapota doucement, comme si j'étais un patient en stade terminal d'une maladie ravageuse. Puis il reprit, avec un visage dramatiquement compatissant. Je ne comprenais plus rien à cette conversation.

— Ta mort sera longue et très douloureuse. Elle engagera sûrement un type incollable en torture médiévale. En tout cas, j'ai été ravi de t'avoir comme ami.

— Ce n'est pas si simple que ça. Ashley est... inaccessible. Et moi, je suis... perdu. J'ai l'impression que la situation m'échappe avec elle. Nous sommes proches, mais paradoxalement elle a toujours pris soin de placer une forme de distance infranchissable entre nous.

— Il s'agit de désir, Ben. Coucher avec une fille n'est pas si dramatique. Coucher avec Ashley te serait même très bénéfique. Tu n'as pas abordé une fille depuis Jenny, qui, apparemment, t'a définitivement castré.

— Connor, je ne suis pas comme toi. Je ne considère

pas les filles comme étant des éléments jetables et interchangeables à l'envi. Ashley m'horripile, me rend dingue, est en ce moment même fâchée contre moi et sort avec un type qui préfère les donuts industriels à mes muffins, m'énervai-je.

Le tambourinement dans mon crâne recommença. Je fermai les yeux et repris mon souffle. J'espérais du soutien de la part de Connor pour régler la situation et je me retrouvais sujet d'analyse.

— Et malgré tout ça, tu passes ton temps à la regarder. Je crois que c'est pour cette raison que je n'ai jamais été pâtissier : vous êtes bien trop sérieux. Tu ne me feras pas croire que tu n'as jamais songé à passer la porte de sa chambre en pleine nuit.

Mon seul silence suffit à répondre à sa question. Gagner son lit au milieu de la nuit était le premier fantasme de ma longue liste. Hier, dans le Photomaton, un nouveau y avait fait son apparition.

Fantasme #330 : lui faire l'amour dans ce maudit Photomaton.

— Ce n'est que du désir, marmonnai-je, embarrassé. Le désir ne fait pas une relation.

— Le désir est la base de toute relation. Le désir et le fait de savoir cuisiner, ajouta-t-il, pragmatique. Tu es pâtissier, tu pars avec une bonne longueur d'avance sur les autres. Un jour, un type qui s'appellera Igor, Bjorn ou Sven passera cette porte et...

— Toujours hanté par le fantôme de Markus ?

— La ferme ! Essaye plutôt d'oublier tes principes désuets et qui sentent la naphtaline. On est au XXIe siècle, tu vis avec Ash, qui est loin d'être repoussante et même plutôt intelligente quand on oublie son côté barré. Sincèrement, à ta place, je sauterais sur l'occasion. A tout point de vue, ajouta-t-il avec un sourire entendu.

— Pour l'instant, je veux juste qu'elle me reparle. Et je veux que tu déguerpisses d'ici, car j'ai un dîner à préparer.

— Oh ! je la connais ?

— Dégage ! répondis-je en me levant du canapé.

— Ben ?

— Oui ?

— Evite de répéter à Maddie cette petite conversation.

— Au sujet de ta carte bleue ou sur le fait que tu trouves Ashley très à ton goût ?

Pour toute réponse, je reçus un coussin sur l'arrière du crâne. Je parvins à esquiver le second, avant que Connor m'attrape par le cou et me frotte vigoureusement le cuir chevelu de son poing. Je m'arrachai de sa prise en lui écrasant violemment le pied gauche.

— Et Maddie qui trouve toutes tes bonnes manières si charmantes, bougonna-t-il en boitant jusqu'à la porte de sa chambre.

— Tu aurais préféré que je te défie en duel au milieu du salon au lever du jour ?

— Commence par défier Ashley. Et trouve un bon coiffeur. Il n'est pas question que je sois à la même table que toi demain soir si tu arbores cette tête.

Connor enfila son épais manteau en laine et prit ses clés.

— J'emmène Maddie dîner dans un restaurant chic. On ne sera pas de retour avant 23 heures, ça ira pour toi et ta... dulcinée ?

— Ça sera parfait. Merci.

Il quitta le loft, et je profitai du calme pour lancer la préparation de mon dîner. Il restait de beaux morceaux de poulet au réfrigérateur, que je voulais faire mariner. En accompagnement, des patates douces relevées d'épices en papillote. Le plus urgent était de préparer ma charlotte aux poires et au chocolat.

Je lançai mon lecteur MP3, et un sourire nostalgique

orna mes lèvres quand je sélectionnai le morceau qui allait m'accompagner en cuisine.

Après environ deux heures de pâtisserie, je constatai avec soulagement que ma gueule de bois avait disparu. Mes tourments, au sujet d'Ashley, étaient toujours bien présents, mais, malgré tous mes efforts, je n'avais pas résolu le mystère de sa colère. Aussi, quand elle réapparut en fin d'après-midi, un sac de provisions serré contre elle, il y eut un instant de malaise où nous nous dévisageâmes avec crainte.

— Salut, murmura-t-elle finalement.

— Salut.

Son regard navigua sur le salon, là où j'avais installé une table pour deux. Un voile de tristesse apparut sur son visage. Elle posa son sac délicatement sur un des tabourets et évita mon regard. Elle ôta ses bottes, puis, comme si c'était tout à fait normal, elle fit rouler ses bas le long de ses jambes pour les retirer. Je détachai mes yeux de ses cuisses et me concentrai sur le montage de mon dessert.

— Qu'est-ce que c'est ?

— Charlotte aux poires.

— Non, la musique je veux dire.

— Tchaïkovsky, scène finale du *Lac des cygnes*. Quand le prince Siegfried comprend qu'il a été berné par le cygne noir.

J'augmentai le son quand les violons s'envolaient prodigieusement. Le dernier mouvement aurait pu faire frissonner même l'auditeur le plus hermétique à la musique classique. J'observai Ashley, qui fixait les enceintes avec fascination. Les tambours retentirent, annonçant l'apothéose du morceau. Ma colocataire ne bougeait plus, tandis qu'un frisson agréable parcourait mon dos.

— « Vous aimez trop la musique pour aimer une femme », récitai-je.

Ashley fronça les sourcils, sans comprendre.

— C'est ce qu'une femme a écrit un jour au compositeur, expliquai-je.

— Comment fais-tu pour t'y connaître autant ?

— Ma mère était costumière. La première fois que j'ai entendu *le Lac des cygnes*, j'avais cinq ans.

Ashley m'adressa un sourire, puis tourna son attention à nouveau vers la musique. Elle montait *crescendo*, forte, puissante, trahissant la fatalité du destin des deux protagonistes.

— C'est plutôt... triste, analysa Ashley après une écoute attentive.

— Leur amour est impossible, c'est donc tragique, en effet.

Elle ferma les yeux et se laissa emporter par les dernières notes du mouvement. Progressivement, le rythme s'apaisa, les instruments se turent, et Ashley rouvrit les yeux. Son regard étincelait, et elle écrasa une larme qui menaçait au coin de son œil. Patrick Swayze et sa voix de crooner pouvaient aller se rhabiller.

— Si tu dis à quelqu'un que j'ai pleuré en écoutant ce truc, je jure que je te rase le crâne.

J'éclatai de rire, soulagé de retrouver la Ashley que je connaissais, impulsive et drôle. Je repris la préparation de mon dîner, détaillant le poulet en petits morceaux.

— Je me suis fait un devoir de te faire avoir un orgasme musical.

— L'orgasme tout court semble un objectif beaucoup plus atteignable.

— « Tout court », répétai-je en souriant. C'est mal me connaître !

— Ben Harris qui fait une allusion graveleuse ? Je vais appeler CNN.

— Est-ce que... Enfin, es-tu toujours... fâchée ? demandai-je.

— J'aimerais bien. Ça m'aurait évité de culpabiliser stupidement au sujet de tes cheveux toute la journée.

— Ashley Jordan qui culpabilise. *Je* vais appeler CNN.

— Ne me fais pas regretter d'avoir été pleine de mansuétude, contra-t-elle avec humour. A la base, tu voulais qu'on te tonde et qu'on te laisse une crête jaune.

— Est-ce que je peux au moins savoir ce que j'ai fait pour mériter une telle punition ?

— Tu as parié et tu étais ivre, me rappela-t-elle.

— Je veux la vraie raison.

L'atmosphère amicale et légère avait disparu, et la tension de ce matin resurgissait. Je repoussai ma préparation de poulet, m'essuyai les mains dans mon tablier et contournai le bar pour faire face à Ashley. Elle me cachait quelque chose, et je voulais la vérité.

— Est-ce que c'est à cause de ce qui s'est passé dans le Photomaton ?

— J'aimerais justement qu'on oublie cet épisode.

Elle releva les yeux vers moi, hésitante et incertaine. Je passai une main nerveuse dans ma chevelure. Je voulais qu'elle me parle, mais je ne pensais pas qu'elle me rejetterait aussi vite. Prendre un uppercut ne m'aurait pas fait plus mal. Je pouvais tout accepter de la part d'Ashley, mais qu'elle se mure dans le silence et m'exclue de son monde, cela m'était insupportable.

— Pas moi, murmurai-je. Qu'est-ce qui se passe, Ash ? Qu'est-ce que j'ai fait de mal pour que tu me repousses ainsi ?

— Rien. C'est juste que ça serait une terrible erreur. Genre amour impossible et fin tragique. On ferait mieux d'éviter ça et de reprendre notre petite routine habituelle.

— Tu es en train de me briser le cœur, dis-je avec un sourire furtif.

— Au contraire, je tente de le préserver. Il sera parfait pour une fille normale.

Je me figeai. Fille normale. Cela me rappelait quelque chose. Quelque part dans les brumes d'alcool de mon cerveau, le souvenir de ma conversation de la veille, avec Connor, me revint. Je reculai, mal à l'aise. J'avais simplement voulu la contrarier, et tout se retournait violemment contre moi.

— Donc tu es en colère après moi, à cause de cette histoire de « fille normale » ?

— Non. Ça m'a blessée mais, en y réfléchissant, tu as raison.

— Alors qu'est-ce que j'ai pu faire hier soir pour que tu sois ronchon au réveil ?

— Généralement, je suis ronchon au réveil quand les hommes n'ont justement rien fait.

J'écarquillai les yeux, pétrifié. Etait-il possible qu'ivre et sans contrôle j'aie dragué Ash ? Le souvenir de mon pantalon descendu jusqu'aux chevilles me revint. L'inquiétude me gagna quand je vis le sourire d'Ashley s'élargir. Je ne savais pas ce que je craignais le plus : d'avoir dragué Ashley... ou d'avoir été lamentable au point de m'endormir sans me souvenir de rien.

— Tes oreilles sont toutes rouges, se réjouit-elle.

— Est-ce que... Aurais-je eu un geste... déplacé ?

Ashley saisit mon visage dans sa main droite et le pinça. Je grimaçai de douleur, pendant qu'elle éclatait de rire.

— Tu as de la chance d'être si adorable, sinon, je pourrais te torturer pendant des heures. Je te rassure, tu n'as rien fait, avoua-t-elle en me libérant. Même ivre, tu es plein de bonnes manières. A l'occasion, j'en féliciterai ta mère.

— Bien. Mais ça n'explique toujours pas pourquoi...

— Tu as menti. Pour le pari, précisa-t-elle, sur Connor et Maddie.

— Oh.

Elle m'observa, analysant les effets de sa révélation

pendant quelques instants. Puis elle haussa les épaules et finit de vider son sac.

— C'est vrai, admis-je en devinant un rougissement massif sur mes joues.

— Tu es très mignon quand tu rougis. J'ai même des scrupules à te demander pourquoi, s'amusa-t-elle.

— Il est fort possible que j'aie simplement voulu te démontrer mes talents de danseur.

— Il est fort possible que ce ne soit que de l'enfumage.

— Ce n'est pas très sympa pour mes talents de danseur !

— Tu faisais juste un concours avec le grand brun pour savoir lequel fait pipi le plus loin. Tu transpirais la testostérone, c'était très sexy.

Sa voix était teintée d'humour, mais son regard fuyant trahissait une pointe de déception. Soudain, je compris pourquoi elle m'en voulait. Ce n'était pas pour ce pseudo-mensonge, ni pour la danse et encore moins pour cette histoire de pipi.

Le Photomaton.

Je retirai précipitamment mon tablier, tâtai mes poches avec frénésie et trouvai miraculeusement un billet de cinq dollars. Ashley me fixait avec ahurissement.

— On y va, annonçai-je.

— Quoi ? Où ?

— Au Photomaton. On y va. J'ai gagné ce fichu pari, donc je veux qu'on aille au Photomaton, dis-je avec conviction.

— Dis-moi que je ne suis pas la seule à sentir ces phéromones chargées de testostérone, qui me donneraient presque envie de chanter *Eye of the Tiger* ?

Je la fusillai du regard. Non seulement elle ne semblait pas partante pour honorer notre pari, mais en plus elle se moquait de moi. Et là, avec cette petite moue dédaigneuse et son haussement d'épaules, elle me brisa effectivement le cœur.

— Je pensais déclencher un peu d'enthousiasme, bougonnai-je.

— Ben, parce que je suis ton amie et ta colocataire, je me dois de te rappeler que tu es framboise. Et, parce que tu es framboise, tu déclenches, au mieux, un éclat de rire.

— Et au pire ?

— Je crois qu'Oprah est à deux doigts de lancer une émission spéciale pour sauver tes cheveux, avec un numéro surtaxé et Chewbacca en témoin de moralité.

Je ne pus m'empêcher d'éclater de rire. Ashley était d'une imagination redoutable. C'était ce que j'appréciais chez elle : elle était imprévisible et pourtant terriblement attachante. Sa remarque eut au moins le mérite de réduire à néant la vague de déception qui menaçait de m'engloutir.

Je voulais Ashley. Mais, si je ne pouvais pas l'avoir au sens biblique, je pouvais au moins la garder comme amie. Oui, cela me torturerait, oui, cela me rendrait amer et jaloux. Mais vivre sans elle — comme cela avait été le cas ce matin — était insoutenable de douleur.

— Et j'ai toujours cette petite pointe de culpabilité au creux de l'estomac et j'aimerais m'en débarrasser au plus vite, reprit-elle. Si on va au Photomaton maintenant, ce moment d'égarement capillaire sera fixé pour l'éternité.

— Tu te fous de moi ! Je sais que tu as pris des photos dans mon sommeil.

— J'avais pourtant dit à Connor de fermer sa grande bouche, râla-t-elle, agacée.

— Mais il l'a fait.

Elle plissa les paupières, tentant, en vain, de m'adresser un regard mauvais et lourd de menaces. Elle se faisait avoir systématiquement. C'était la conséquence directe de son impulsivité légendaire.

— J'envisage toujours de te faire chanter.

— Je suis pâtissier, Ash, donc pauvre. Fais plutôt

chanter un cardiologue ou un psychiatre. Tu es certaine de ne pas vouloir aller au Photomaton ?

— Certaine. J'ai une meilleure idée, lança-t-elle en prenant un air mystérieux.

— Tu me fais peur, avouai-je en l'observant fouiller dans le fond de son sac de courses.

— Tadam ! Ton sésame vers la normalité, ce monde un peu chiant où tout le monde, y compris toi, est brun.

Elle se leva de son tabouret et prit une pause exagérée, tout en me présentant avec moult mouvements des mains une boîte de coloration. Je la fixai, incrédule, avant de rire nerveusement.

— Je ne vais pas faire ça, affirmai-je avec force.

— Bien sûr que non, balaya-t-elle d'un mouvement de main. *Je* vais le faire.

L'éclat de jubilation dans son regard ne m'échappa pas. Je levai les mains devant moi et reculai, par instinct de préservation.

— Moi vivant, jamais plus tu ne toucheras mes cheveux.

— Ne sois pas ridicule. Tu as invité une fille ici ce soir et tu es rose. Tu ne t'attends tout de même pas au grand jeu dans cet état ? Je vais aller chercher une serviette et une chaise. Retire ta chemise.

— Ça devient une demande récurrente, lui fis-je remarquer en haussant un sourcil.

— Et il comprit enfin mon plan machiavélique : lui faire perdre un pari stupide pour le voir torse nu. Je ferai une super méchante dans James Bond.

Une image fulgurante d'Ashley sortant de l'océan, vêtue d'un bikini ivoire et un couteau à la main, me traversa l'esprit.

Fantasme #331 : Ashley en James Bond girl torride. Sans couteau, ni compétences en arts martiaux, histoire de me faciliter la tâche.

Ashley claqua des doigts, me ramenant ainsi à la réalité.

Je clignai des yeux, constatant qu'elle avait installé la chaise au milieu du salon et qu'elle me tendait une serviette.

— Tu es sûre de toi ?

— Absolument. De toute façon, il ne peut rien arriver de pire que cette couleur framboise.

Elle tourna la boîte en tous sens, lisant les instructions. Je n'étais pas franchement rassuré par la tournure des événements. Mais je ne pouvais de toute façon pas rester dans cet état à moins de quarante-huit heures de la soirée de gala. Si jamais je gagnais... Non, c'était impossible. Ashley prépara la teinture, qui, si j'en croyais la boîte, devait répondre à mon rêve le plus dingue de la journée : retrouver mon apparence.

— Tu es censé devenir brun cannelle.

L'odeur de la coloration me piqua le nez, et je grommelai. Ashley avança vers moi et, sans prévenir, attaqua les boutons de ma chemise. Je saisis ses poignets, la forçant à stopper son geste.

— Je voulais juste t'aider, expliqua-t-elle, surprise par ma réaction.

— Je sais. Un autre soir, peut-être.

— Des promesses, monsieur Harris, toujours des promesses, plaisanta-t-elle.

— Je tiens toujours mes promesses, mademoiselle Jordan. Auriez-vous peur ?

Toute trace d'humour disparut de son visage. Son regard s'assombrit, et elle s'humecta les lèvres.

— J'ai la trouille, admit-elle.

— De quoi ?

— Que tu m'embrasses à nouveau.

— Je ne sais pas comment je dois le prendre...

— Je ne sais pas si je pourrai t'arrêter, avoua-t-elle à voix basse.

Je retirai ma chemise et la posai sur le bar. Dans mon dos, je sentais le regard brûlant d'Ashley. Quand je pivotai et plongeai mes yeux dans les siens, la Terre cessa de tourner sur son orbite. Ashley pinçait les lèvres, mais détaillait mon torse avec curiosité. Mon cœur frappait à contretemps, bien trop vite, pendant qu'une vague de désir, puissante et brutale, déferlait dans mes veines. Je frottai mes mains l'une contre l'autre et baissai les yeux.

La Méduse avait repris du service, et je ne voulais pas être pris en flagrant délit d'excitation pure et déraisonnable au milieu du loft. Ça ne se fait pas.

— Tu as... Tu as déjà fait ça ? demanda Ashley.

Elle détourna le regard et recula. Son pied tapa contre la chaise, et elle faillit s'étaler au milieu de la pièce. Je n'étais pas le seul à être troublé. J'attrapai la chaise, posant ma main sur le dos de ma colocataire dans la manœuvre.

— Laisse-moi m'installer. Et c'est la première fois que je fais ça.

Je m'assis docilement. Elle émit un petit couinement de lamentation, avant de râler contre elle-même.

— J'aurais dû te demander de te mettre tout nu, se morigéna-t-elle.

— Uniquement la nuit, pour dormir.

— Tu... Tu dors nu. Bien sûr. C'est... évident. Tu dors nu et tu es célibataire, énonça-t-elle en positionnant une épaisse serviette bleue sur mes épaules.

Elle la retint avec sa pince rose fluo, puis prit le bol dans lequel se trouvait la coloration et la remua avec un pinceau.

— Tu vois un lien de cause à effet ? m'enquis-je en riant.

Elle passa sa main dans mes cheveux pour les démêler, avant de triturer en grimaçant une mèche entre ses mains. De loin, c'était affreux, je n'osais imaginer ce que cela pouvait donner de près.

— Plutôt un paradoxe. Tu es un paradoxe, de toute façon.

— Et cette conclusion se base sur quoi au juste ?

— Je commence, me prévint-elle.

Elle sépara ma chevelure en deux, puis passa délicatement le pinceau sur le haut de ma tête. L'odeur d'ammoniaque me tira un nouveau grognement. J'étais certain de retrouver ma copine la migraine d'ici peu de temps. Après un court silence, elle reprit :

— Et ma théorie se base sur un type qui écoute *le Lac des cygnes* en faisant de la pâtisserie. Tu sais faire la lessive, tu me prépares des muffins, tu rougis, tu es pétri de bonnes manières désuètes mais adorables. Tu n'appartiens pas à ce monde, finit-elle, presque désabusée.

— Je croyais que tu détestais justement la normalité.

— Il y a la normalité, l'exubérance... et le paradoxe. Tu es le paradoxe, répéta-t-elle.

Du pinceau, elle effleura mon oreille, s'appliquant à disposer la teinture uniformément. Je risquai un petit sourire, en découvrant du coin de l'œil son visage concentré.

— Techniquement, tu ne devrais pas être célibataire, ajouta-t-elle au bout de quelques secondes. Tu devrais être en couple, avec un chat, un vague projet de mariage et une carte fidélité chez Ikea.

Elle me fit face et peaufina son travail en ajustant la teinture ici et là.

— J'avais presque tout ça et j'ai fini par quitter Jenny, lui fis-je remarquer.

— Parce qu'elle t'étouffait. J'ai presque terminé, m'annonça-t-elle.

Elle avança vers moi et se plaça entre mes cuisses. Elle vérifia la pose du produit, donna encore quelques coups de pinceau, avant de le reposer dans le bol. Elle retira ses gants en plastique, et, à l'instant où elle s'écarta, je la retins par le poignet.

— C'était la raison officielle, avouai-je.

Ashley ancra son regard dans le mien. Elle n'était ni surprise ni curieuse. Elle attendait simplement que je continue. Je libérai son poignet et, embarrassé, frottai mes mains contre mon jean.

— J'ai rencontré Jenny au restaurant, notre relation était simple, facile même, mais... j'ai vu Connor tomber amoureux de Maddie et j'ai compris alors que je n'étais pas amoureux d'elle.

— Connor n'est pas franchement un modèle de...

— Et il y a eu toi. Quand tu as déboulé chez Sher, tu étais pleine de vie, et drôle et enthousiaste et... Tout un tas de choses que je n'arrive pas encore à définir.

— Il faut... attendre... la pose. La boîte dit vingt minutes, débita-t-elle précipitamment.

Elle recula de plusieurs pas, évitant mon regard. Elle récupéra le bol, ramassa le pinceau et rinça le tout dans l'évier. Elle me fuyait. Je me relevai de ma chaise, retirai la serviette qui me couvrait les épaules.

— Ash, je t'en prie, regarde-moi.

Elle s'exécuta et s'appuya contre le plan de travail. Son attitude avait changé. Elle semblait plus en colère que bouleversée. Je fis un pas vers elle, mais d'un mouvement de la main elle m'arrêta.

— Tu as un dîner dans une heure, et je dois aller prendre ma garde.

— J'ai vraiment loupé ma chance au Photomaton, ricanai-je avec amertume.

— Peut-être. Ou peut-être que c'était une excellente chose. Ça nous évite un paquet de nœuds au cerveau. On est colocataires et amis. Tu es probablement le seul élément stable de toute ma vie. Parfois, on veut que les choses changent, mais ça risquerait de tout foutre en l'air.

— C'est toi qui es un paradoxe.

Elle haussa un sourcil, surprise de ma remarque. Cela avait eu au moins le mérite de faire éclater la bulle de malaise qui grossissait entre elle et moi.

— Tu voulais que je t'embrasse dans ce Photomaton, continuai-je. Tu le voulais autant que moi. Et maintenant que j'ai le courage d'aller vers toi, notamment parce que mes neurones sont totalement anesthésiés par l'ammoniaque, tu prends la fuite.

— Soit, je suis un paradoxe, admit-elle. Et tu es à moitié nu devant moi ce qui, crois-moi, me demande des efforts surhumains pour rester paradoxale.

J'éclatai de rire et bombai le torse exagérément. Elle leva les yeux au ciel, mais je vis clairement un éclat de malice illuminer son regard. L'ambiance lourde s'estompa peu à peu, mais je n'avais toujours pas résolu l'énigme Ashley.

— Dans dix minutes, je serai rhabillé et brun, et tu pourras cesser de déployer tous ces efforts.

— Tu plaisantes ? Ça sera encore plus difficile. Tu vas devenir archi-baisable, se lamenta-t-elle. Ne t'avise pas de te pointer à l'hôpital avec des muffins, me prévint-elle en agitant un index tendu vers moi.

— Serait-ce une pointe de jalousie que je décèle ?

— Serait-ce une pointe de machisme primaire que je décèle ?

— J'ai demandé avant !

— Je veux l'exclusivité sur les muffins. Et sur les mots croisés. Et sur cette histoire de dormir nu, je ne suis pas certaine de vouloir que d'autres femmes le sachent. Déjà que tu dînes avec une autre ce soir, dit-elle d'un ton boudeur.

— Je dîne avec ma sœur. Sa vie est compliquée en ce moment, c'est pour ça que je voulais être seul avec elle.

Ashley m'adressa un regard contrit et se tritura les doigts nerveusement. Je passai une main sur mon visage, sentant, comme je l'avais prévu, un début de migraine enserrer mon crâne.

— Donc, ce Photomaton ? proposai-je à nouveau.

— Et après, quoi ? Tu auras assouvi ton désir du

moment ? Tu te trompes sur nous deux, Ben. Nous sommes deux planètes de deux galaxies totalement différentes.

— Et donc, d'après toi, nous sommes incompatibles ?

— Non. Mais que nous soyons amis est déjà un défi. Je ne veux pas tout gâcher pour une nuit de sexe débridé et une boîte de préservatifs. Tu es déjà mortifié en regardant mes sous-vêtements dans une panière à linge. Comment vas-tu réagir si tu les vois sur moi ? Ou si je te demande de me les arracher avec les dents ?

Fantasme # 332 : observer Ashley en dessous blancs et porte-jarretelles.

Et évidemment, mon visage se para d'une fantastique couleur coquelicot, tandis que j'imaginais Ashley en sous-vêtements. Je savais qu'elle me provoquait et qu'elle avait parfaitement anticipé ma réaction, pourtant, quelque part, je savais qu'elle avait raison.

On n'attaque pas l'Everest alors qu'on vient juste d'apprendre à grimper un escalier.

On n'attaque pas une fille comme Ashley, quand votre seule véritable relation remonte à plus de six mois. J'étais désarmé pour tenir tête à une fille comme elle.

Un sourire triomphant s'étira sur le visage de ma colocataire. Peut-être avait-elle raison. Peut-être qu'au-delà du désir il n'y aurait que de l'embarras ou la fuite.

Peut-être qu'au-delà du plaisir de passer une nuit avec elle il y aurait la sensation terrible d'avoir perdu plus que gagné.

— Tu es pivoine, soupira-t-elle. Et je vais finir par être en retard. As-tu au moins déjà fait quelque chose de fou dans ta vie ?

— Je...

— Vivre avec moi ne compte pas, me rappela-t-elle avec perfidie.

Elle patienta quelques secondes puis, devant mon silence,

secoua la tête, quitta la cuisine et gagna sa chambre. Je restai au milieu du loft, sonné et impuissant.

Trouver une nouvelle tactique je dois ; sous mon charme, elle sera.

Chapitre 4

Bonjour, vous êtes bien sur le portable d'Ashley. Je suis en dégustation de dessert honteux au chocolat avec mon colocataire, mais chantez-moi *Light My fire* et je vous rappellerai peut-être…

Je posai mon stylo et relevai le nez vers le bureau du professeur, qui dominait l'immense amphithéâtre. J'avais attendu ce moment depuis des semaines : le moment parfait où je poserais le point final à mon dernier examen, le moment parfait où je dévalerais pour la dernière fois ces marches, en ricanant comme le Joker.

J'y étais. J'étais au bout de mes études, au bout de quatre années de travail intense, de nuits trop courtes et de journées trop longues. J'y étais.

Le mot « victoire » ne suffisait pas à décrire mon état d'esprit. Je marchais sur le lac Michigan en sifflotant *The Final Countdown*.

Autour de moi, il restait quelques personnes qui terminaient elles aussi de répondre à leurs questionnaires. La dernière partie, sur les protocoles de soins palliatifs, était la plus ardue et exigeait la présentation d'un projet personnel. Je rangeai mes affaires, rassemblai ma chevelure dans un chignon maintenu par le stylo de la gloire, pris ma copie et la rendis à mon professeur.

Ce dernier m'adressa un sourire poli et sans âme. Je sortis de la salle, remontai un interminable corridor, avec, en point de mire, la lumière du jour éblouissante qui perçait à travers les carreaux. Je souriais à m'en faire mal aux zygomatiques. Je poussai la lourde porte battante et tendis mon visage vers le soleil glacé de Chicago. En retour, je récoltai une pluie de confettis et un sifflement atroce qui me transperça le tympan gauche.

— Félicitations ! hurla Maddie.

Avant que je puisse réagir, elle me prit dans ses bras, glissa un chapeau en carton sur ma tête, fit claquer l'élastique sur mon menton et me lança une nouvelle poignée de confettis.

— Tu en as enfin terminé avec les études ! A toi la vie d'adulte !

— A moi la vie des sourds et malentendants, grommelai-je en frottant mon oreille endolorie.

— Bravo, Ash, me félicita Connor sur ma droite.

Il me prit dans ses bras et m'embrassa sur la joue. Je triturai l'élastique qui me cisaillait la peau, tout en cherchant Ben du regard. Je ressentis une pointe de déception en constatant son absence. J'aurais aimé qu'il soit là pour célébrer ce grand moment.

Après ma garde de cette nuit, j'étais rentrée à l'appartement. A ma grande surprise, j'avais croisé mon colocataire, dévalant l'escalier, son bonnet vissé sur la tête et une épaisse paire de mitaines aux mains. Il m'avait tout juste saluée. Après notre conversation inattendue sur la possibilité d'être plus que des amis, je ne pouvais guère m'attendre à mieux.

Il était déçu.

J'étais pleine de regrets.

Pourtant, sur le bar de la cuisine, mon assiette de muffins habituels trônait. Au-dessus, un petit post-it me souhaitant « bonne chance » et m'indiquant qu'il serait à l'appartement à mon retour.

Notre amitié était sauve, et cela m'avait rassurée.

— Je t'ai pris un grand cappuccino avec supplément de crème et un muffin, dit Maddie, me sortant de mes pensées.

Elle me tendit un grand gobelet chaud et un sachet en papier, maculé de taches de graisse. Je grimaçai, pris le gobelet, mais refusai le muffin. Il était hors de question que je mange cette chose collante et dont les anciens membres du KGB se servaient pour faire parler leurs prisonniers. « Mange ou je t'étouffe. »

— C'est un muffin au chocolat, précisa Maddie.

Elle balança le sachet devant moi, comme l'aurait fait un hypnotiseur avec son pendule. Ce que Maddie ne savait pas, c'est que ce muffin n'avait aucun effet sur moi.

Les seuls qui trouvaient grâce à mes yeux étaient ceux de l'homme avec lequel je vivais et qui parvenait à me faire aimer la musique classique. Je secouai la tête pour évacuer l'image de Ben et moi, en train de faire des choses inavouables, nus sur notre canapé, bercés par *le Lac des cygnes*, mangeant des muffins et nous donnant des petits surnoms ridicules.

Cela me fit froid dans le dos.

— Maddie, je vis avec un pâtissier, mon niveau d'exigence dépasse nettement le muffin industriel au goût de levure trop prononcé. Et ils utilisent de la pâte à tartiner, ce n'est pas...

— ... du vrai chocolat, termina Connor. Dans mes bras, Ash, me proposa-t-il en m'écrasant contre son torse.

J'étouffai un rire, me souvenant maintenant que Connor militait contre la vente de la pâte à tartiner.

Je devais admettre que, depuis que je vivais avec Ben, j'avais, au fur et à mesure, éliminé mes habitudes alimentaires d'étudiante. Désormais, quand je mangeais des pancakes, un bol de sauce au chocolat me tenait compagnie.

Connor me libéra, ébouriffant affectueusement ma tête, avec une lueur de fierté paternelle dans le regard. Il croisa les bras sur sa poitrine et observa Maddie, qui entrouvrit le sachet. Il me sembla entendre une vague musique de western, pendant qu'il toisait sa petite amie, prêt à en découdre.

— Si tu poses ta bouche là-dessus, je jure que je te quitte, la menaça-t-il avec un regard sévère.

— Un choix cornélien entre Connor et le muffin, m'amusai-je. Je ne voudrais pas jouer au vautour mais, si tu choisis le muffin, je garde Connor.

Elle me jeta un regard noir, roula en boule le sachet avec le muffin et le mit dans la poubelle à côté d'elle. Connor approcha d'elle, enroula son bras autour de sa taille et déposa un baiser délicat sur son front.

— Tu es incroyablement sexy quand tu es ronchon.

— Crétin !

— Sale gamine, rétorqua-t-il dans un rire.

— Je crois que je vais rentrer au loft, dis-je dans un soupir. Je suis éreintée et...

— Tu devrais plutôt aller faire du shopping avec Maddie, proposa Connor.

— Je suis vraiment fatiguée, et...

— Et tu devrais vraiment faire du shopping avec Maddie, insista-t-il.

Mon regard passa de ma meilleure amie à son petit ami. Ils échangèrent un regard furtif, de plus en plus mal à l'aise. Maddie se dandina d'un pied sur l'autre, pendant que Connor portait son regard partout, sauf sur moi.

— Vous ne voulez pas que je mette un pied au loft, c'est ça ? m'enquis-je en retirant le ridicule chapeau dont j'étais affublée.

— Disons que ça nous arrangerait si tu acceptais de venir faire du shopping avec moi.

— Et toi, Connor, tu fais quoi ?

Je pris une gorgée de mon cappuccino, gardant un œil sur la réaction embarrassée de mon ami. A nouveau, il lança un regard à Maddie. Les hommes et le mensonge... Connor transpirait la panique à des kilomètres. Et son seul regard, qui disait « au secours, je suis grillé et elle va être méchante avec moi », aurait pu émouvoir une armée de guerriers spartiates. Je retins un rire et frottai amicalement son bras. J'étais trop éreintée pour le torturer.

— Shopping alors ? dis-je avec un enthousiasme outrageusement feint.

— J'ai repéré une fantastique boutique de chaussures.

— Maddie, c'est très gentil, mais j'ai tout juste de quoi m'acheter... des lacets. Et je suis certaine que les chaussures que tu as repérées n'ont pas vraiment besoin de lacets.

— Tu es particulièrement chiante quand tu es raisonnable. D'où te vient ce trait de caractère ?

— Je vis avec Ben, lui rappelai-je, le chantre de la normalité. Tu savais que ce type savait faire ses lessives ?

— Vraiment ? Il faut que tu me racontes.

Elle fit quelques pas, me tirant par le bras. Je savais qu'il ne s'agissait que d'une diversion visant à m'empêcher de rentrer définitivement au loft, mais j'étais néanmoins contente de partager un moment seule avec Maddie.

— A plus tard, chéri ! lança-t-elle par-dessus son épaule.

J'eus à peine le temps de voir Connor décamper dans la seconde. Maddie babillait toujours, de chaussures, de robes et autre lingerie affriolante. Je sirotai mon café en silence, l'écoutant d'une oreille distraite.

Une seule chose me taraudait : qu'est-ce que Ben était en train de mijoter au loft ?

Maddie s'agitait dans une des cabines. Le rideau la masquait, mais je voyais ses pieds. Et ses pieds sautillaient allègrement, tandis qu'elle pestait avec fureur contre Connor et ses satanés petits plats de chef.

— A mon retour à Houston, je me colle au régime pamplemousse et salade verte, promit-elle en passant une tête entre le rideau et la paroi de la cabine.

Elle repoussa finalement le rideau et apparut, avec un jean noir trop moulant... et trop ouvert. Elle m'adressa un regard assassin, me faisant ainsi ravaler une remarque désobligeante et acerbe, puis elle se dirigea vers le miroir qui recouvrait une grande partie du mur de la boutique et se remit à se bagarrer avec la boutonnière. Le visage de Maddie oscillait entre les nuances rouge écarlate et violet tandis qu'elle retenait sa respiration, ses fesses, ses seins et ses jurons.

— Peut-être devriez-vous tenter une taille au-dessus ?

Dans un film de science-fiction, Maddie aurait pulvérisé la pauvre vendeuse d'un seul regard et l'aurait réduite en un petit tas de cendres sur la moquette blanche.

— Je vais rentrer dedans, dit-elle froidement.

— Certainement, après deux semaines au fin fond de ton cercueil, ironisai-je.

— Je suis toujours rentrée dans un 38.

— Et j'ai toujours rêvé d'être millionnaire. Parfois, on ne fait pas ce qu'on veut. Amenez-lui la taille au-dessus, s'il vous plaît.

La vendeuse prit la fuite aussitôt, ravie d'avoir une mission à accomplir. Maddie rentra le ventre et reprit son petit sautillement honteux. Elle abandonna au bout de quelques secondes, défaite.

— Six mois avec Connor et je ne rentre plus dans un 38. Ce n'était pas prévu dans mes plans.

— Faire des plans est une erreur.

— Ne pas en faire est suicidaire.

— Absolument pas, je gère au jour le jour. Et, moi, je rentre dans du 38, fanfaronnai-je.

Maddie haussa un sourcil, me détailla longuement, avant de secouer la tête. Je fronçai les sourcils et passai mon pouce entre la ceinture de mon jean et mes hanches. J'avais de la marge. Beaucoup de marge. Enormément de marge.

— Collection 2012, m'indiqua la vendeuse avec un sourire. Mais on voit que le tissu est un peu relâché.

Maddie gloussa de rire, pendant que je rétrécis le regard. Mais de quoi je me mêle ?

— Retire ton jean, je vais l'essayer, dis-je à Maddie.

Et je vais rentrer dedans, le fermer et j'aurai une marge tellement abyssale qu'on pourra y glisser au moins quatre muffins de Ben. Maddie se déshabilla dans la cabine et me tendit le jean. Je l'arrachai presque de ses mains, m'installai dans une cabine attenante et enfilai le précieux jean en taille 38.

Il m'allait parfaitement.

Du moins, il allait à mes chevilles, à mes mollets, à mes genoux et à mes cuisses. Mes hanches, elles, avaient décidé de guerroyer contre l'ennemi. Le jean était fermé, mais mon corps débordait outrageusement, comme un soufflé qui serait sorti de son moule à la cuisson.

Je sortis courageusement de la cabine, affrontant le visage hilare de Maddie.

— Poignées d'amour ? commenta-t-elle.

— Ben prépare des muffins pour le petit déjeuner.

— Et ils sont tellement bons que tu les stockes sur les hanches en cas de famine soudaine ?

— Apparemment. Amenez-moi une robe, commandai-je à la vendeuse. Rouge vif.

Devant le miroir, je pinçai mes envahissantes poignées d'amour en faisant la moue. Six mois de vie commune et j'avais désormais une charmante petite bouée qui flottait autour de mes hanches. Si au moins j'avais les avantages de la vie de couple comme le sexe, les regards enamourés et les massages de pieds... mais évidemment, je n'avais que les poignées d'amour, des post-it me commandant de faire les courses et un colocataire qui avait l'audace de dormir nu.

Parfois, une relation se résume à des poignées d'amour et à une cloison entre deux chambres.

— Connor me fait goûter tous ses essais de plat, quelle est ton excuse ?

— Juste les muffins. Et les mousses. Et les charlottes.

— Et Ben donc. Et, hormis la lessive, vous faites d'autres choses ensemble ?

Dans le miroir, je la vis arquer un sourcil entendu. Pourquoi, dès qu'un homme et une femme vivaient ensemble, ce genre de question surgissait ? On pouvait être amis. Nous étions amis.

Et il dormait nu. Cette image récurrente me hantait. Imaginer Ben nu pouvait être extrêmement distrayant. J'avais eu l'occasion de voir Ben torse nu. Il n'avait rien des types arrogants et dramatiquement attachés à leur apparence. Mon colocataire ne faisait pas bouger ses pectoraux en levant un sourcil, il ne gonflait pas ses biceps à la première occasion et avait assumé pendant des semaines cette délicieuse coloration turquoise.

Et, malgré moi, je devais admettre que cela le rendait encore plus attirant. Oui, Ben était attirant. Et gentil. Et prévenant. Et, en cherchant bien dans son armoire, je trouverais sûrement un costume d'homme idéal. Pourquoi ne pouvais-je pas me laisser aller ?

— Définis « autre chose » ? demandai-je.

— Activité physique intense visant à réduire l'espérance de vie du canapé.

— Connor te refile donc de la cellulite *et* son esprit graveleux, ironisai-je.

— Ne me double-feinte pas ! J'ai déjà perdu cinquante dollars, je ne veux pas en perdre encore cent.

Je pivotai vers elle, à l'instant où la vendeuse surgissait avec une robe rouge à la main et un sourire crispé sur les lèvres. Je détaillai la robe rapidement, la lui arrachai presque des mains et retournai dans la cabine.

— Je peux rentrer dans du 38, assurai-je d'une voix forte et confiante.

— Ne change pas de sujet. On parlait de Ben et de toi.

— On parlait de tes cent dollars. Sur quoi porte le pari en question ?

— Sur le « autre chose ». Vous n'avez pas encore couché ensemble.

— Nous sommes amis et on vit ensemble. On partage un frigo, à l'occasion une grille de mots croisés, et il n'est absolument pas prévu qu'on se voie nus pour faire du canapé une victime collatérale de nos... activités intensives.

— Donc, tu as juste pitié du canapé ?

Je tirai le rideau et me dirigeai vers le miroir. Maddie me suivit et remonta le zip de ma robe. Les poings sur les hanches, je retins ma respiration, rentrai le ventre et serrai les dents. Quand elle se recula, un petit halètement m'échappa. La robe me comprimait, mais me mettait tout de même en valeur. Ma poitrine paraissait plus généreuse, mes poignées d'amour devenaient sexy et, en pivotant, je constatai que mes fesses étaient vraiment appétissantes.

— Ben va adorer, commenta Maddie.

Je me tournai vers elle, ravalant un léger agacement. Ben et moi étions amis, et il n'était pas question que cela change.

Oui, à force de me le répéter, j'allais finir par m'en convaincre.

— Ecoute, Ben est mon colocataire et certainement mon meilleur ami. Tu es à des kilomètres avec Connor et, honnêtement, ma vie sociale se résume à des rendez-vous sans intérêt avec des types sans intérêt, qui me parlent de leur dernier cas de médecine improbable. Ben est mon... Mon point d'ancrage. Coucher avec lui serait une erreur dramatique. Ça changerait tout. Notre relation est parfaite comme elle est, inutile d'en rajouter !

Je refoulai l'image de Ben torse nu. J'avais passé une partie de la nuit à imaginer ce torse contre moi, à revivre notre baiser dans le Photomaton. J'avais passé mes doigts sur mes lèvres un nombre incalculable de fois, partagée entre l'envie de gagner sa chambre pour apaiser le désir qui me rongeait et la possibilité de prendre la fuite du loft en pleine nuit.

Je n'étais pas une fille pour Ben. Notre amitié était ce qui comptait le plus pour moi. Pour la première fois depuis mon départ du foyer, j'avais enfin trouvé une forme d'équilibre. Et je refusais de tout gâcher.

Je perçus une lueur d'amusement dans le regard de Maddie. Elle s'installa dans un des fauteuils à disposition, pendant que je fixais mon reflet dans le miroir.

— Si je ne te connaissais pas, je pourrais croire que tu as répété ce petit laïus pendant des heures. Mais je pense que c'est de l'improvisation, non ?

— C'est surtout la vérité !

— Ash, Ben te dévore des yeux...

— ... et rougit ensuite jusqu'à la racine des cheveux. Tu sais pourquoi je ne dois pas coucher avec lui ?

— Donc ce que tu viens de me réciter était totalement faux ?

J'avais oublié une des règles primordiales de la survie : quand on patauge dans les sables mouvants, s'y agiter ne fait qu'empirer la situation. Maddie jubilait de me voir me débattre dans mes contradictions.

— Je ne dois pas coucher avec lui parce que je vais le... l'amocher. Tu te souviens de cette scène dans *Jurassic Park*, quand ils nourrissent les raptors avec une vache ?

— Euh, oui. Et ?

— Je suis le raptor. Et Ben est le pauvre buffle. Il est l'innocence quand je suis la démence. Coucher ensemble provoquerait chaos, tempête de neige et peut-être même un nouveau big-bang.

— C'est encore pire que ce que je croyais. Je pensais qu'il ne t'attirait pas mais, en fait, c'est tout l'inverse. Il te plaît !

Elle éclata de rire, pendant que j'excellais dans une imitation du poisson agonisant hors de l'eau et cherchant à retrouver sa respiration. Peut-être que je n'avais pas été si convaincante que ça.

— Je n'ai pas dit que je ne le trouvais pas séduisant ! repris-je. Je dis juste que nous sommes incompatibles.

— Connor et moi avons longtemps été incompatibles.

— Votre liste de points communs est interminable, ripostai-je. La tequila, le sexe, la mauvaise foi, l'entêtement... Je suis un fichu raptor.

— Tu n'es pas un raptor ! Ben te plaît... et tu lui plais aussi. D'accord, il est timide et guindé, et tu es pétillante et imprévisible, mais ce ne sont que des détails.

— Je prends la robe, annonçai-je à la vendeuse. Ben doit être avec une fille normale. Une fille stable, une fille gentille... une fille qu'il jugera digne de lui pendant un gala, par exemple.

Je retournai dans la cabine pour me changer. La fatigue reprenait peu à peu le dessus. La perspective de regarder un film, avachie sur le canapé, avec une glace au chocolat était de plus en plus tentante.

Et si je pouvais, au passage, négocier un massage des pieds, la vie serait vraiment belle.

— Il va t'inviter. J'en suis certaine.

— Et qu'est-ce que je ferais là-bas ? On n'invite pas une fille comme moi à ce genre de soirée.

— Une fille comme toi ? Ash, si tu ne sors pas avec Ben, sors avec un psy, tu as un vrai problème d'estime de toi.

Je quittai la cabine, tout en reboutonnant mon jean. Je réajustai ma coiffure minimaliste. Maddie me tendit mon sac pendant que nous nous dirigions vers la caisse.

— Je n'ai pas un problème d'estime. Je suis lucide. Ben va recevoir ce prix, va devoir faire un discours, et je suis certaine que, d'une manière ou d'une autre, je finirai par l'embarrasser.

— Et si on voyait les choses autrement ? Ben va recevoir ce prix, fera un discours et il te regardera droit dans les yeux, ravi que tu sois avec lui pour partager ce grand moment de sa vie. Il est dingue de toi, il te dévore des yeux.

Je coulai un regard consterné vers ma meilleure amie, avant de la prendre dans mes bras. Je passai une main réconfortante dans son dos, pendant que Maddie, crispée, ne comprenait pas mon soudain élan amical.

— Toi aussi, tu crois que Patrick Swayze vit sur une île. Je suis tellement contente de t'avoir comme amie.

— Tu as vraiment besoin d'un psy, tu sais !

— Cent dix-neuf dollars, s'il vous plaît, annonça la vendeuse.

— D'un psy et de son compte en banque, raillai-je en sortant ma carte de crédit.

Maddie et Connor avaient prévu de déjeuner ensemble. Aussi, je rentrai seule au loft. Je poussai la porte avec prudence et entrai dans la pièce à pas de velours. L'endroit était silencieux et sombre. Je posai mon sac sur le bar de la cuisine. Je me sentais nerveuse, et mon cœur tambourinait. Je frottai mes mains contre mon jean et tentai de ravaler l'incompréhensible inquiétude qui m'envahissait.

J'étais le raptor. Je ne devais avoir peur de rien. Sauf que, depuis deux jours, me retrouver seule avec Ben me fichait une trouille monumentale. J'avais affronté tout un tas de situations dans mon enfance, j'avais survécu, j'avais pris sur moi, j'avais développé une armure parfaite à base d'humour et de nonchalance.

Mais Ben avait réussi à fendiller l'armure.

J'avançai dans le salon, tendant l'oreille pour détecter la présence de mon colocataire. Une odeur de pâtisserie et de chocolat fondu m'enveloppa agréablement.

Encore une des choses que j'aimais chez Ben : contrairement aux autres hommes, il laissait plus volontiers traîner une casserole de chocolat que ses vieilles chaussettes sales.

J'allumai la lumière et parcourus des yeux l'appartement. Tout était comme ce matin. Ma grille de mots croisés m'attendait sur la table basse. Je me détendis finalement et secouai la tête. Ma conversation avec Maddie me travaillait plus que de raison, et je me fustigeai d'être aussi influençable. Je pris une bouteille d'eau sur le plan de travail. A l'instant où je la portai à mes lèvres, la porte du loft s'ouvrit, laissant apparaître Ben et sa panière de linge.

Il m'adressa un sourire, et mon estomac se ratatina sur lui-même. Comment Ben, mon colocataire, était-il devenu Ben, mon torride colocataire ? Peut-être était-ce ce jean un peu élimé et déchiré au genou ? Ou ces adorables fossettes qui éclairaient son visage ? Ou ce T-shirt noir très perturbant dont le col en V laissait apparaître ses clavicules ?

Bienvenue dans mon monde, un monde où les clavicules de Ben sont sexy, un monde où mon colocataire est devenu archi-baisable en une nuit et une teinture.

J'avais là mon explication : la fatigue. Je n'avais pas fait une vraie nuit depuis plusieurs jours. La fatigue m'empêchait de réfléchir et, à défaut d'une réaction neuronale, j'avais des réactions... hormonales.

— Salut, murmura-t-il.

— Salut. Lessive ?

— Lessive, confirma-t-il en posant son linge sur le bar.

— Réussi, ce brun cannelle, le complimentai-je en désignant sa chevelure.

— Je suis redevenu moi-même, sourit-il en passant une main dans ses cheveux.

Mon cœur s'emballa à nouveau. Le brun cannelle lui allait bien. Il approcha de moi, son regard noisette ancré dans le mien. Je reculai contre le plan de travail, et mes doigts écrasèrent ma petite bouteille. Mon souffle se coinça dans ma gorge, et tous mes muscles se tendirent. J'étais paralysée par son regard et fascinée par son attitude confiante. Il sentait l'assouplissant et le caramel, et j'avais furieusement envie de nicher ma tête dans son cou.

Il leva doucement sa main et retira le crayon qui maintenait mes cheveux. Il le lança derrière lui, et un nouveau sourire lumineux éclaira son visage.

— Ne bouge pas.

Comme si je le pouvais !

Un bruit de plastique broyé troubla le silence du loft, mais mon colocataire ne cilla pas. Il passa sa main dans mes cheveux et, lentement, retira un confetti oublié le long d'une mèche.

— Merci, chuchotai-je.

— Je t'en prie. Tu as eu le temps de déjeuner ?

Il s'écarta de moi et ouvrit le réfrigérateur. J'en profitai pour reprendre mes esprits et retrouver mes neurones éparpillés quelque part dans la cuisine.

— Non. J'ai... On a fait du shopping avec Maddie.

— Elle va finir par ruiner Connor, ironisa-t-il, caché derrière la porte.

— C'était pour moi. Et je suis effectivement ruinée.

Il referma le réfrigérateur, et je découvris une assiette, surmontée d'un dôme au chocolat. Mes yeux allèrent de l'assiette à Ben plusieurs fois et, au bout d'un long silence contemplatif, ce dernier passa une main sur sa nuque, embarrassé.

— C'est... nouveau. Je l'ai fait pour fêter la fin de tes études.

Un sourire barra progressivement mon visage. Sa timidité et sa retenue me touchaient. Il releva les yeux vers moi et se mit à bafouiller.

— Je me suis dit... enfin... je... disons que je voulais te faire un cadeau... et...

— Ben ?

— J'ai essayé de faire... disons que c'est... tu m'as inspiré ce dessert, lâcha-t-il enfin, presque soulagé de son aveu.

Le bout de ses oreilles vira au rouge, et il posa finalement son assiette précipitamment sur le bar. Nous nous fixâmes, sans rien dire ; lui, gêné au dernier degré ; et moi, stupéfaite, ma bouteille à la main, l'estomac au fond des pieds.

C'était sûrement le geste le plus touchant et le plus romantique de toute ma vie.

— Je sais que la situation est... étrange entre nous, reprit-il. Mais je tiens vraiment à toi, et au moins cette assiette ne rougit pas constamment et ne bégaye pas et...

L'envie de l'embrasser n'avait jamais été aussi forte. Je l'avais repoussé plusieurs fois, mais il était toujours là. Toujours présent. Toujours dans ma vie, prévenant et adorable. Pour la première fois depuis notre baiser dans le Photomaton, je regrettais ma décision.

— Et moi qui pensais que tu avais un cœur de pierre, murmurai-je.

Son rougissement s'accentua, et il se dandina d'un pied sur l'autre, tout en passant une main nerveuse dans ses cheveux. Mon cœur frappait dans ma poitrine, et ma gorge s'assécha. Si j'étais habituée à une certaine tension entre nous, ce que je ressentais dans le creux de mon estomac, ce picotement doux et agréable était inédit. Mon cœur frappait à m'en faire mal, et je préférai placer mes mains sous mes cuisses pour éviter d'empoigner le haut de son T-shirt pour l'attirer contre moi.

— Donc « inspiré » ? répétai-je d'une voix sourde.

— Connor a suggéré qu'on l'appelle le « Hurricane ».

J'arquai un sourcil, sentant progressivement la couche de glace qui avait gelé l'appartement fondre. A l'occasion, je botterais les fesses de ce brave Connor... juste après l'avoir remercié pour avoir contribué au réchauffement de l'atmosphère entre Ben et moi avec son humour calamiteux.

— J'espère que tu aimes les desserts.

— Demande-t-on à une femme si elle veut un orgasme ?

Alors que son visage venait tout juste de retrouver une couleur normale, ses joues reprirent cette coloration rose familière. Je devais cesser de le torturer. C'était notre mode opératoire, mais plus il était intimidé et plus j'avais envie de le prendre dans mes bras.

— Je présume que non, rit-il, troublé. Ce que je voulais dire c'est que j'espère que tu aimes les desserts au chocolat.

— Toi, tu n'as pas fait jouir une femme depuis un bout de temps, non ? J'adore le chocolat.

Je sortis une cuillère à dessert, prête à faire un sort à cette belle assiette. Le chocolat était brillant et donnait envie de le dévorer. Mais Ben m'arrêta à l'instant où j'allais casser la coque avec le dos de la cuillère.

— Attends. Il faut la faire fondre.

Il sortit un bol du réfrigérateur et le fit réchauffer au bain-marie. Je m'assis sur le plan de travail, admirant sa concentration presque religieuse. Avant d'éteindre le feu, il goûta le chocolat et s'assura de sa texture fluide en le remuant avec une spatule.

— Viens par là.

Je sautai du plan de travail et me postai à ses côtés. Il laissa le chocolat liquide et chaud près de l'assiette, puis posa ses mains sur mes hanches pour m'attirer contre le bar. Il se plaça derrière moi, m'empêchant de fuir, et colla son torse contre mon dos. Son visage au-dessus de mon épaule, il prit ma main dans la sienne, puis saisit la casserole.

— Il faut verser doucement et au centre du dôme pour éviter les éclaboussures.

Aurait-il récité mon premier cours de biochimie en grec ancien que je n'aurais pas été plus fascinée.

Il versa lentement le chocolat brûlant sur le dôme, qui fondit sous mes yeux. Dans mon dos, je sentis le corps de mon colocataire se détendre, comme s'il était soulagé de constater que son tour de magie fonctionnait parfaitement.

Et il fonctionnait au point que je fondais moi aussi,

souriant comme une adolescente, enamourée comme une groupie et complètement muette. Ben avait ce superpouvoir : il savait me faire taire.

Je passai mon index dans le chocolat fondu et à peine tiède, puis le léchai.

Un gémissement de plaisir m'échappa. Ce chocolat noir était parfait, riche, onctueux et glissait sur ma langue. J'en oubliai même qu'il finirait par échouer sur mes hanches. Ce n'était qu'un détail insignifiant.

Sous le dôme à moitié fondu, je découvris une sphère couleur caramel, sur laquelle le chocolat s'étalait en larmes.

— Tu devrais regoûter le chocolat, proposa Ben.

A son tour, il passa son index dans le chocolat et le porta à mes lèvres. J'eus une courte seconde de réflexion, avant de les entrouvrir et de savourer le chocolat. Ben n'avait donc pas un cœur de pierre et, au contraire, se révélait romantique et tendre.

— Il n'y a pas que du chocolat, est-ce que tu le sens ?

Sur le moment, tout ce que je sentais, c'étaient son torse pressé contre moi, le délicieux chatouillis de son souffle dans mon cou et la contraction douloureuse de mon bas-ventre qui hurlait de frustration. Alors, quand il s'écarta de moi pour reposer la casserole sur le piano de cuisine, la sensation de vide me contraria. A ma grande surprise, il retrouva sa position, ses bras de part et d'autre de mon corps, m'empêchant de fuir.

— A mon avis, ça devrait te rappeler quelque chose.

Je n'avais pas le palais assez aiguisé. Je ne sentais que la volupté du chocolat et sa douce chaleur qui m'envahissait. Je ne sentais que nos deux corps vibrant l'un contre l'autre. Je ne sentais que la bulle de désir qui grandissait en moi et menaçait d'exploser.

— Oublie le chocolat.

— Ben, je ne suis pas cuisinière. Je ne trouverai

jamais, donne-moi au moins un indice, râlai-je en me tournant légèrement vers lui.

Il m'adressa un sourire lumineux avec ses fossettes éblouissantes qui me firent vibrer des pieds à la tête. Je n'étais pas préparée à affronter le Ben-sexy-des-clavicules d'aussi près. Son accès de confiance me coupa le souffle, et mon colocataire en profita pour porter le coup fatal.

— Tu as ton indice : ce dessert, c'est toi.

Il me fit pivoter entièrement pour que je lui fasse face. Il pressa son corps un peu plus contre le mien, et je compris qu'il se penchait pour reprendre du chocolat.

— Ouvre la bouche, dit-il.

— Tu sais que je pourrais faire une blague très graveleuse, là ?

— Je sais. Si tu te concentrais plutôt ?

Et en plus, il me donnait des ordres. Je finirais bientôt comme ce chocolat : fondue et alanguie, prête à être dévorée. Il glissa son index couvert de chocolat dans ma bouche. Quand je rouvris les paupières, le regard noisette de Ben me sondait.

— Tu as fermé les yeux, chuchota-t-il d'une voix rauque.

Nous échangeâmes un sourire, et lentement Ben se pencha vers moi. Je pinçai les lèvres, ignorai la salve d'adrénaline qui parcourait mon corps. Il allait m'embrasser, et je n'avais pas la force de le repousser. Je fermai de nouveau les yeux, séduite et excitée. Mais Ben ne m'embrassa pas. Il passa son index sur ma bouche, me forçant ainsi à entrouvrir les lèvres. Je perçus enfin autre chose que le chocolat.

— Du thé, murmurai-je.

— Presque. Essence de bergamote. Il y en a dans ta...

— ... crème hydratante. Tu es certain de n'avoir jamais franchi le seuil de ma chambre ?

— Certain. Je décèle toujours très vite les parfums et les arômes. Tu sens la bergamote, c'est très spécifique comme odeur, et je l'associe désormais à toi. On continue ?

Je pivotai à nouveau, mais, à ma grande déception, Ben me libéra de son étreinte pour se placer à ma droite. Il me tendit la cuillère, m'autorisant ainsi à poursuivre ma dégustation.

Je l'enfonçai prudemment dans la boule couleur caramel, surprise de sentir une légère résistance. Je lançai un regard interrogatif à mon pâtissier personnel.

— Coque de nougatine, expliqua-t-il.

La coque se craquela légèrement, laissant apparaître une mousse au chocolat. J'étouffai un petit couinement honteux, puis poursuivis ma dégustation.

— Il faut la manger avec la nougatine pour avoir tout... euh... l'effet.

— Ne me donne pas d'excuse pour manger toute l'assiette.

— Tu aimes alors ?

— Je l'adore. C'est délicieux.

Ben sembla respirer à nouveau, comme s'il avait retenu son souffle depuis le début de notre cérémonial. Je pris une nouvelle cuillère, associant la nougatine et la mousse. Le mélange du croquant et du fondant était parfait. Je gémis lourdement, les yeux fermés et perdue dans mes sensations.

Ce dessert était le reflet des baisers de Ben : doux, prévenants, excitants... avec un goût redoutable d'interdit. Peu à peu, je réalisais que lutter serait vite insupportable. Mon colocataire avait réussi l'impossible : me faire envisager une vie avec lui. Seulement avec lui.

— Tout va bien ? s'inquiéta-t-il en trouvant mon regard.

— Oui. Je... Tu fais ça à toutes les filles ?

— Bien sûr. Je crée des pâtisseries pour toutes les femmes avec qui je suis sorti ! ironisa-t-il. Qu'est-ce que tu imagines, Ash ? Il n'y a que toi pour me faire faire ce genre de choses.

Je me mordis les lèvres, sentant ce petit pincement familier dans le creux de mon ventre. Ben me sondait du regard, cherchait un signe. Mais j'étais pour l'instant incapable de réagir, hypnotisée et sous le charme puissant de mon colocataire. Je m'éclaircis la gorge et décidai d'utiliser mon arme habituelle — la dérision — pour reprendre en main la situation.

— Voilà pourquoi tu dois ouvrir ta propre pâtisserie ! affirmai-je en désignant mon assiette. L'humanité a besoin de ce dessert. Des couples feront des enfants grâce à ce dessert. Tu es sûrement la clé de la paix dans le monde.

Ben étouffa un rire et cacha son embarras en rivant les yeux au sol.

— Je me fiche de l'humanité. Je voulais que cela te plaise à toi.

— C'est réussi.

— Je sais : tu as encore fermé les yeux.

Ma tentative de diversion avait lamentablement échoué. Ben passa son pouce à la commissure de mes lèvres et effaça une trace persistante de chocolat. Mon cœur manqua un battement, et j'en oubliai mes dernières réticences. Ben voulait m'embrasser... et je ne demandais que ça. Je voulais revivre ce que j'avais ressenti dans le Photomaton, ce désir puissant et incontrôlable, cette sensation de lâcher prise et de me donner totalement à lui.

Son souffle balaya mon visage et, les yeux clos, j'attendis le moment magique où sa bouche caresserait la mienne. Le silence dans la pièce était insoutenable, chargé d'une tension inhabituelle, prêt à exploser autour de nous. Quand Ben posa enfin ses lèvres dans le creux de mon cou, tout mon corps se tendit et mes sens s'aiguisèrent. Sa barbe picotait ma peau, ses lèvres effleuraient la ligne de ma mâchoire, son parfum m'envoûtait. Ses mains me bloquèrent contre le bar, et il pressa son corps contre le mien.

— Il n'y a que toi, Ash.

Un misérable gargouillis se coinça dans ma gorge, et une vague de chaleur m'envahit.

Ben traça une ligne de baisers de mon oreille jusqu'au coin de ma bouche. Je haletais, mais mon colocataire ne s'en formalisa pas. Il fit le chemin inverse, rejoignant la courbe de mon épaule dans une douce torture.

Nous y étions. Nous avions atteint le point où je ne pouvais plus faire semblant. En tout cas, mon corps n'y tenait pas plus que ça. Il était engourdi et lourd, prêt à s'effondrer sur le sol pour former une flaque parfaite de frustration et de déni. J'enroulai mes bras autour de la nuque de Ben, et sa bouche se posa enfin sur la mienne.

Les braises qui couvaient dans le creux de mon ventre depuis le Photomaton reprirent instantanément, et le monde entier disparut dans les flammes. Ben avait encore ce délicieux goût de chocolat qui me fit gémir et anéantit mes dernières velléités de contrôle. Mes mains caressèrent sa nuque, pendant que nos langues avides célébraient leurs retrouvailles. Les paumes chaudes de mon colocataire se faufilèrent sous mon haut et parcoururent mon dos. C'était encore trop peu. Je le repoussai et d'un geste rapide retirai mon pull. J'aidai Ben à se débarrasser de son T-shirt et esquissai un sourire.

Le souvenir de Ben torse nu ne rendait pas justice à ce qu'il y avait devant moi. Ses épaules larges, les muscles tendus de ses bras, le dessin subtil de ses abdominaux et cette prometteuse ligne de poils qui finissait sous sa ceinture... Je désirais cet homme au point d'en oublier que tout allait changer entre nous, au point de risquer de le perdre.

Ben réduisit l'écart entre nous et pressa son torse contre ma poitrine. Je l'entendis murmurer mon prénom, tandis qu'il suçotait avec ardeur la peau de mon cou. Il dégrafa mon soutien-gorge et fit descendre simultanément les bretelles le long de mes bras. Quand mes seins apparurent, libres de tout carcan, son regard brûlant se posa sur eux. Sa main remonta le long de mes côtes et traça des cercles de plus en plus petits autour de mon sein droit. Le souffle court, je le laissai faire et me cambrai un peu plus contre le bar. Quand il se pencha et déposa un baiser délicat sur la pointe tendue de mon sein, tout en moi explosa. Il releva les yeux vers mon visage et le prit en coupe dans ses mains. Il m'embrassa à nouveau, inclinant ma tête pour accentuer notre contact. Soudain, il me souleva et mes jambes s'enroulèrent autour de sa taille. Mon entrejambe frotta contre le sien, et il étouffa un grognement contre mes lèvres.

Je sentis l'adrénaline courir dans mes veines, avec, je devais l'admettre, une pointe de culpabilité. Je savais ce qui allait se passer et je savais qu'une fois que nous aurions assouvi notre envie la situation entre Ben et moi serait encore plus compliquée.

Ben s'assit sur le canapé et m'installa sur ses cuisses. Nos lèvres se retrouvèrent, il caressa ma peau et soudain il bascula un peu plus vers l'arrière, m'entraînant contre lui. Il y eut un bruit. Un son sinistre qui interrompit nos gémissements et nos murmures. Ben quitta mes lèvres, et un froid glacial s'insinua entre nos deux corps. Ses mains se figèrent sur ma taille et il m'immobilisa sur ses jambes.

Si Ben ne m'avait pas lancé ce regard paniqué, j'aurais

presque pu ignorer que mon esprit léger ne compensait visiblement pas mon corps... moins léger.

J'aurais aussi presque pu ignorer le craquement sinistre du canapé sous nos fesses.

Le souvenir de mon essayage de jean me revint cruellement en mémoire, à la façon d'un boomerang revanchard.

Je remuai, mais un second craquement fendilla le silence pesant du loft. L'assise s'affaissa sous nous, me donnant la sensation que le canapé allait m'engloutir dans ses entrailles. Ben fit glisser ses mains sur mes cuisses, ravalant visiblement, avec fierté, sa crainte de vivre les derniers moments de *son* canapé.

J'étouffai difficilement un rire et tentai de me redresser.

— J'ai pris deux kilos pendant les examens, expliquai-je. Le stress me creuse l'appétit.

— Deux kilos ? répéta-t-il, incrédule.

— En vrai, cinq depuis que je vis avec toi.

Je remuai à nouveau pour me relever, mais Ben plaça ses mains sur mes hanches et me retint. Il me fixait avec intensité, comme James Bond l'aurait fait devant une bombe prête à exploser. Sauf que nous étions assis sur la bombe et qu'elle avait déjà explosé. Maintenant, la seule perspective de nous lever pour constater les dégâts était effrayante.

— Ne bouge plus, m'intima-t-il.

J'éclatai de rire et Ben me fusilla du regard. Le canapé grinçait, agonisait et réclamait qu'on mette un terme à ses souffrances. Mon colocataire fronça les sourcils et, dans une tentative pour sauver la situation, je me parai d'un air sombre et mélancolique et j'entonnai les premières mesures de la *Marche funèbre*.

— Cette sonate n'est vraiment pas ma préférée, ronchonna-t-il, crispé et immobile.

— Ben, rester assis sans bouger ne changera rien. Il a fait son temps.

— Il va tenir, assura-t-il. Ce canapé a une histoire, il doit tenir !

— Ce matin, j'ai rédigé pendant une heure un protocole de soins palliatifs, le provoquai-je.

Il m'adressa un regard consterné. Certes, ce canapé avait absorbé les dégâts de sa rupture avec Jenny. Ce canapé avait été sa première chambre, son endroit préféré pour se morfondre et manger des céréales à même la boîte. Ce canapé avait soigné mon colocataire. Il avait donc un attachement intime avec ce meuble — attachement qu'un psychiatre aurait sûrement qualifié d'obsessionnel et déviant —, mais ce n'était qu'un canapé.

— Sinon, il nous reste la technique Indiana Jones, proposai-je en retenant mal mon rire.

Ben me fixa comme si une seconde tête poussait sur mon épaule. Il se redressa, remua d'un demi-centimètre, et un couinement lugubre, presque un gémissement d'agonie, emplit la pièce. Soudain, le meuble bascula sur la gauche, et l'instant suivant, je me retrouvai allongée, Ben au-dessus de moi, sa main gauche agrippée à l'accoudoir.

— Je crois que nous avons perdu un pied, commenta-t-il, son regard rivé au mien.

— Et je crois que c'est le moment le plus érotique de ma vie depuis... six mois ! Sauf que, dans mes fantasmes, le canapé ne cède pas avant ! souris-je.

— Et il ne va pas céder ! Alors, ta technique Indiana Jones ?

— Remplacer notre poids par un poids équivalent.

— C'est ça ta solution ? s'écria-t-il, médusé.

— Ta solution consiste à rester immobile sur ce canapé.

Et à me malaxer la poitrine, ajoutai-je en coulant un regard sur mon sein droit emprisonné dans sa main.

— Oh ! pardon, s'excusa-t-il en la retirant.

— Tout le plaisir était pour moi !

Je pinçai les lèvres pour ravaler le rire tonitruant qui menaçait d'achever le canapé. Ben se redressa lentement et son entrejambe frôla ma cuisse. Il s'immobilisa à nouveau, mais cette fois d'embarras. Ses yeux se braquèrent sur mes lèvres, avant de retrouver mon regard. Un gloussement m'échappa et je finis par éclater de rire. Mon colocataire rit à son tour, le canapé vacilla un peu plus fort, et nous basculâmes de plus belle.

De toute évidence, notre moment d'euphorie qui devait nous entraîner sur les chemins de la perdition et de l'orgasme était passé. Si j'étais un peu honnête avec moi, je devais admettre que c'était peut-être un signe du destin. Nous ne devions pas faire cela. Nous devions rester amis et cesser, à l'avenir, de nous embrasser. C'était pourtant simple : nous devions éviter que nos deux bouches entrent en collision.

Fastoche mais frustrant.

Je posai ma main sur le haut de son torse, devinant les battements de son cœur. Il baissa les yeux sur moi, un sourire hésitant sur les lèvres. Il captura ma main et en embrassa la paume.

Ce simple geste manqua de laminer ma dernière bonne résolution. Mais je devais tenir ; nous devions oublier ce moment d'égarement et continuer d'avancer sur le chemin de l'amitié. Rester amis avant tout. Garder Ben dans ma vie, sans qu'il soit tenté de prendre la fuite dès qu'il entreverrait mes pensées les plus sombres.

— Donc remplacer le poids de nos corps par un autre poids, reprit-il entre deux éclats de rire.

— Tout à fait, approuvai-je. Je pense que le réfrigérateur pourra faire l'affaire.

— Et comment fait-on pour porter le réfrigérateur jusqu'ici ?

— Je n'ai jamais dit que mon plan était parfait. Tu as une meilleure idée ?

Je le défiai du regard. Ben se redressa péniblement, prenant soin de ne pas me toucher. Le canapé trembla et un autre pied cassa, m'arrachant un cri de surprise. Ben me tendit la main, m'aidant à m'extirper des coussins.

Nous nous retrouvâmes face au canapé, désormais bancal, défoncé, penchant dangereusement sur la gauche. Je posai une main apaisante sur l'épaule de Ben et la serrai.

— Heure du décès : 15 h 12, annonçai-je en regardant sa montre. Tu veux dire un mot ?

— Je crois que c'est la fin d'une époque !

Je retournai à la cuisine pour récupérer mon pull. Je lançai son T-shirt à Ben, déjà désolée qu'il se rhabille.

— Que fait-on du cadavre ?

— On l'évacue, soupira-t-il en se rhabillant.

La mort dans l'âme, Ben repoussa la table basse. Je remontai mes manches et agrippai le côté gauche du canapé. Mon colocataire m'imita, saisissant l'autre extrémité et soulevant le meuble.

— On devrait changer de position, proposa Ben quand nous parvînmes devant la porte de l'appartement.

— Pendant une seconde, j'ai cru à nouveau être en plein fantasme, répondis-je.

Ben ignora mon commentaire, mais je vis une étincelle d'amusement illuminer son regard noisette. Il passa une main nerveuse dans sa chevelure, avant d'affirmer avec un sérieux désarmant :

— A mon avis, c'est trop large, ça ne passera pas !

— Si tu savais le nombre de fois où j'ai rêvé qu'on me dise ça !

Le bout des oreilles de mon colocataire vira à l'écarlate, pendant que j'éclatais de rire. Il rit à son tour, puis secoua la tête. Il y avait encore deux minutes, sa main entourait mon sein et il avait des pensées vicieuses, et maintenant que nous étions rhabillés il rougissait. Incompréhensible.

— Ce que nous faisions était sûrement mal, voire un péché suprême ! Le canapé vient de lâcher, c'est un signe, dis-je.

— Il a lâché à cause de tes cinq kilos supplémentaires.

— Kilos supplémentaires liés à tes muffins.

— Donc j'arrête les muffins ? proposa-t-il avec un sens de la provocation que je ne lui connaissais pas.

— Ne sois pas désagréable : sans moi ce truc ne quittera jamais l'appartement, assurai-je fièrement.

— Alors tais-toi et prends-le !

— Je vais faire comme si cette phrase n'était absolument pas connotée.

— Et je vais faire comme si tu n'étais absolument pas folle furieuse. Descendons ce truc et ensuite, toi et moi, nous irons en acheter un autre.

— Toi, tu sais vraiment parler aux femmes.

Il m'adressa un sourire à faire fondre toutes les culottes à dix kilomètres à la ronde. Mais ce qui m'acheva fut de réaliser qu'il n'était que pour moi.

C'était quoi déjà le 9 vertical ? Ah oui, « envoûtée ».

Chapitre 5

- *Trouver un canapé. Grand. Confortable. Dépliable. Qui supportera mes activités de tout ordre avec Ash. Réussite estimée à 50 %*
- *Inviter Ashley en préservant ma dignité. Inviter Ash, tout court, ne serait déjà pas si mal. Réussite estimée à 2 %*
- *Faire pipi le plus loin possible. Sans être ivre. Echec prévisible*

Nous avions abandonné le canapé sur le trottoir. Ashley, avec sa moquerie habituelle, avait esquissé un signe de croix en guise de derniers sacrements.

J'adorais ce canapé. Mais qu'il se soit brisé au moment où, enfin, je touchais le Saint-Graal était vraiment difficile à avaler. Si seulement ça n'avait fait que reporter nos plans licencieux... mais, depuis que nous nous étions rhabillés, Ashley avait pris soin de réinstaller une distance respectueuse entre nous.

Je soupirai, tout en jetant un œil à ma colocataire. J'appréciais son côté imprévisible. Enfin, la plupart du temps. Là, dans cette voiture, j'aurais donné ma vie entière pour lire dans ses pensées et comprendre pourquoi elle jouait au yo-yo avec moi.

Etre près d'elle semblait acceptable.

Etre trop près semblait impossible.

Ashley, alias l'équation à dix inconnues. J'avais toujours été nul en maths, et mes compétences en psychologie féminine n'étaient pas fameuses.

Nous nous dirigions désormais vers le magasin de meubles, déterminés à retrouver un canapé. Nous étions embourbés dans un ralentissement, et je décidai d'allumer l'autoradio. Prokofiev emplit l'habitacle et, pendant de longues minutes, Ashley fixa le tableau de bord comme s'il était radioactif.

— Y a-t-il une chance pour qu'un jour tu vives avec tes semblables au XXIe siècle ?

— Y a-t-il une chance pour qu'un de mes semblables du XXIe siècle égale ce que tu entends actuellement ? m'enquis-je en augmentant le son.

— Est-ce que le nom de Daft Punk t'est familier ?

— Ce n'est pas une sorte de détergent industriel ?

— Daft Punk est un groupe de musique électronique. Ils sont très connus et ils sont toujours en vie.

Je bifurquai sur la droite pour sortir de l'autoroute. Les notes de piano montèrent *crescendo*, à peine troublées par le bruit de la pluie qui martelait le pare-brise. Je jetai un coup d'œil vers Ashley, qui avait le visage tourné vers la vitre. Ses épaules semblaient tendues, et elle fuyait mon regard.

— Si tu veux, je peux faire demi-tour et...

— Le magasin est à trois cents mètres. Je viens de subir dix minutes de ce truc et je suis vraiment fatiguée, s'agaça-t-elle.

Elle pivota vers moi et, sur son visage, je distinguai nettement ses traits fatigués. Elle m'adressa un maigre sourire, pour atténuer son ton piquant.

— On fera vite, dis-je pour l'apaiser.

— Exactement ce qu'il ne faut pas dire à une femme, Ben.

— On peut faire vite et bien, contrai-je, dans le vague espoir de lui faire retrouver sa bonne humeur.

— Tu n'as fait ni vite ni bien depuis au moins six mois.

— Et toi tu as subi du vite et du... très moyen, il y a environ deux mois. John, c'est ça ?

Elle me fixa bouche bée, pendant que je manœuvrais pour garer la voiture. J'en aurais presque siffloté de satisfaction. Je pouvais moi aussi la défier et l'embarrasser. Tout, pourvu qu'elle retrouve son sourire habituel. Je détestais voir Ashley déprimée. J'aimais son sourire et sa bonne humeur, qui éclairaient mes journées depuis notre rencontre.

— C'était Paul, corrigea-t-elle. Et comment es-tu au courant d'un truc pareil ?

— Mais je ne l'étais pas.

— Parfois, ta goujaterie me dépasse.

— Tu vois de la goujaterie alors que je ne vois que de la fierté : tu m'as dit tout à l'heure que j'étais ton moment le plus érotique depuis six mois.

Elle éclata de rire, avant de camoufler son visage honteux entre ses mains. En une seconde, l'atmosphère avait changé. La tension s'était dissipée, au profit de notre complicité habituelle.

Je sortis de la voiture et la contournai pour ouvrir la portière d'Ashley. Elle leva les yeux au ciel, mais prit la main que je lui offrais. Elle me trouvait peut-être guindé et vieux jeu ; tant pis : mon éducation ne me permettait pas d'être autrement.

J'ouvris un parapluie pour nous abriter et entourai sa taille de mon bras pour la maintenir contre moi.

— Et en une seconde il passa de goujat à gentleman, ironisa Ashley.

Je la serrai un peu plus fort contre moi, m'assurant qu'elle était bien protégée de l'averse diluvienne qui s'abattait sur nous. Elle m'adressa un sourire chaleureux, oubliant ainsi sa fatigue et son agacement.

— C'est une épreuve que le karma nous envoie pour éprouver notre... amitié, déclara Ashley devant l'allée monumentale et grouillante de monde qui nous attendait.

— On va juste choisir un canapé. Et je pense que nous devrions redéfinir notre relation.

— Ben, des tas de couples sont entrés dans ce magasin parfaitement heureux et sont sortis au bord du divorce. Dédale lui-même a conçu ce labyrinthe, et on ne peut pas dire qu'il s'en soit bien sorti !

— Tu me parles mythologie ? Pour un canapé ? Et je croyais que nous étions amis ?

— Je ne sais pas vraiment ce que nous sommes, admit-elle dans un rire. J'y réfléchis et je t'en reparle dès que j'ai fini de délibérer.

— Parce que tu comptes redéfinir notre relation sans même m'en parler ?

— Ça vaut mieux pour nous deux. En particulier pour toi.

— Ash, tu es sûrement la meilleure chose qui me soit arrivée depuis des années. Je sais ce qui est le mieux pour moi : trouver ce canapé et reprendre nos activités là où nous les avons laissées.

— Ce qui est le mieux pour toi est justement de ne pas reprendre ces activités. Crois-moi.

Nous déambulâmes quelques instants dans les rayons, observant d'un œil distrait les appartements témoins et leur décoration. Ashley repéra un rocking-chair, s'y installa et, les mains sur les accoudoirs, commença à se bercer.

— On cherche un canapé, lui rappelai-je.

— Non, on cherche un meuble où s'asseoir. Et j'adore ce truc, s'écria-t-elle en accentuant son balancement.

— Tu vois, c'est pour ça que les couples se disputent ici. Il y en a toujours un qui dévie du droit chemin. Allez, viens.

Je lui tendis la main et la gardai dans la mienne. Sa paume était gelée et je la frottai énergiquement avec mon autre main. Elle me sourit avec affection, et je tentai de refouler le souvenir de sa bouche autour de mon doigt.

Depuis le jour où Maddie me l'avait présentée dans ce bar, j'avais eu envie de l'embrasser une bonne centaine de fois.

— Moi aussi, murmura-t-elle.

— Toi aussi quoi ?

— Moi aussi j'ai eu envie de t'embrasser une bonne centaine de fois. Mais, dans le cadre de notre politique de redéfinition de notre relation, je suggère qu'on abandonne ce genre de pratique.

— Et pour quelle raison ?

— Parce que nous sommes colocataires. Et rien d'autre.

— Je pensais avoir mon mot à dire.

— Tu pensais mal. Tu ne mérites pas de subir une relation avec moi. Je te protège en faisant cela. Je préférerais qu'on reste amis.

Je sondai son regard à la recherche d'une explication valable. J'avais senti Ash frémir contre moi, je l'avais embrassée, je l'avais déshabillée. J'en voulais encore. J'en voulais plus et uniquement avec elle. Ses yeux se voilèrent et elle pinça les lèvres.

— A quel point tu luttes ? m'enquis-je.

— Comment sais-tu que...

— Maintenant, je sais.

Un bref sourire éclaira son visage et, paradoxalement, cela me brisa le cœur. J'étais une poule mouillée. Tout à l'heure, dans la cuisine, j'avais senti que mon envie était partagée. J'avais senti le désir électrique et puissant entre nos deux corps. J'avais vu le doute dans les yeux émeraude de ma colocataire. Notre amitié avait vacillé dans la cuisine, avant de se remettre d'aplomb sur le canapé agonisant.

— Merci pour tout ça, dit-elle en désignant l'espace autour de nous.

— Tout le plaisir est pour moi, souris-je.

— C'est la première fois que je fais ça.

— Acheter des meubles ?

— Acheter des meubles, être muse d'un pâtissier, écouter des musiciens morts depuis belle lurette. La liste de mes premières fois est interminable. Et tout s'est toujours passé avec toi.

Elle s'assit sur un canapé en similicuir, avant de s'y allonger, ses yeux verts rivés au plafond.

— Qu'est-ce que tu fais ? m'esclaffai-je.

— Je me mets en situation. La plupart du temps, je suis allongée de ce côté-ci, et toi tu es assis là-bas.

Elle me lança un regard insistant, et je compris qu'elle voulait que je m'installe. Je m'exécutai et elle glissa ses pieds sur mes cuisses. Elle fixa de nouveau les spots lumineux, en pleine réflexion.

— Je ne suis pas certaine d'aimer le cuir. Essayons-en un autre.

Elle se leva brutalement et s'allongea sur un autre canapé, en tissu cette fois. Je restai debout, à la regarder, ignorant les visages médusés des autres clients. C'était un des traits de caractère que j'enviais à Ashley : sa capacité à n'attacher aucune importance à ce qu'on pense d'elle.

— Alors ?

— Toujours pas.

Au quatrième canapé, un large sourire barra son visage. La révélation suprême venait sûrement d'avoir lieu. Elle prit un coussin, le cala sous sa tête, croisa ses chevilles et m'adressa un petit coup d'œil.

— Tu ne veux pas essayer ? me demanda-t-elle.

— Parce que là, tu me demandes mon avis ?

— Ne sois pas ridicule. Viens.

— C'est ton premier achat, je pense qu'il vaut mieux que tu te décides toute seule.

Elle se releva et se posta près de moi, posant un regard bienveillant sur notre nouveau canapé. Du coin de l'œil, je constatai un nouveau changement d'humeur. A la joie avait succédé une forme de tristesse.

— Je ne plaisantais pas, avoua-t-elle à voix basse. Je n'ai jamais fait ça.

— Tu n'as jamais été avec tes parents pour acheter un lit, par exemple ?

— Je n'ai jamais été avec mes parents tout court.

Elle éclata d'un rire teinté d'amertume, puis baissa la tête. Ses cheveux dissimulaient son visage, et je les repoussai doucement. Depuis que je vivais avec Ashley, je ne connaissais que sa personnalité pétillante et délurée. Elle riait aux éclats, elle me taquinait, elle me mettait dans l'embarras, mais je ne l'avais jamais vue affectée par quoi que ce soit.

Elle releva la tête et tenta de masquer son désarroi derrière un sourire fragile et tremblant. Je posai mes mains sur ses joues, plongeai mon regard dans le sien et rassemblai toute ma volonté pour ne pas l'embrasser sur-le-champ. Voir Ashley si désarmée et incertaine brouillait mes repères habituels.

Une foule de questions se bousculait sur mes lèvres. Je voulais en savoir plus, je voulais la connaître, elle, et la serrer dans mes bras jusqu'à ce qu'elle oublie ce qui la tourmentait.

— Tu sais, je crois qu'on devrait marquer l'événement.

— Quoi ?

— Au sujet du canapé. On pourrait... tiens, acheter des bougies pour la table basse, suggérai-je en saisissant un photophore près de moi. Je préparerai un dîner, nous finirons ce fabuleux dessert et, à titre exceptionnel, je peux t'autoriser à regarder *Dirty Dancing*, si tu m'en expliques les subtilités cinématographiques.

Elle éclata de rire et hocha prudemment la tête. Comment pouvait-elle être si délurée avec les autres et si timide ici ?

— Et que dirais-tu d'acheter une lampe ? Pour tes mots croisés ?

— Pour *nos* mots croisés, corrigea-t-elle.

Elle pencha son visage, épousant un peu plus ma paume. Elle plongea son regard dans le mien, et mon cœur s'affola. Le souffle me manquait, le brouhaha autour de nous n'était plus qu'un murmure, et sa bouche n'avait jamais été aussi tentante.

Et à cet instant précis, entre *Karlstad* — splendide canapé en tissu — et *Tidafors* — imposant fauteuil en cuir — la Terre vacilla sur son orbite et, de mes lèvres, j'effleurai doucement et furtivement celles d'Ashley.

Quand je m'écartai, libérant son visage, ma colocataire avait le souffle court et les yeux clos. Elle se mordit les lèvres et rouvrit les paupières. Sa mélancolie avait disparu et un sourire heureux s'épanouissait sur sa bouche. Un frisson me parcourut et électrisa mon corps.

— Je n'ai pas fermé les yeux, chuchota-t-elle, avec un ton de conspiratrice.

— On va faire comme si je n'avais rien vu. Mais je sais que ça viendra, assurai-je.

— C'est bien ce qui m'inquiète. Avec toi, je ferme toujours trop les yeux et j'oublie le reste. Encore une chose qui ne m'arrivait jamais avant.

— Avant qu'on vive ensemble ?

— Avant toi.

Son regard brûlant me déstabilisa un peu plus. Quand j'avais abordé la possibilité de devenir plus que des amis, Ashley avait clairement refusé d'en parler. Elle avait même pris la fuite. Maintenant, elle brouillait les pistes.

J'avais embrassé ma colocataire et je voulais l'embrasser encore.

Et la toucher.

Et la sentir sous moi.

Je me raclai la gorge, dans le secret espoir de canaliser le désir qui m'habitait. Il y avait eu l'attraction, la fascination, l'envie... et maintenant il y avait cette certitude absolue : je voulais Ashley. Je voulais qu'elle soit à moi.

— Et c'est vraiment si dramatique ? demandai-je.

Je ne savais plus de quoi nous parlions. Etait-ce de ce baiser furtif ? De notre relation de plus en plus bancale ? J'avais encore le goût de ses lèvres sur les miennes et je voulais encore les sentir. Je voulais serrer son corps au plus près du mien, je voulais dévorer du chocolat sur sa peau diaphane. Je voulais Ashley, son rire, sa peine, ses failles, son insolence, ses jambes interminables, son grain de folie et ses mains froides.

— Je ne sais pas encore, avoua-t-elle. Est-ce si dramatique d'être au bord d'un précipice et de regarder le sol ?

— Alors hier j'étais un paradoxe et maintenant je suis un précipice ?

Elle hocha à nouveau timidement la tête, comme si elle venait d'avouer une terrible bêtise. Et il fallait que nous ayons cette conversation ici, au milieu de ce magasin ? La situation était surréaliste. Je passai une main sur mon visage et soupirai lourdement.

Suivre Ashley dans son raisonnement était aussi épuisant que de courir un fichu marathon sans entraînement.

— On prend celui-ci alors ? demanda-t-elle en désignant un canapé.

Son changement de sujet me prit de court. J'étais toujours dans mon marathon et je venais de taper un mur à pleine vitesse. Entre son aveu au sujet de ses parents, sa notion de précipice et maintenant le canapé, j'étais déboussolé.

Ashley ou la vie à cent à l'heure.

— Il s'appelle *Vilasung*. Je trouve ça plutôt sympa, déclara-t-elle.

— Tu veux ce canapé parce que tu trouves son nom « sympa » ?

— Ben et Vilasung m'attendent pour mes mots croisés et *Dirty Dancing*, récita-t-elle tout en s'asseyant sur le canapé en question.

Elle passa affectueusement ses mains sur les accoudoirs et m'adressa un sourire aguicheur. Puis elle tapota du plat de la main la place près d'elle et m'invita à m'asseoir.

— Ben, voici Vilasung. Vilasung, voici Ben. N'est-il pas fabuleux ?

— Tu parles de moi ou du canapé ?

— Je parle de *ton* dessert sur *ce* canapé.

Elle se releva et, sans attendre, alla voir un vendeur. Je basculai la tête en arrière, maudissant le destin farceur qui avait mis Ashley sur ma route. Evidemment, j'étais tombé sur une tête de mule folle à lier, pas sur la gentille fille normale que j'espérais. Quand je me redressai à mon tour, je constatai qu'Ashley était en pleine danse de la séduction, dégainant son attirail habituel — sourire, cheveux, mordillage de l'index — auprès du vendeur, déjà sous son charme.

Un nouveau soupir m'échappa, pendant que j'approchais d'eux. J'enroulai mon bras autour des hanches d'Ashley et l'attirai contre moi.

— Tout est réglé ? demandai-je avec un sourire carnassier.

— Oui. On peut même être livrés avant la fin de la journée.

— On pourra finir ce qu'on a commencé alors.

Ashley écarquilla les yeux, avant de braquer son regard sur le vendeur. Ce dernier nous dévisagea avec circonspection. Il cherchait sûrement à définir notre relation.

Bonne chance, vieux ! Définis autant que tu veux, même moi je ne sais pas ce que nous sommes.

— Il parle de son dessert, expliqua Ashley.

— Et de tes mots croisés. Et de ce film qu'on doit se faire. Et c'est ton dessert, lui rappelai-je. D'ailleurs, je dois racheter quelques ustensiles. Tu viens ?

Sans attendre sa réponse, je l'entraînai plus loin, ma main fermement accrochée à ses hanches. Elle haussa un sourcil inquisiteur, avant de s'arrêter net dans le secteur cuisine. Je libérai ses hanches et, avant même qu'elle ouvre la bouche, je me lançai :

— Tu ne peux pas sortir avec un type qui vend des meubles.

— Et qui a décrété ça ?

— Toi. Tu as dit que tu refusais de sortir avec des types qui ne servent à rien. A quoi au juste sert un vendeur de meubles ?

Elle croisa les bras sur sa poitrine et tapa furieusement du pied. Son regard flamboya un court instant et parvint à me faire reculer de deux pas. Peut-être avais-je été trop loin ? Si Ashley prenait la fuite après une seule étreinte sur le canapé, sûrement qu'un petit accès de jalousie lui ferait faire l'aller-retour jusqu'à la Lune. J'étais un sombre crétin.

C'est ce qui arrive quand on tombe amoureux d'une fille inaccessible. On devient soit fou à lier, soit crétin. J'entendais d'ici la voix de Connor décrétant que j'étais probablement un peu les deux.

— Ben, comment te dire ça d'une manière claire et nette ?

— Me dire quoi ?

— Que parmi tous les hommes sur Terre, à mes yeux, tu seras toujours celui qui fait pipi le plus loin.

J'esquissai un sourire peu assuré. Etait-ce un compliment ? Ou une façon polie de me rappeler que j'étais hors concours au pays de la drague moderne ? Ce n'était ni clair ni net.

Non, c'était plutôt rouge vif sur mes joues. La honte se propageait douloureusement dans tout mon corps.

— Et je ne draguais pas le vendeur. Je voulais juste savoir si on pouvait être livrés rapidement. Maintenant que ton ego va mieux, pouvons-nous continuer ?

— Oh... Euh... Bien sûr. Après toi, proposai-je en la laissant passer devant moi.

— Tu es adorable quand tu rougis.

Mon rougissement s'amplifia, de quoi faire de l'ombre à n'importe quel spot du magasin. Je rivai les yeux au sol, ignorant le rire cristallin de ma colocataire. Je regrettais maintenant la pluie glacée qui aurait pu me remettre d'aplomb. Je n'aurais pas non plus été contre un petit trou de souris dans lequel me terrer.

— Alors, qu'est-ce que tu voulais ? demanda-t-elle en s'appuyant sur un bar de cuisine.

— Des assiettes. Quelque chose de creux pour... euh... ton dessert.

— Tu ne m'as toujours pas dit comment tu allais l'appeler.

— Je t'ai dit que Connor avait proposé « Hurricane ».

Un sourire énigmatique se dessina sur ses lèvres, et elle s'éloigna de moi pour occuper une autre cuisine témoin. Elle passa le bout de ses doigts sur le plan de travail, perdue dans ses pensées.

— Mais je ne suis pas convaincu, continuai-je en la suivant de près.

Elle pivota vers moi et aimanta son regard au mien. A cette distance, je devinais son parfum familier d'agrume, je voyais le coin de ses lèvres se soulever dans un demi-sourire, je sentais cette tension invisible et pourtant inévitable.

— Pas convaincu ? répéta-t-elle.

— A mes yeux, tu n'es pas une catastrophe climatique.

— A tes yeux, je suis un paradoxe. Ce n'est franchement pas mieux.

— Tu es une curiosité. Tu préfères ? Tu es... Tu es une des rares femmes qui me fascinent totalement, parce que tu es imprévisible, expliquai-je avec difficulté.

— J'étais surtout imprévue, railla-t-elle. Ben, je sais ce que tu essayes de faire.

— Ce que j'essaye de faire ?

— Tu me dragues.

— On en revient à la case départ : en quoi est-ce si dramatique ?

— On devrait rentrer et avoir cette conversation au loft.

Elle tenta de passer près de moi, mais je la bloquai de mon bras. Elle prenait la fuite. Au loft, elle trouverait encore une excuse pour me filer entre les doigts. La conversation de la veille, aux relents d'ammoniaque et d'excuses foireuses, était toujours présente dans mon esprit. Même en retournant le sujet dans tous les sens, je ne comprenais pas pourquoi elle refusait d'envisager plus.

Plus, mieux, différent, intense. Les mots me manquaient quand il s'agissait d'Ashley.

— Ne t'échappe pas. Tu as lancé le sujet et j'aimerais vraiment en discuter avec toi.

— Du fait que tu me dragues ? s'étonna-t-elle.

— Je ne te drague pas. Je te courtise. C'est un peu différent.

Elle laissa échapper un rire nerveux, puis soupira. Ses épaules s'affaissèrent, comme si elle abandonnait l'idée de lutter. Elle appuya son dos contre un des plans de travail, ses mains accrochant le rebord comme si sa vie en dépendait.

— Tu ne veux vraiment pas en parler au loft ? proposa-t-elle, le visage blême.

— Non. Ici. Et maintenant. Je veux comprendre. Est-ce que... Je ne sais pas... est-ce que je ne suis pas ton genre ? Ou est-ce que c'est parce que tu m'as vu turquoise, puis framboise puis...

Elle rit à nouveau et secoua la tête. Quand elle releva ses yeux verts vers moi, elle semblait hésitante. Elle ouvrit la bouche, prête à parler, avant de se raviser. Son hésitation me fit froncer les sourcils. Je voulais qu'Ashley puisse se confier à moi, quel que soit le sujet.

— Ash, parle-moi, s'il te plaît. On vit ensemble, nous sommes amis, tu peux me parler.

— En fait, je préférerais que tu ne me plaises pas, avoua-t-elle finalement. Ça serait tellement plus simple pour moi. Mais tu me plais. Et tu me plais justement parce que tu as été de cette fichue couleur turquoise pendant des mois et que tu te fichais de ce qu'on pensait de toi.

— Mais…

— Mais je ne suis pas une fille pour toi. Je suis cabossée, fêlée, bancale si tu préfères. Je ne connais rien aux relations, encore moins aux relations amoureuses. Tu es la seule relation durable que j'ai eue de toute ma vie. Du moins, si on exclut Maddie et les services sociaux.

Elle se cramponna un peu plus fort au plan de travail, et j'approchai d'elle. Je plaçai mes mains sur les siennes, tentant d'apaiser la tension qui habitait tout son corps. Les yeux rivés au sol, elle évita soigneusement mon regard. Parler d'elle semblait lui demander une énergie folle. Je brûlais de lui poser des questions, sur elle, sur son enfance, sur ce qu'elle estimait bancal en elle. Mais je savais que je ne devais pas l'interrompre. Je devais l'écouter et l'encourager.

Je pressai mes mains un peu plus fortement contre les siennes et, de mon pouce, caressai son poignet.

— Je n'ai pas de famille, Ben. Rien, nada. Je n'ai pas de mère, pas de père. J'ai eu des familles d'accueil, quelques amis, mais je ne me suis jamais sentie chez moi. Sauf depuis que je vis au loft. Maddie n'a jamais posé de questions sur mon passé. Elle s'est contentée d'accepter la folle furieuse que je suis et de rire de mes blagues. Et maintenant, il y a toi.

Elle reprit sa respiration et releva ses yeux vers moi. Je m'attendais à de la tristesse ou de la crainte, mais, à ma grande surprise, elle paraissait soulagée et esquissa un sourire fébrile. Mon cœur s'emballa. Je voulais la prendre dans mes bras, quitter ce magasin et nous claquemurer dans le loft.

— Ben, tu es tout ce que j'ai.

— C'est totalement faux, rétorquai-je aussitôt. Tu as Maddie, tu as Connor. Tu as ton métier.

— Maddie et Connor ont leur vie. Mon métier... Je l'aime, mais ce n'est pas la même chose. Il y a toi et ton amitié sincère. Et c'est ça le fameux précipice : si... si on devient autre chose et que cela ne fonctionne pas, je te perdrai.

Elle se tut et sonda mon regard. Elle cherchait mon approbation, elle cherchait un signe qui lui dirait qu'elle avait raison, que j'accepterais son choix.

Ce choix était tout sauf acceptable. Ce n'était même pas un choix.

— Qui a dit que cela ne fonctionnerait pas ?

— Je le dis, moi. Je le vois. On est trop différents. Voyons, Ben, tu écoutes de la musique classique, quand je chante du Céline Dion. Tu fais ta lessive, quand je ne sais pas où est la laverie. Je sors avec un type différent chaque semaine pendant que, toi, tu... lis des livres de cuisine.

— Donc, tu ne veux pas que je te fasse la cour parce que tu veux préserver notre amitié et parce qu'on est trop différents.

— Et parce que tu utilises l'expression « faire la cour », ajouta-t-elle.

— Donc, je n'ai aucune chance à tes yeux ?

Elle était en train de se dérober. Je le sentais à son regard fuyant et son agitation. J'effaçai la distance entre nos deux corps et pressai mon torse contre elle. Elle se tendit subitement et cessa de taper du pied au sol.

— Je n'arrêterai pas, Ash. Tu as le droit de trouver ça ringard et désuet, mais je continuerai à te faire la cour, jusqu'à ce que tu cèdes.

Elle posa sa main sur mon torse pour me repousser. Je pris sa main et la portai à ma bouche pour embrasser sa paume.

— Je me fiche que tu sois fêlée... ou cabossée, murmurai-je contre sa peau. Je me fiche que tu nous trouves trop différents ou que tu aies peur du vide.

— Ben, s'il te plaît...

— J'écouterai Céline Dion à m'en faire saigner les oreilles, je t'accompagnerai pour tes lessives et je te montrerai même où se trouve le local à poubelles. Je peux prendre soin de toi, Ash. Il suffit que tu m'en donnes l'occasion.

Je m'écartai d'elle, libérai sa main et attendis une réaction. Elle soupira de lassitude, avant qu'un sourire lumineux éclaire son visage. Je retrouvai la Ashley pétillante et enjouée, celle qui cachait la Ashley fragile et touchante que je venais de rencontrer.

— Je t'ai enfin trouvé un défaut : tu es incroyablement têtu, dit-elle.

— Je sais.

— Tu ne changeras donc pas d'avis ?

— Est-ce que, toi, tu vas changer d'avis ? Sur nous ? Ou sur nos différences irréconciliables ?

— Tu me demandes de sauter dans le vide ?

Dans sa voix, je perçus une trace de panique évidente. Mon défi était là : transformer cette panique en excitation, faire en sorte qu'Ash ne redoute pas le pire nous concernant.

— Je te demande de ne plus avoir le vertige. Et, si c'est vraiment si effrayant, de prendre ma main, quitte à la broyer s'il le faut.

Je pressai mon torse contre elle pour une ultime étreinte. Surprise par mon geste, sa respiration s'alourdit et elle ne fit rien pour me repousser. Je refoulai la vague de désir qui grossissait dans le creux de mes reins. Effleurer Ashley me rendait dingue, surtout depuis que j'avais brièvement touché ses lèvres.

— Je vais te faire la cour, c'est promis. Et ensuite, je t'embrasserai. Et après ça, tu ne seras plus jamais seule.

— Où est donc passée ta galanterie légendaire ?

— Elle est là. C'est ce qui me retient de t'embrasser ici, à nouveau.

Quand je m'écartai, je vis Ashley blêmir et se mordre la lèvre à s'en faire mal. Je pris une de ses mains dans la mienne et, sans attendre son avis, je nous fis poursuivre notre shopping. Peu à peu, l'atmosphère entre nous se détendit. J'avais occulté la foule pendant notre conversation, et maintenant le bourdonnement des bavardages, les cris d'enfants et la musique d'ambiance m'étaient insupportables.

Nous gagnâmes les caisses du magasin en silence, et Ashley tendit son bon à l'hôtesse de caisse.

— Tu savais que Connor et Maddie ont baisé sur le bar de la cuisine ? demanda-t-elle brutalement.

L'hôtesse nous dévisagea avec stupeur, pendant que je sentais le sang affluer à mon visage. J'adressai un regard consterné à ma colocataire, qui me répondit par un sourire triomphant.

— Oh. Tu ne le savais pas, se réjouit-elle en contenant un rire.

Mon rougissement s'accentua et je passai une main honteuse sur mon visage cramoisi. L'hôtesse de caisse m'adressa un sourire compatissant, avant de m'annoncer la somme à régler.

— Tu rougis toujours, c'est rassurant. Il passe son

temps à rougir, confia-t-elle, conspiratrice, à l'hôtesse. N'est-ce pas adorable ?

La pauvre hôtesse rougit à son tour, embarrassée par la familiarité de ma colocataire. J'étais partagé entre la furieuse envie de riposter contre Ashley et mon âme compatissante.

— Ne faites pas attention à elle, m'excusai-je auprès de l'hôtesse. Elle cherche à m'embarrasser tout en m'envoyant des signaux.

Je venais de me découvrir une dose de culot insoupçonnée. Mais je savais qu'Ashley cherchait à me pousser dans mes retranchements, qu'elle testait mon fameux entêtement.

Je ne pouvais pas lui donner raison. Pas après ce qu'elle m'avait avoué, pas après ce que je lui avais promis dans cette cuisine factice.

Conquérir Ashley était une vraie mission, une lutte de pouvoir entre son enthousiasme débordant et mon calme religieux, entre sa théorie fumeuse sur nos différences insurmontables et mon désir irrépressible de l'embrasser jusqu'à ce qu'elle en oublie le reste du monde.

— Des signaux ? répéta Ashley.

— Oui, sur ton fantasme sur le bar, avec du chocolat liquide et de la glace au caramel.

Fantasme #334 : Ashley et de la glace sur la pointe de ses seins.

Il me fallut réunir le self-control d'un moine bouddhiste pour ne pas bafouiller et rougir comme un adolescent. Ashley me fixa, bouche bée, statufiée dans sa stupéfaction. Ma victoire n'en fut que plus savoureuse.

— Comment sais-tu que… ? Et merde, soupira-t-elle, consciente de s'être fait encore avoir.

— Je le sais maintenant. Ça viendra, promis-je.

Notre nouveau canapé avait été livré en fin d'après-midi, pendant que je prenais ma douche. Ashley avait géré les livreurs, et j'avais brièvement entendu son rire résonner dans l'appartement.

Maintenant, j'étais devant le miroir de la salle de bains, les mains appuyées sur le rebord du lavabo. D'un revers de main, j'essuyai le voile de buée et fixai mon reflet. Je pouvais compter sur les doigts d'une seule main le nombre de filles que j'avais invitées pour un rendez-vous.

Il y avait eu Emma, au lycée. Je n'avais même pas osé l'affronter, j'avais simplement glissé un mot dans son casier. Je me souvenais encore de son regard compatissant et du ton doucereux de sa voix quand elle avait refusé.

Il y avait eu Victoria, pendant les vacances d'été. Victoria avait été mon premier baiser, ma première relation sexuelle et ma première gifle. Après notre première — et unique — nuit débridée dans sa voiture, elle avait estimé qu'elle méritait mieux que moi. Par mieux, il fallait entendre plus « expérimenté », je présume.

Et enfin, il y avait eu Jenny. Maman me l'avait présentée et j'étais immédiatement tombé sous le charme. Mieux, j'étais tombé amoureux. Enfin je l'avais cru. Jusqu'à ce que je voie Connor tomber amoureux de Maddie, jusqu'à ce que je rencontre Ashley, jusqu'à ce que je réalise que finir ma vie avec Jenny me collait une trouille monumentale.

Maintenant, il y avait Ashley. Elle me faisait sourire, elle me rendait dingue, elle m'épatait, me fascinait. Imaginer qu'elle disparaisse de ma vie m'était insupportable. Imaginer qu'elle en fasse partie m'étourdissait et me galvanisait.

Après ce qu'elle m'avait avoué au magasin, j'étais certain que nous avions une chance. Mais je devais faire ça dans les règles et commencer par l'inviter au gala.

Ça, c'était la partie facile.

Et lui faire comprendre qu'il s'agissait d'un rendez-vous galant.

Ça, c'était la partie moins facile.

Je poussai un profond soupir. Pour Victoria et Jenny, j'avais surmonté ma timidité, j'étais parvenu à monter au front, à lâcher un « veux-tu dîner avec moi ce soir ? », à attendre deux douloureuses secondes qu'elles disent « oui », puis à prendre la fuite aussi vite que possible pour me terrer dans ma chambre.

Mais avec Ashley, il me faudrait plus que ça. Du courage, oui. De la force, aussi. De l'abnégation. De la repartie et une dose de testostérone à faire pâlir d'envie un catcheur. Je grommelai dans ma barbe, me fustigeant d'être si peureux. J'enfilai un caleçon et un jean. Je passai une main dans mes cheveux trempés et fermai les yeux à la recherche de l'inspiration divine.

— Ashley, je me demandais si...

Mauvais, très mauvais. Je ne devais pas lui laisser le choix.

— Ashley, au sujet du gala, je dois venir accompagné.

Encore pire... Elle allait me rire au nez en m'indiquant le numéro de la première agence d'escort girl du coin. Par ailleurs, je ne voulais pas qu'elle vienne pour le gala, juste pour moi.

— Ashley, tu fais quelque chose vendredi ?

Merde, merde et remerde... Pas de question ouverte. Règle de base. Parce que, si elle me disait non, forcément ça allait déclencher une autre question, puis une dispute, et enfin la Troisième Guerre mondiale.

— Ashley, j'aimerais beaucoup que tu m'accompagnes au gala de demain.

Direct. Précis. Net. Facile. Je pouvais le faire.

Je sortis de la salle de bains, enfilant une chemise bleue. Ashley m'attendait à la porte, adossée au mur, avec un sourire qui me figea dans l'instant. Ma petite décharge de testostérone s'évapora dans son regard pétillant.

— Jolie chemise, me complimenta-t-elle. C'est nouveau ?

— Bien obligé, ma colocataire passe son temps à me piquer mes vêtements.

— C'est pour mieux te dévorer des yeux, mon enfant.

Elle enroula son bras autour du mien et m'attira dans le salon. Notre nouveau et superbe canapé y trônait. J'étouffai un rire en voyant qu'Ashley avait déroulé une longueur impressionnante de ruban de pâtisserie en travers.

— Je pense qu'il faut une vraie cérémonie d'inauguration.

— Avec du ruban en PVC ?

— A moins que tu aies du ruban en satin rouge quelque part, il faudra te contenter de ça. Si monsieur Harris veut bien inaugurer le canapé.

Elle trépignait comme une enfant en me tendant une paire de ciseaux. Je ris de plus belle, conquis par sa joie communicative. Je coupai le ruban avec une grande solennité, puis le dégageai.

— Tu veux boire un verre ? proposai-je.

— Non. Euh... on m'attend, balbutia-t-elle.

Je me liquéfiai sur le canapé, ébahi qu'elle sorte avec un autre homme alors que je pensais que nous étions enfin sur la même longueur d'onde.

— C'était... avant.

— Avant ?

— Avant... Avant le canapé, bégaya-t-elle à nouveau. Si j'avais su que tu... que tu me... enfin, tu vois ce que je veux dire.

— Je crois, oui.

Elle se dandina d'un pied sur l'autre, très mal à l'aise, puis se tordit les mains. Je soupirai de lassitude. Un pas en avant, dix-huit en arrière. Quand allait-elle comprendre ?

Ashley était la fille la plus butée que je connaissais. Ajoutez à ça une pointe de mauvaise foi, une dose d'arrogance et une propension à la tequila, vous obtenez une femme improbable aux jambes de rêve et à l'esprit dépravé.

Femme improbable qui sortait avec un autre homme ce soir. Evidemment.

Et, pour une raison inexplicable, je voulais cette femme. Et je voulais qu'elle reste ici ce soir. Je voulais qu'elle s'installe sur ce canapé, qu'elle sorte sa grille de mots croisés et que notre routine habituelle reprenne. En mieux.

— Si j'avais su, jamais je n'aurais...

— Tu peux annuler, proposai-je. Dire que tu es malade, dire que tu es fatiguée. Dire que tu as quelqu'un d'autre.

— Wow. C'est quoi ça ? Une pointe de jalousie ou une façon de marquer son territoire ?

Sa remarque amère me piqua au vif. J'étais contrarié qu'elle ruine mes plans et furieux qu'elle agisse comme si rien ne s'était passé aujourd'hui. Apparemment, Ashley avait retrouvé ses envies d'indépendance.

— Ni l'un ni l'autre. Je pensais qu'on passerait la soirée ensemble, expliquai-je. Je pensais que tu avais compris que... que je voulais qu'on soit plus que des colocataires.

— Nous le sommes. Nous sommes amis.

— Ne joue pas la naïve, tu sais très bien ce que je veux dire, répliquai-je plus sèchement que je ne le voulais.

Mon changement de ton la désarçonna et les traits de son visage se durcirent. Je repris, refusant de lui laisser le temps de riposter :

— Tu ne peux pas faire ça : tu ne peux pas jouer au yo-yo avec moi, parce que cela te plaît de me rendre chèvre, parce que ça te rassure de me garder à proximité pendant que tu batifoles avec d'autres.

— Qui utilise encore le verbe « batifoler » ?

Je secouai la tête et refoulai la rage qui bouillonnait dans mes veines. Je me levai et la toisai. La dernière fois que j'avais été si en colère, j'avais fini par débarquer au loft, ivre et célibataire. Je devais faire partie de ces gens dont les colères étaient rares et imprévisibles.

Je serrai les poings, constatant qu'Ashley était en train

de flancher. Son naturel pétillant et indolent avait laissé place à un voile de panique et d'incompréhension. A ses yeux, je n'étais plus l'homme qui lui avait promis qu'elle ne serait plus jamais seule.

— Ben...

— Peut-être que j'ai eu tort en fait. Peut-être que j'ai eu tort de croire que je pouvais nous faire avancer vers autre chose que de l'amitié. Peut-être que j'ai eu tort de croire que j'étais parvenu à te convaincre.

— Peut-être que tu aurais dû prendre les devants. Cela fait six mois qu'on vit ensemble.

— Et alors quoi ? J'aurais dû te sauter dessus comme tous ces types dont le numéro est affiché sur le réfrigérateur ? Ce n'est pas comme ça que je traite les femmes et ce n'est pas comme ça que je te traite, toi !

— Vraiment ? Alors pourquoi avons-nous cette... dispute ?

— Parce que tu la cherches depuis que tu es rentrée de ton examen. Si tu me disais pourquoi au juste tu m'en veux ?

— Ce n'est pas toi, c'est juste... moi.

— Je crois que c'est la pire des excuses que tu ne m'aies jamais balancées ! De la part d'une fille qui refuse la normalité et qui prône sa différence, je trouve ça déplacé.

— Déplacé ? Tu joues les machos en me demandant d'annuler MON rendez-vous parce que TU as décidé que NOUS devions dîner ensemble. C'est ton comportement qui est déplacé.

Je repris mon souffle, réalisant que j'étais aussi haletant qu'un marathonien en pleine course. Cette conversation ne menait nulle part : Ashley, par principe, refuserait d'admettre ses torts ; et moi... moi, j'avais encore le souvenir de ses lèvres sur les miennes et de sa peau douce sous mes doigts.

— Je t'ai embrassée, Ash. Et, même si ça te paraît

vieux jeu, ringard ou désuet, ce baiser avait de l'importance pour moi.

— On a fait plus que ça, marmonna-t-elle.

— Et cela avait de l'importance aussi. Je croyais que cela en avait pour toi. Je ne pensais pas que tu me décevrais un jour.

— Je déçois toujours les gens, Ben. C'est ce que je fais le mieux. C'est pour ça qu'ils finissent par me quitter.

— Je t'ai promis que cela n'arriverait pas. Mais je ne peux pas être le seul à gérer notre relation. Ou notre non-relation, ajoutai-je sèchement.

Elle cligna des yeux, comme si elle prenait conscience de la situation. Je poussai un profond soupir de lassitude et attrapai ma veste.

— Tu ne peux pas prendre la fuite dès que la situation te semble insoutenable. C'est trop facile, Ash.

— Ben, attends, on peut...

— Je sors. Passe une bonne soirée, la coupai-je durement.

Je claquai la porte du loft derrière moi, en colère contre ma colocataire. En six mois de vie commune, nous n'avions jamais eu une seule dispute. Parfois, oui, nous avions eu des désaccords, mais rien de cette ampleur. Je descendis l'escalier à toute allure et débouchai dans la rue, le souffle court et frissonnant des températures hivernales.

Nulle part la colère ne me mènera. Nulle part... mais dans un bar la noyer, je dois.

Chapitre 6

> Bonjour, vous êtes bien sur le portable d'Ashley. Je suis en pleine insomnie, mais chantez-moi *I Was Made for Loving You* et je vous rappellerai peut-être…

Je me tournai dans mon lit pour la centième fois. J'avais trop chaud et l'instant suivant je tremblais de froid. Je rejouais en continu ma dispute avec Ben. Je me répétais la scène encore et encore, recherchant en vain le moment précis où tout avait dérapé.

Il avait eu gain de cause sur au moins une chose : j'avais annulé ma soirée.

Et, si j'étais vraiment honnête, je dirais qu'il avait eu raison sur toute la ligne : sur mes tentatives de fuite, sur la façon dont les hommes me traitaient, sur mon tempérament lunatique. Maintenant, j'affrontais ce que j'avais redouté depuis des mois : je me retrouvais seule à nouveau.

Ben avait perdu son calme légendaire.

Ben s'était mis en colère.

Ben avait perdu son sourire à fossettes.

Et, j'en étais certaine, j'allais le perdre, lui. Et cette seule idée me tétanisait. Je crois même que cela me tétanisait plus que l'idée qu'il veuille être avec moi.

Ma nuit avait été courte et hachée. Après le départ de Ben, j'avais espéré qu'il reviendrait rapidement. J'avais naïvement cru que sa colère serait furtive et qu'elle passerait autour d'une bière et d'une soirée sur notre nouveau canapé. Mon regard n'avait cessé de faire des allers-retours entre l'écran de la télévision et la porte du loft.

J'avais eu tort. Les heures s'étaient écoulées dans une lenteur insoutenable et, d'inquiétude, j'avais torturé mon téléphone, retirant à intervalles réguliers la coque, puis la batterie, afin de vérifier qu'il fonctionnait correctement. Peu après minuit, j'avais bondi du canapé en reconnaissant le déclic de la porte.

— Oh ! ce n'est que vous, avais-je dit, déçue.

— Toujours un plaisir d'être bien accueillie, Ash, avait ironisé Maddie.

— J'attends Ben. Il est comme qui dirait porté disparu. On s'est plus ou moins disputés.

— Tu veux qu'on attende avec toi ? avait demandé Connor. Je peux l'appeler et...

J'avais balayé sa proposition d'un geste du bras. Je n'avais pas besoin d'une épaule compatissante. Je voulais juste Ben. Je le voulais comme j'avais rarement voulu quelqu'un dans ma vie.

— Non. Il va sûrement revenir d'ici peu.

Et le prix de la bluffeuse de l'année revient à Ashley Jordan, pour sa prestation ultra-réaliste de l'amie convaincue et sereine. J'avais poussé un ultime soupir et j'avais finalement décidé d'imiter Connor et Maddie et d'aller me coucher.

J'avais dormi deux heures. Les deux heures dont Connor avait visiblement besoin pour être au sommet de sa forme et honorer de sa testostérone sa petite amie très réceptive. Curieusement, entre les vibrations du mur et les grincements du lit, je me surpris à chantonner *All by Myself.*

Je devais certainement chantonner un peu trop fort car, au moment où le lit grinçait à un rythme frénétique, il y eut un choc contre le mur, suivi d'un très élégant « La ferme, Ash », de la part de Connor.

Cela me cloua le bec et me rappela l'absence de Ben. J'aurais aimé partager ça avec lui. Même si c'était stupide, sans importance et prévisible, j'aurais aimé qu'il soit là, qu'il rie avec moi, qu'il chante avec moi, qu'il me fasse découvrir la bergamote au milieu du chocolat.

Je me couvris de la couette et étouffai un cri de frustration. Pourquoi n'avais-je tout simplement pas annulé cette soirée avant ?

Et pourquoi Connor et Maddie ne pouvaient-ils pas batifoler en silence ?

Un sourire fendilla mon visage crispé et mon humeur grognon. Batifoler. Qui utilisait encore ce mot ? Lui, évidemment. J'étais certaine qu'en fouillant dans son placard je trouverais des boules de naphtaline et une vièle. Adorablement désuet et sexy des clavicules : Ben était l'homme parfait.

Et j'avais merdé. Foiré sur toute la ligne. Saccagé notre histoire. Ruiné notre colocation. Je m'étais plantée en beauté. Je me détestais. Je me détestais d'être aussi fébrile et hésitante dès qu'il s'agissait des hommes. Voilà pourquoi je les collectionnais : non parce que aucun ne me plaisait, mais parce que m'attacher à quelqu'un était une étape que je refusais de franchir.

La plupart des femmes rêvent d'être en couple, fantasment sur la vie commune, espèrent une demande en mariage romantique et incroyable. Personnellement, dès que j'étais en couple, j'étouffais. Je cherchais un moyen de m'en sortir, en préservant les apparences. Ensuite, je rayais ces hommes de ma vie.

Rayer Ben de ma vie était impossible. Il était partout. Dans nos mots croisés du dimanche, dans les muffins qu'il me préparait, dans cette chemise qui traînait sur ma chaise. Ben avait réussi là où tous les autres avaient échoué : il avait gagné ma confiance.

Ma confiance et mon cœur cabossé.

— La ferme ! criai-je en lançant une chaussure contre le mur qui me séparait des cascades physiques de Connor et Maddie.

Pour toute réponse, j'entendis le lit grincer et ma meilleure amie glousser. Je soufflai de lassitude et décidai de me lever. De toute façon, le sommeil ne viendrait plus. Je repoussai la couette, rassemblai ma chevelure dans une pince et vérifiai l'heure sur mon portable. Il était près de 6 heures du matin. Depuis que Ben et moi vivions ensemble, nous n'avions pas passé plus de douze heures sans nous parler.

Il m'envoyait des textos, je lui laissais des post-it, il m'appelait pour entendre ma dernière annonce de répondeur, je l'attendais à l'arrière du restaurant. Il me promettait des choses incroyablement indécentes dans un magasin de meubles, et je gâchais tout en moins de deux minutes. Je méritais cette nuit catastrophique, c'était mon châtiment pour être aussi froussarde.

Je m'installai dans la cuisine, autour du bar. La pièce était plongée dans le noir, hormis la lueur du réverbère qui perçait par la petite fenêtre. Je posai mon téléphone devant moi et le fixai, désespérant de le voir s'illuminer. Je jouai quelques minutes avec, retirai de nouveau la coque, la remis et me résolus finalement à faire preuve de courage.

— Tu peux le faire, Ash, me motivai-je.

Après un petit exercice de respiration, je me décidai à sauter dans le précipice. J'appliquais le principe du pansement : quitte à se faire mal, autant limiter les tortures préliminaires.

Il fallait arracher le pansement d'un coup sec.

Les doigts tremblants, ravagée de fatigue, je composai le numéro de ma messagerie. Deux touches plus tard, je devais enregistrer un nouveau message d'accueil. Ce même message que Ben écoutait régulièrement et qui le faisait rire et secouer la tête d'incrédulité.

— Tu es complètement barrée, avait-il un jour diagnostiqué, très impérieux.

— Je préfère le terme de « fantaisiste ».

— « Je suis occupée à faire du shopping, chantez-moi *Pretty Woman*, et je vous rappellerai peut-être », avait-il récité dans un rire.

— Et évidemment, cette règle s'applique à toi aussi.

— Barrée, tu es, avait-il affirmé avec sérieux.

Nous avions ensuite échangé un long regard, par-dessus nos mugs respectifs de café. J'avais souri à m'en faire mal aux joues, puis mon colocataire avait baissé le regard et tenté de refouler la mignonne teinte rosée que prenaient ses joues.

Ce souvenir me donna l'once de courage dont j'avais besoin. Je me raclai la gorge, contrôlai ma respiration et priai pour ne pas flancher.

— Bonjour, c'est Ashley. Je suis occupée à attendre mon colocataire qui sait terriblement bien embrasser, alors, en attendant, chantez-moi *I Was Made for Loving You*, et je vous rappellerai peut-être.

Je marquai une pause, fixant la porte d'entrée en espérant qu'elle s'ouvrirait finalement.

— Ben, si tu écoutes ce message, ne chante pas et embrasse-moi à nouveau.

Une voix mécanique m'annonça que mon message d'accueil avait été parfaitement modifié. Je n'eus pas la force de le réécouter. Je posai mon portable sur le bar et pris le parti d'attendre. Au vu du silence qui régnait, Connor et Maddie devaient être en train de recharger leurs batteries. Mon ventre gargouilla bruyamment. Je n'avais rien avalé depuis des heures et j'en regrettais presque le muffin industriel de Maddie.

Presque. Car il me fallut simplement ouvrir la porte du réfrigérateur, pour retrouver mon dessert et mon sourire. L'assiette était moins jolie, le dessert était éventré et le chocolat avait durci. Mais ce dessert était le mien, et peut-être que le nom de Hurricane était finalement mérité au vu du désastre actuel.

Je posai l'assiette sur le bar et refermai la porte du réfrigérateur. Je ne comptais plus le nombre de messages que Ben avait pris pour moi, avec ce format habituel : le prénom du mec, le service de l'hôpital dans lequel il travaillait et le numéro à rappeler. Dans un élan de lucidité, je décidai de les retirer du réfrigérateur. En une minute, je fis ainsi mes adieux à Paul, John, Douglas, Erik et David.

Ma vie d'avant.

Il ne restait que ceux qui évoquaient ma douce routine avec Ben. Son écriture illisible et décorée de ratures me rappelait les courses, nos dîners improvisés, mes blagues douteuses et son élégance perpétuelle. Je pris un nouveau post-it et notai dessus le prénom de Ben, son statut — pâtissier/colocataire/meilleur ami / maître de la laverie/philosophe du canapé — et j'ajoutai son numéro de téléphone, estampillé d'un « urgent ».

Ben

Pâtissier/colocataire/meilleur ami/maître de la laverie/philosophe du canapé

312 569 4995

URGENT

Ma vie de maintenant. S'il le voulait encore.

Je me réinstallai sur mon tabouret, vérifiai mon téléphone pour la millième fois et fixai mon dessert tout en tapant des doigts sur le bar. Mon cœur loupa un battement quand j'entendis le bruit familier de la clé dans la serrure. Je me figeai, nerveuse et redoutant une nouvelle confrontation. Ben entra d'un pas lent et prit le temps d'accrocher sa veste sur la patère. Il releva les yeux vers moi et s'immobilisa au milieu de la pièce. Son teint fatigué et ses yeux marqués me rassurèrent presque. Comme moi, il avait passé une partie de la nuit debout, à gamberger.

— Tu as une garde ? s'enquit-il en retirant sa veste.

— Non. Je t'attendais. Je m'inquiétais, avouai-je.

Il sortit son téléphone portable de la poche de son jean et le posa sur la table. Mon cœur tambourina dans ma poitrine, pendant que mon estomac se recroquevillait sur lui-même. Avait-il écouté mon message ?

Sans rien dire, Ben s'installa en face de moi. Le silence de la pièce était insoutenable, mais je ne trouvais aucun sujet de conversation. Je brûlais d'envie de lui demander où il avait passé la nuit ou s'il était toujours fâché contre moi, mais je redoutais encore plus la réponse.

— Tu as passé la nuit debout ?

— J'ai... J'ai dormi deux heures. J'allais me faire un café, tu en veux un ?

Il pencha légèrement la tête, comme s'il analysait ma proposition. Je me triturais les mains et me dandinais d'un pied sur l'autre. S'il disait non à ce café, c'en était fini de notre vie commune. Appelez ça un signe du destin.

— Je veux bien, s'il te plaît.

Je risquai un sourire fébrile. M'occuper les mains pendant les dix prochaines secondes était une bonne idée. Le percolateur siffla, brisant ainsi le silence de la pièce. J'étais toujours agitée et mon pied tapait frénétiquement le sol. Je posai nos cafés sur le bar, tentant de maîtriser mon corps.

— Tu t'inquiétais alors ? demanda-t-il.

— Oui. D'habitude... Enfin, normalement, dès que tu as cinq minutes de retard, tu me préviens, donc une nuit entière... Oui, je m'inquiétais.

— Quand je suis parti, la batterie de mon téléphone était déjà épuisée. Je ne vais pas m'excuser, tu sais.

— On ne s'excuse pas quand on a raison. Et tu avais raison. J'ai juste été surprise que tu partes.

— J'avais besoin d'être seul. Et ta soirée ?

Son regard noisette transperça le mien. Il me fixait par-dessus son mug de café, un léger froncement de sourcils trahissant son humeur maussade.

— Je ne suis pas sortie.

— Tu as annulé ? s'étonna-t-il.

— Techniquement, non, avouai-je. Je suis restée assise sur ce canapé en espérant que tu rentres.

— Tu as cru que je ne rentrerais pas ?

Il me dévisagea un instant, comme si cette idée était loufoque et inimaginable.

— Je déçois les gens, et ils partent. C'est une douce routine pour moi.

— Ash, malgré tout ce qui se passe en ce moment, nous sommes amis. Cela ne changera pas, quoi qu'il arrive.

Je me réfugiai dans mon mug, incapable de soutenir son regard intense. Mes mains tremblaient, mes poumons semblaient comprimés dans ma poitrine et je ne parvenais pas à réfléchir. Je ne voulais pas provoquer une nouvelle dispute avec Ben.

— J'ai renoncé, Ash.

Je retins mon souffle et clignai plusieurs fois des yeux. Des larmes amères menaçaient de rouler sur mes joues. Je refoulai la brûlure insoutenable qui ravageait ma poitrine. Hagarde, je posai ma tasse sur le bar, réalisant que j'avais été trop loin et que j'étais venue à bout de sa patience.

Il fit rouler son mug entre ses mains et riva ses yeux au bar.

— Je ne sais pas comment tu fais ça, reprit-il.

— Comment je fais quoi ?

— Tu es exaspérante et têtue comme une bourrique. Pourtant, la perspective de ne plus te voir est inenvisageable. Alors, je renonce à essayer de vivre sans toi. Je sais que je n'y arriverai pas. Depuis que tu es dans ma vie, c'est... à la fois le chaos et quelque chose qui ressemble à de la plénitude.

Un sourire s'étira sur mes lèvres et une vague de joie déferla dans mes veines. La douleur de mon cœur n'était plus si forte, elle me rappelait juste que j'étais réveillée et bien vivante.

— Franchement, je ne sais pas comment font tous ces hommes autour de toi, comment ils acceptent que tu sortes de leur vie aussi vite que tu y es entrée. Pour moi, c'est inconcevable.

— Donc, tu restes ?

— Je reste. Je ne partirai pas, je te l'ai déjà dit. Il faut que tu apprennes à me faire confiance, Ash. Je sais que ça va te paraître délirant, mais je fais partie de ces hommes qui tiennent leurs promesses. Et je t'ai promis qu'avec moi tu ne serais jamais seule.

— Et si je ne peux pas... Si cela ne fonctionne pas entre nous ?

Il secoua la tête et son regard trouva le mien. Ma joie furtive se dissipa pour laisser place au doute.

— Je ne comprends pas ce que tu attends de moi, Ash. Une garantie ? Un document signé ? J'ai promis d'être dans ta vie et je ne peux guère faire mieux. Mais il faut que tu me laisses une place, il faut que tu me laisses entrer dans ta vie.

Il descendit de son tabouret et contourna le bar. Son attitude confiante et déterminée me fit reculer contre le mur. Mon dos heurta les briques glacées, et je réprimai un frisson. Ben m'adressa un petit sourire et m'arracha le mug que je serrais entre mes mains. Il réduisit l'espace entre nous, en prenant soin de ne pas me toucher.

Le souffle court et le cœur trépidant, je le vis prendre une mèche de cheveux entre ses mains et la frotter délicatement entre ses doigts. Je fermai les paupières, ravagée par la tension entre nous et le désir qui flambait dans le creux de mon ventre.

— Tu fermes les yeux, murmura-t-il.

— Je sais, râlai-je, les mains plaquées contre le mur. Je ne peux pas m'en empêcher.

— Personne ne te le demande. Ça serait le moment idéal pour t'embrasser.

— Oui, en effet.

Ma voix n'était qu'un souffle rauque et inaudible. Je ne me souvenais pas d'avoir été si bouleversée par un homme avant. La plupart du temps, nous échangions un ou deux baisers qui me laissaient de marbre. Ici, dans cette cuisine, avec Ben, l'anticipation était en train de me rendre folle. Je rouvris les paupières et pinçai les lèvres.

Je voulais qu'il m'embrasse.

Je voulais qu'il me fasse l'amour contre ce mur.

Je voulais sentir sa peau contre la mienne.

Je voulais Ben.

— Mais je refuse de me comporter comme ces types que tu vois.

— Que je voyais, corrigeai-je aussitôt.

Ben haussa un sourcil victorieux. Dans son regard brilla une profonde satisfaction, rehaussée d'une once de fierté. Il posa sa main contre le mur, à proximité de ma tête. Ma respiration n'était plus qu'un souffle erratique. Le regard magnétique de Ben trouva le mien, avant de se braquer sur mes lèvres.

— Dîne avec moi ce soir, proposa-t-il d'une voix chaude.

— Ce soir ? m'écriai-je, stupéfaite.

Il hocha la tête, retira sa main et croisa les bras sur sa poitrine. Quand Ben cherchait le défi et me provoquait, il était irrésistible.

— Ce soir, répéta-t-il. Maintenant que j'y pense, je ne te demandais pas vraiment ton avis.

J'éclatai de rire, pulvérisant ainsi la bulle de tension sexuelle insoutenable qui nous entourait. Je me détachai du mur et, à mon tour, je croisai les bras sur ma poitrine. On pouvait être deux à jouer à ce petit jeu de pouvoir.

— Où sont donc passées tes bonnes manières ?

— Elles sont bien là. Je suis en train de te faire la cour.

— Et ensuite quoi ? Tu vas me chanter la sérénade et tu vas te mettre à genoux pour me demander en mariage ?

— Si cette chance se présente, je ne la louperai pas, assura-t-il.

Un uppercut ne m'aurait pas fait mieux taire. Je posai une main sur ma bouche, incapable d'articuler le moindre son, puis déglutis lourdement pendant que Ben arborait cet air suffisant et satisfait du macho de base. J'avais une furieuse envie de le gifler.

Et de l'embrasser la seconde suivante.

— Je parlais de la sérénade, sourit-il.

Je n'aimais pas l'idée que Ben soit aussi sûr de lui. Où était mon colocataire rougissant et qui bégayait au moindre sous-entendu ? Une idée diabolique germa dans mon esprit. Je pouvais reprendre la main dès ce soir, le faire rougir à en illuminer toute la ville.

— Bien. D'accord pour ce soir.

De nouveau, il hocha la tête. Il décroisa ses bras et passa une main dans ses cheveux. Le soulagement se peignit soudain sur son visage. Le Ben macho et assuré avait pris la poudre d'escampette, et je retrouvais mon colocataire.

— J'ai cru que tu n'accepterais jamais, avoua-t-il.

A ma grande joie, je vis le bout de ses oreilles rougir. Tout redevenait normal. Il contourna le bar et déboutonna le haut de sa chemise.

— Je vais aller prendre une douche, ensuite nous reparlerons de ce soir.

— En reparler ? Mais j'ai déjà dit oui.

— Je sais. Et je sais que tu mijotes un coup tordu, tu as accepté bien trop vite.

— Je suis vexée.

— Je suis ton colocataire et je te connais. J'ai passé la nuit à faire une liste de contre-arguments, parce que je savais que tu allais trouver tout un tas d'excuses pour ne pas m'accompagner.

Il me fixa, attendant ma confirmation. Mon cerveau turbinait. Quelque chose clochait dans sa phrase, mais, sûrement à cause de la fatigue, je ne parvenais pas à mettre le doigt sur ce qui me perturbait.

— Alors, j'ai tort ? demanda-t-il.

— Attends, stop, le coupai-je en levant les mains. Répète ta phrase.

— Quoi ? Que j'ai passé la nuit à faire...

— Non, l'autre, lui intimai-je en fixant une lame de parquet pour me concentrer.

Quelque chose clochait. Je le savais. Je le sentais, cela m'échappait. C'était là, tout près, mais je ne parvenais pas à faire le lien.

— Je savais que tu allais trouver tout un tas d'excuses pour ne pas m'accompagner ce soir.

Je relevai finalement les yeux vers Ben, qui m'observait sans comprendre. C'est à cet instant que je saisis enfin le sens de sa phrase et qu'une panique inédite s'empara de moi. Il n'avait pas fait ça, c'était impossible.

— Oh non. Non, non, non, non, non, dis-je en m'éloignant de lui.

— Wow. Six « non ». Je m'attendais à une certaine résistance, mais pas à un refus en bloc.

— Rajoutes-en un septième. C'est non.

Il défit un nouveau bouton de sa chemise, troublant mon sursaut de lucidité. Dieu tout-puissant, le retour des clavicules tueuses de culottes. Cet homme voulait ma mort.

— Je n'irai pas au gala avec toi, affirmai-je avec conviction.

— De toute évidence, je n'ai pas réfléchi pour rien cette nuit. Donc, sept « non », cela fait sept contre-arguments.

— Ce n'est pas mon monde, Ben. Il va y avoir tout un tas de gens guindés, c'est un truc prestigieux où des femmes vont porter autour du cou l'équivalent de mon budget annuel pour la tequila.

— Ce n'est pas un truc guindé. Connor et Maddie viennent, c'est donc bien à la portée de tout le monde.

— Les murs sont fins, hurla la voix d'un Connor agacé.

— Vous n'êtes pas obligés d'écouter, criai-je en retour.

— Non, mais on veut savoir !

Ben esquissa un sourire pendant que je levais les yeux au ciel. Evidemment, il fallait que nous ayons des spectateurs.

— Cela fait un, annonça Ben en cachant mal son petit air triomphant. Et cela fera deux, quand je te dirai que tu surestimes vraiment ta consommation de tequila.

— Je n'ai rien à me mettre.

— Menteuse ! hurla Maddie.

— Cela fait trois, fit Ben.

— Je risque de t'embarrasser, de boire, de renverser mon verre sur quelqu'un, de...

— Tu risques d'attirer les regards et c'est tout. Je vais peut-être devoir faire un discours devant cinq cents personnes de la profession. Je rougis, je bégaye et je porterai un fichu nœud papillon. Qui risque le plus d'embarrasser l'autre ? Cela fait quatre.

— Ça ne se fait pas. Il y a un protocole pour les... rendez-vous. D'abord un cinéma, ensuite un restaurant et à la toute fin, après environ soixante-deux ans de vie commune, on fait les galas.

— Que tu prônes une forme de normalité dans notre relation m'épatera toujours. Si tu veux une relation normale et routinière, alors, effectivement, ne m'accompagne pas ce soir.

Je me dandinais d'un pied sur l'autre. Ben avait dû être avocat dans une vie antérieure. J'avais encore deux possibilités de le faire changer d'avis.

— Cela fait cinq, me rappela-t-il. Tu veux poursuivre ou je peux aller prendre ma douche ?

Il détacha les deux derniers boutons de sa chemise, révélant totalement son torse. Mon regard passa de son visage à ses pectoraux, avant de détailler lentement son ventre musclé et la fine ligne de poils qui disparaissait sous la ceinture de son jean.

Oubliez toutes les pâtisseries du monde. Il ne manquait à Ben qu'une cerise confite dans le creux du nombril pour atteindre les sommets de la perfection. Un gémissement honteux s'étrangla dans ma gorge, que je camouflai avec une quinte de toux ridicule.

— Cela fait six, fit Ben d'un ton neutre.

— Le fair-play, tu connais ?

— Tu portes mes caleçons et mes chemises et tu me parles de fair-play ?

Il leva un sourcil, puis, sous mes yeux médusés, se débarrassa de ses chaussures, de ses chaussettes et ouvrit le premier bouton de son jean.

— On va jusqu'à sept ou tu déclares forfait ? s'enquit-il.

— Tu ne sais pas danser, lançai-je, un peu désespérée. Et c'est le genre d'événements où on danse. Et je danse. Donc je risque de danser avec d'autres hommes. Et, en conséquence, cela ruinerait ta réputation et ferait capoter du même coup notre rendez-vous.

— C'est vrai, je ne danse pas. Ce n'est pas mon truc. Tant que j'y pense, je ne couche pas non plus le premier soir.

— Feinte-double-feinte, cria Connor derrière la porte de sa chambre.

— La ferme ! hurlai-je en chœur avec Ben. Tu disais ?

— Je ne couche pas le premier soir. Jamais. Mais c'est un sujet sur lequel on peut tout à fait négocier au cours de la soirée, si, évidemment, ton emploi du temps de danseuse le permet.

— C'est le coup bas le plus bas de tous les temps, le félicitai-je.

— Connor m'a un peu aidé. Et tout le plaisir était pour moi.

— Dit-il torse nu devant moi. Ben, tu n'as aucune notion de ce qu'est le plaisir, crois-moi, souris-je en faisant courir mes yeux gourmands sur son corps appétissant.

Il approcha de moi, d'une démarche assurée et fière. Quand l'espace entre nous ne fut plus que de quelques centimètres, j'eus tout le loisir de deviner le parfum boisé de son gel douche.

Admettons que je pose mes mains sur son torse, est-ce que cela défierait l'équilibre de l'univers ? Certainement.

— Ash, je t'ai vue dans mes vêtements, j'ai mis mon index dans ta bouche, je t'ai embrassée, j'ai touché ton sein et j'ai vu ta lingerie. J'ai une idée très nette de ce qu'est le plaisir.

Un frisson parcourut mon échine et me fit haleter. Je n'aurais pas dit non à une tequila.

— Très nette. Crois-moi, assena-t-il dans un chuchotis à mon oreille.

— D'ac... D'accord, bégayai-je, les jambes flageolantes et le bas-ventre en feu.

— Maintenant, je vais aller prendre une longue douche. Ensuite, on pourra reprendre cette conversation si tu le souhaites et définir ensemble les règles du fair-play.

Il s'écarta et fit demi-tour. Alors que j'étais en train de retrouver mon souffle, Ben retira sa chemise et me donna ainsi une vue incroyable sur son dos et ses épaules musclées.

Ses épaules étaient encore plus sexy que ses clavicules.

Il ouvrit la porte de sa chambre et, juste avant de la refermer, pivota vers moi.

— Et, si jamais ton idée fumeuse était de venir sans sous-vêtements à ce gala, sache que tu ne quitteras pas ce loft sans une culotte sur les fesses, *a minima.*

— Comment sais-tu que...

— Maintenant, je le sais.

Il referma la porte sur cette touche finale et avec un sourire dévastateur. Je profitai d'être seule dans la pièce pour laisser échapper un couinement honteux. Je m'appuyai contre le mur et me laissai glisser jusqu'au sol.

Cet homme sera ma perte.

***

J'étais douchée, lustrée, gommée, hydratée, épilée... et complètement paniquée. Mes cheveux, en pleine rébellion, avaient décidé de mener une vie d'indépendance et de folie furieuse. Je m'agaçai sur une mèche échappée de mon chignon élaboré mais parvins à la glisser dans ma chevelure et à la coincer dans une épingle. Je laquai l'ensemble, manquant de m'intoxiquer avec les émanations chimiques du produit.

Je soupirai lourdement et soulevai le bas de ma robe. Dans la manœuvre, une de mes bagues accrocha mon bas et il fila. Une litanie de jurons m'échappa. Ce n'était pas bon signe pour la suite de la soirée.

Je récupérai mes talons aiguilles et ouvris la porte de ma chambre. Un parfum envoûtant de chocolat flottait dans le loft. Je retins la bretelle de ma robe, qui glissait sur mon bras, découvrant Ben, qui chauffait un moule avec un chalumeau de cuisine.

Il dut sentir que je l'observais, car il releva les yeux vers moi, me détailla rapidement et esquissa un sourire. Il portait un T-shirt noir, loin du dress code exigé par notre soirée.

— Je t'ai entendue râler, dit-il.

— Tu n'as aucune idée d'à quel point je vous maudis, toi et ce gala.

Il rit doucement et posa son chalumeau. Délicatement, il souleva le moule, puis essuya les larges rebords de l'assiette. Il jeta son torchon sur son épaule et admira son travail.

— Nouvelle recette ?

— Oui. C'est pour Connor et Maddie. Et, avant que tu poses la question, je n'ai caché aucune bague dans la génoise !

— Et où sont-ils ?

— Enfermés dans leur chambre. L'eau de la douche coule depuis une bonne heure.

Il glissa l'assiette dans le réfrigérateur, puis posa ses coudes sur le bar et son menton sur ses poings serrés. Il me fixa ardemment, penchant alternativement la tête de droite à gauche. Sous son regard, je me sentis brutalement désarmée. Il contourna le bar et approcha de moi.

— Quoi ?

Il sortit un post-it de la poche de son jean, et mon sang se glaça dans mes veines. Je n'étais pas prête à affronter ça. J'étais à peine prête pour la soirée de ce soir.

— Je suis donc pâtissier/colocataire/meilleur ami/maître de la laverie/philosophe du canapé.

— Euh... oui ?

Il froissa le papier entre ses mains et le jeta derrière lui.

— Partons sur des bases saines : je suis évidemment d'accord avec cette longue liste, mais je propose d'ajouter deux ou trois éléments.

— Ah oui ?

Couiner maintenant n'était pas une bonne idée.

Il passa derrière moi et je me figeai, déjà à bout de souffle. Mon cœur ne cessait de s'emballer dès qu'il approchait trop près. Je n'avais encore jamais ressenti ça avec un homme, ce désir puissant, cette tension irrépressible. J'étais en train de perdre le contrôle, et le précipice ne me faisait plus si peur maintenant.

— Commençons par habilleur. Laisse-moi faire, proposa-t-il en prenant mes chaussures d'entre mes mains. Pourquoi cherches-tu à être quelqu'un d'autre ?

Sa voix vibra contre ma peau, et ma gorge se serra. Mes émotions prenaient le dessus et je fermai les paupières. L'effet que me faisait Ben était proche de l'ivresse, en mieux.

— Et aussi coiffeur. Je te préfère au naturel, continua-t-il en retirant les épingles qui maintenaient mon chignon.

— Tu réalises que j'ai mis deux heures à faire ce chignon ?

— Et tu as sûrement agrandi le trou de la couche d'ozone avec toute cette laque.

Il tenta de passer sa main dans ma chevelure, mais j'avais trop abusé de la laque, et ses doigts restèrent prisonniers de mes mèches. Je ravalai un cri de douleur quand, dans la manœuvre, ma tête bascula durement en arrière. Fin de la minute romantique.

Ben retira sa main et repoussa ma masse de cheveux cartonnée sur l'épaule. Il glissa ses index sous les bretelles de ma robe, jusqu'à atteindre la fermeture encore ouverte.

— Je suis ravi de constater que tu as au moins un soutien-gorge.

— Je passe le contrôle qualité alors ?

— Tu le passerais avec ta tenue d'infirmière lavande délavée. Je vais la fermer.

Lentement, il remonta la fermeture de ma robe, effleurant à intervalles réguliers ma peau. S'il remarqua la chair de poule qui couvrait mes épaules, il fit preuve de sa politesse habituelle en ne disant rien.

Ben, éternelle incarnation de la classe absolue. Il gagnerait haut la main le casting du prince charmant.

Quand il eut terminé, dans un silence presque religieux, il repassa devant moi, et mon souffle redevint normal. Ma bouche était sèche et mes poings resserrés sur le tissu de ma robe.

— Et enfin, rencard de ta soirée. Tu es superbe.

— Merci. J'aimerais te retourner le compliment, mais tu n'as pas encore le nœud pap' réglementaire.

— J'en ai pour dix minutes. J'aimerais d'abord m'assurer que tu es prête, avant d'aller me changer.

— Tu as encore peur que je prenne la fuite ?

— Exactement. Mais je pense qu'en talons tu seras nettement moins rapide.

Il prit une de mes chaussures et s'agenouilla. J'eus un hoquet de surprise, réalisant que je me découvrais une nouvelle passion pour les préliminaires romantiques. Et j'étais encore habillée !

— Qui êtes-vous et qu'avez-vous fait de mon colocataire ? Celui qui rougit et qui bégaye ? Celui qui aurait dû prendre la fuite et se terrer dans sa chambre depuis un bon bout de temps ?

— Tu préfères ton colocataire rougissant ? Lève ton pied.

— J'avoue que je suis... déroutée. J'ai l'impression d'avoir affaire à un autre homme. Non pas que je n'aime pas cette arrogance, mais j'avoue que... Enfin disons que tu détraques mes repères.

— J'adore détraquer tes repères, sourit-il en bougeant de façon suggestive ses sourcils.

— Tu vois ! m'écriai-je en tendant un index inquisiteur vers lui. C'est exactement de ça que je parlais. Avant, tu n'aurais jamais fait ça ! Tu n'aurais jamais remonté le zip de ma robe, tu n'aurais même jamais osé toucher mes cheveux sans me demander une autorisation signée en quatre exemplaires !

Il abandonna ma chaussure au sol et se redressa pour plonger son regard dans le mien.

— Avant quoi, au juste, Ash ?

— Aucune idée. Avant hier et cette histoire de canapé ? Ou avant... la soirée chez Sher ?

— Tu brûles, sourit-il.

— Avant... Avant le Photomaton ? hésitai-je.

— Exactement. J'ai décidé qu'on ne pouvait pas être deux à avoir la trouille. Tu as peur que je prenne la fuite et j'ai peur... que tu finisses avec un autre homme.

Alors Connor m'a filé son armure de superhéros et me voilà, arrogant et graveleux.

Il s'agenouilla à nouveau devant moi et passa ses doigts sur ma cheville droite. Je tressaillis et réveillai mes instincts diaboliques. A l'instant où Ben glissait mon pied dans mon escarpin, je me raclai la gorge.

— Il faut retirer mon bas.

Ben s'immobilisa et, de ma petite hauteur, je distinguai nettement ses oreilles prendre leur coloration rouge habituelle. Cette armure de superhéros ne valait pas un clou ! Mon colocataire se releva, une délicieuse couleur pivoine ornant son visage.

— Tu as encore un peu la trouille alors ?

— Ash, tu collerais la trouille à un raptor, admit-il, consterné.

Je ravalai un rire, me souvenant de ma conversation avec Maddie. J'étais toujours le fichu raptor, tout allait pour le mieux dans ce monde.

— Pourquoi cherches-tu à être quelqu'un d'autre ? lui demandai-je. J'adore le Ben timide et adorable, je n'ai pas besoin d'un superhéros. Je veux juste... un pâtissier qui me fera passer une bonne soirée.

Je réduisis l'espace entre nous, et Ben posa son front contre le mien. Son visage était toujours rouge et il ferma les yeux.

Je repensai aux mots de Ben : la plénitude dans le chaos. C'était exactement ça. Peu importe ce qui allait se passer à cette soirée, je savais désormais que je ne perdrais pas Ben.

— Je suis ton rencard, ne l'oublie pas, chuchotai-je.

La situation était tout à fait sous contrôle. J'étais à table, entourée de Ben et de Maddie. Connor me faisait face, discutant avec animation avec un homme plus âgé. J'avais bu deux coupes de champagne : suffisant pour me détendre, insuffisant pour me faire oublier que j'étais dans un autre monde.

— Un problème ? demanda Maddie en constatant que je fixais la table d'un air absent.

— Quatre verres ?

— Vin rouge, vin blanc, eau, champagne, débita ma meilleure amie. Et pour le pain, c'est à gauche.

— Et pour les couverts ? Comme dans *Titanic* ? On part de l'extérieur ?

— Exactement.

L'argenterie étincelait et les assiettes brillaient. Au milieu de la table trônait une somptueuse composition florale, entourée de petites bougies. C'était sûrement comme ça que devait se passer un premier rendez-vous : un dîner chic, des fleurs, des bougies.

Et quatre cent cinquante personnes autour de vous dans une salle de réception surchauffée.

La salle de réception du Four Seasons était richement décorée. Nous foulions une épaisse moquette dans les tons de bordeaux et de doré. Des bouquets de fleurs monumentaux ornaient les quatre coins de la salle, et aux murs étaient suspendues des œuvres d'art contemporain.

Avec ma robe un peu chic et mes talons achetés d'occasion, je passais presque inaperçue.

J'eus un rire en songeant que j'étais peut-être dans le *Titanic*. J'étais la pauvre fille de troisième classe à qui on faisait découvrir le luxe et la démesure. A la fin de la soirée, il me suffirait de trouver un canot, prendre un autre nom et revenir sur les lieux du crime dans quatre-vingts ans.

Faisable.

— Dis-moi ce que tu trouves si comique ? demanda Ben, les dents serrées.

— Rien. Laisse tomber. Tu crois que ce sont de vraies fleurs ? demandai-je en désignant le centre de la table.

Il fixa la composition, puis se leva, arracha une pauvre rose qui n'avait rien demandé et me la tendit. Ben et ses bonnes manières. Il faudrait prendre quelques gouttes de sa galanterie et en instiller chez tous les hommes que j'avais fréquentés avant.

— Ce sont des vraies, affirma-t-il.

— Une chance que la rose soit ma fleur préférée. En tout cas, depuis cinq minutes.

— Une chance, en effet.

Je glissai la fleur derrière mon oreille. Ben m'adressa un sourire tendre et fabuleux qui fit fondre mon cœur comme du chocolat chaud sur de la glace à la vanille. J'eus une pensée furtive pour la cerise confite : Ben en smoking ressemblait à... James Bond. Un James Bond qui avait les joues roses, une main tremblante quand il s'agissait de prendre la mienne et qui avait eu toutes les peines du monde à mettre un nom sur notre statut dès qu'il s'agissait de nous présenter.

— Je vous présente, Ashley, ma... colocataire... amie... cavalière, avait-il bégayé devant un grand ponte de la pâtisserie.

— Il faut rayer la mention inutile, avais-je plaisanté pendant que Ben se frottait nerveusement la nuque. Ashley Jordan, je suis ravie de vous rencontrer, Ben a la collection complète de vos livres en cuisine.

Au bout de la troisième présentation, Ben se contentait de donner mon prénom, sa main fermement serrée autour de la mienne. Libre à chacun — y compris à nous deux — d'interpréter la situation.

— Du vin ?

La voix du serveur me tira de ma rêverie. J'acceptai avec joie, consciente que je devais rester lucide pendant la soirée. Ben trinqua avec moi et prit une gorgée de son vin, ses yeux rivés aux miens.

Nos entrées, puis nos plats furent servis, dans une atmosphère guindée et proprette. Le corps de Ben se tendit à la fin du plat. Il fuyait mon regard et se parlait à voix basse. Je posai ma main sur la sienne, sur la table, tentant de l'apaiser.

— Ils vont annoncer les lauréats, m'expliqua-t-il.

— Je suis certaine que tout va bien se passer. Tu te lèves, tu vas sur cette estrade et tu récites ton discours. Et tu penses à remercier Ashley pour sa grandeur d'âme.

— Et pour ta modestie aussi, je présume ?

— Aussi.

Un bref sourire éclaira son visage. J'avais atteint mon but : Ben était en train de se détendre. Maddie et Connor me jetèrent un regard, avant que ce dernier, consterné, glisse sur la table un billet de cinquante dollars replié.

— J'étais certain que tu allais flipper ! expliqua Connor en haussant les épaules.

— Je flippe, assura Ben. Mais, quoi qu'il arrive, ce n'est pas ce que je retiendrai de la soirée.

Sous la table, il glissa sa main dans la mienne et la serra doucement. Dans cette version de *Titanic*, il n'y avait aucun iceberg à l'horizon.

Un homme aux cheveux gris et au ventre proéminent tapota le micro. Un larsen désagréable interrompit le murmure des conversations. Les doigts de Ben se refermèrent plus fermement autour des miens, et son visage se tendit.

— Comme vous le savez, nous vous avons invités ici ce soir pour célébrer les talents de la cuisine. Qu'ils soient œnologues, pâtissiers ou chefs cuisiniers, ils ont cette année démontré un vrai don pour leur art, en réinventant des recettes et en mettant à l'honneur la gastronomie. Le jury a sélectionné un lauréat par catégorie, et nous allons débuter cette remise de prix par l'œnologie.

— L'attente promet d'être interminable, murmurai-je à Ben.

Il se tourna vers moi, pâle comme un linge, prêt à détaler comme un lapin devant les phares d'une voiture. D'une voix apaisante, je lui répétai que tout allait bien se passer, mais son niveau de stress était tel qu'il n'écoutait plus rien.

Une salve d'applaudissements retentit, et une jeune femme élégante slaloma entre les tables pour gagner l'estrade. Je profitai de l'agitation momentanée pour interpeller un serveur.

— Quatre tequilas, avec citron, s'il vous plaît.

Il écarquilla les yeux de surprise. Certes, le dessert n'avait pas encore été servi, mais il s'agissait d'une urgence vitale.

— Et faites vite, ajoutai-je d'un ton impérieux.

Cinq minutes plus tard, le serveur déposait nos quatre tequilas dans une envolée de courbettes. Je grommelai dans ma barbe en constatant que nos verres étaient à peine remplis à moitié. Même les boissons étaient au format gastronomique.

Je tendis son verre à mon colocataire, sous le regard éberlué de Connor et Maddie.

— Vous avez une meilleure idée ? les défiai-je. Il est en pleine crise de panique.

— Je ne suis pas en pleine crise de panique, grinça Ben, les dents serrées.

Je capturai son bras entre mes mains et appuyai mon index et mon majeur dans le creux de son poignet. Sous sa peau, je devinais son pouls affolé et frénétique.

— Médicalement, tu es tachycarde, annonçai-je. Il faut que tu te calmes. Bois ce verre.

A l'instant où je captai son regard effrayé, un homme annonça la remise du prix de la catégorie jeune pâtissier. Ben avala son verre d'un trait, grimaçant à peine à la brûlure de l'alcool. Je bus le mien l'instant suivant. Nos regards convergèrent vers la scène où une jeune femme blonde prenait un malin plaisir à faire durer la torture de mon colocataire.

— Allez, murmurai-je en serrant la main de Ben dans la mienne. Tu vas l'ouvrir ta maudite enveloppe !

Soudain, il y eut un silence de cathédrale. J'entendais tout juste ma respiration, je sentais la main chaude de Ben dans la mienne tout en refoulant la douleur lancinante de sa prise un peu trop ferme sur moi.

Et l'instant suivant, toute la salle vibra, Maddie hurla de joie, pendant que Ben, terrassé par l'émotion, se liquéfiait sur sa chaise. Il libéra ma main et j'imitai Connor et Maddie, qui, debout, applaudissaient à tout rompre. Ce n'est qu'à ce moment que je réalisai que j'avais retenu mon souffle pendant l'annonce.

Ben m'adressa un regard empreint de joie, de fierté et d'un élan de tendresse qui me bouleversa. J'écrasai une larme traîtresse qui menaçait de rouler sur ma joue et me forçai à respirer convenablement. Mon colocataire se leva de sa chaise et, alors que je pensais qu'il allait se diriger vers l'estrade, pivota vers moi.

Dans un geste vif, il prit mon visage entre ses mains et écrasa ses lèvres chaudes et encore imprégnées de tequila contre les miennes. Avant que je puisse réagir, il me libéra et trottina jusqu'à la scène pour recevoir son prix.

— Ramenez-nous une bouteille de champagne, commanda Connor à l'un des serveurs.

— Et de la tequila, ajoutai-je, fébrile. Une bouteille.

Maddie leva un sourcil, curieuse, pendant que je me rasseyais avec prudence.

— Je suis en pleine crise de tachycardie, expliquai-je.

Les applaudissements se tarirent, et Ben approcha du micro, son précieux prix en main. Ses yeux trouvèrent les miens et mon cœur s'emballa de plus belle. Je serrai mes mains l'une contre l'autre et les calai sous mon menton.

— Merci, merci à tous pour ce prix. A seize ans, j'ai décidé de faire de la pâtisserie. Parce que j'aimais la précision, la rigueur et l'odeur du biscuit qui sort du four.

Il riva ses yeux aux miens, et ce fut comme si j'avais bu deux shots de tequila d'un coup. Je me sentis brutalement plus légère, évaporée et seule au monde. Mon cœur ne battait plus, je ne respirais plus, et mon estomac reprit l'ascenseur pour mes pieds, pendant que ma gorge était douloureusement sèche.

— Maintenant, reprit-il un ton plus bas, je fais de la pâtisserie pour les sourires que cela provoque, pour le parfum de la bergamote, et pour Patrick Swayze.

J'éclatai d'un rire sonore et libérateur. Rire qui m'empêcha de couiner comme une groupie devant son idole. Même au milieu d'une foule, mon colocataire savait me faire savoir que j'étais la seule invitée importante à ses yeux.

— C'est quoi ce discours ? fit Maddie près de moi.

— Aucune idée, marmonnai-je.

Je mentais. Je savais ce qu'était ce discours : c'était un autre préliminaire visant à me déstabiliser. Je frottai mes mains l'une contre l'autre, reconnaissant maintenant la vague de chaleur familière et agréable qui naissait dans le creux de mes reins. Même quand Ben ne me touchait pas et était à plusieurs mètres, je sentais cette électricité rageuse entre nous. Il remercia à nouveau le public et se faufila entre les tables pour nous retrouver. Je me levai et il me serra dans ses bras.

— Suis-moi, chuchota-t-il.

Il prit ma main dans la sienne et m'entraîna d'un pas rapide à sa suite, ignorant les visages stupéfaits de nos amis et des autres convives. Il circula adroitement entre les tables, et nous croisâmes le serveur avec les deux bouteilles que nous avions commandées. Ben saisit la bouteille de champagne au passage.

— Prends les verres, m'intima-t-il.

Je manquai de trébucher sur mes propres pieds, mais parvins à récupérer deux coupes.

— On va où ? demandai-je alors que nous sortions de la salle de réception.

— Fêter ça.

— Ton prix ?

— Je me fiche de mon prix, s'esclaffa-t-il.

— Qu... Quoi ? Mais tu...

Il s'arrêta net et se tourna vers moi. J'avais le Ben confiant et déterminé devant moi. Il desserra son nœud papillon et ouvrit le premier bouton de sa chemise blanche. Je forçai mes yeux à rester à hauteur de son visage. Mais cela ne m'aidait pas : Ben souriait, ses fossettes en full HD. Sa barbe lui donnait un air polisson et sauvage qui enflammait mon bas-ventre, et son regard, étincelant et confiant, aurait pu embraser la moitié de la ville.

— Je t'ai embrassée. Et je compte remettre ça, mais j'aimerais autant qu'on soit seuls. Qu'en dis-tu ?

J'en dis que le raptor a un peu la trouille du prédateur face à lui. J'en dis que je ne suis pas certaine de toute cette histoire. J'en dis que si je refuse maintenant je peux te dire adieu une bonne fois pour toutes. J'en dis que mon cœur cabossé a besoin de toi pour aller mieux.

— Tu me demandes mon avis ? m'enquis-je dans un rire faux et embarrassé.

— Euh... oui.

Ah, ce petit rougissement des oreilles. Je l'adorais. Et j'adorais l'homme qui rougissait devant moi. Je retirai mes escarpins et les coinçai maladroitement sous mon bras.

— En faisant vite, on peut rentrer au loft et... inaugurer notre nouveau canapé.

— Qui parle de rentrer au loft ?

C'était quoi le 5 vertical déjà ? Ah oui... « Préliminaires ».

Chapitre 7

- *Copyrighter mon dessert. Parce qu'il est à moi. Réussite estimée à 80 %*
- *Faire l'amour à Ashley. Parce qu'elle est à moi. Réussite estimée à 75 %*
- *Refaire l'amour à Ashley. Parce qu'elle est toute à moi. Réussite estimée à 75 %*

Je nous dirigeais vers le grand hall de réception de l'hôtel. J'avais ralenti mon rythme, et Ashley marchait maintenant à mes côtés. Les deux coupes qu'elle tenait s'entrechoquèrent, et le son cristallin brisa l'atmosphère feutrée de l'endroit. Je lui adressai un sourire complice.

Fantasme #358 : boire du champagne sur sa peau.

— Bonsoir, j'ai une réservation au nom de Harris, annonçai-je à l'hôtesse d'accueil.

— Une réservation ? répéta Ashley d'une voix sourde.

— Oui.

— Tu veux dire… qu'on reste ici ?

— Cette nuit, oui. J'ai pris une suite.

— Une suite, ça représente combien de lits au juste ?

Je devinais le regard pesant de la réceptionniste devant nous. C'est à ce moment précis que ma timidité choisit de réapparaître. J'avais tenu une bonne partie de la soirée. Ma nervosité avait été un formidable déguisement. Je sentis mes joues me chauffer et poussai un soupir. Je me pinçai l'arête du nez, refoulant le sentiment de mortification qui grignotait ma détermination.

Si je ne le faisais pas ce soir, je ne le ferais jamais.

— Franchement, je n'en ai aucune idée, marmonnai-je. Est-ce vraiment décisif pour la suite de la soirée ?

Elle haussa les épaules, avant qu'un sourire éclaire son visage. La réceptionniste posa notre pass sur le meuble. Je le glissai dans ma poche et entraînai Ashley vers les ascenseurs. Pieds nus, elle me suivit et entra dans la petite cabine.

Nous échangeâmes un regard. Elle n'avait pas l'air plus à l'aise que moi. Personnellement, j'avais la sensation de commettre un acte délictueux, presque clandestin, mais qui me galvanisait intensément.

— On peut retourner au loft, si tu veux.

— Ben, tu devrais cesser de me donner le choix. Ça me fait gamberger, et gamberger me met de mauvaise humeur. Je trouve admirable que tes restes de bonnes manières persistent alors que nous sommes sur le point de passer du côté obscur.

Elle me regarda au travers de ses cils, à la fois prédatrice et déterminée. J'aurais aimé avoir l'arrogance de Connor ou l'humour d'Austin pour lui répondre, mais j'étais bien trop nerveux. L'ascenseur s'arrêta dans une secousse, et les portes s'ouvrirent sur un interminable couloir. Ashley haussa les sourcils et tira mon bras pour nous faire sortir.

— Suite... 458, bégayai-je.

— Allons-y !

Son enthousiasme me tira un petit rire. Pour Ashley, tout était toujours un jeu, un jeu qu'elle gagnait haut la main. Elle m'arracha le pass des mains et l'inséra dans la porte de la suite.

— Tu es stupéfiante, murmurai-je, admiratif. Je dois

toujours m'y reprendre à cinq fois avant de pouvoir faire fonctionner la serrure.

— Et tu ne m'as pas encore vue entièrement nue ! dit-elle en me lançant un clin d'œil tout en entrant dans la suite.

Elle prit ma main et m'attira à l'intérieur. J'allumai les lumières, puis en réglai l'intensité. Je posai la bouteille sur un guéridon, pendant que ma colocataire déambulait d'une pièce à l'autre. Je l'entendis siffler d'appréciation.

— Je pourrais me perdre dans ce lit ! cria-t-elle, enthousiaste.

Je la rejoignis et posai mes mains sur ses hanches pour l'attirer contre moi. Son parfum de bergamote un peu épicé m'enveloppa, et je posai mes lèvres contre sa nuque.

— Il n'est pas question que je te laisse faire, murmurai-je.

Elle frémit entre mes bras, puis pivota pour me faire face. Un sourire mutin souleva ses lèvres. Je repoussai une mèche de cheveux et plongeai mon regard dans le sien.

— Je vais aller me rafraîchir, dit-elle à voix basse. Sers-nous du champagne en attendant.

Elle se dirigea vers la salle de bains, et je l'entendis s'extasier sur la taille de la baignoire. En riant, je retirai mon nœud papillon et ouvris le haut de ma chemise. Je débouchai la bouteille de champagne et remplis nos deux coupes que je posai près du lit.

Nerveux, j'errai dans la suite, admirant furtivement la vue sur le lac et les lumières scintillantes du port. Dans ma poche, mon téléphone vibra.

> J'ai parié avec Maddie que tu ne rentrerais pas de la nuit. Ne me déçois pas, jeune padawan.

Je ris silencieusement, guettant les bruits qui provenaient de la salle de bains. Ashley chantonnait gaiement, couvrant tout juste le bruit de l'eau. Mon téléphone vibra de nouveau. Tout en lisant le message, j'éteignis l'éclairage principal, ne laissant allumée qu'une des lampes sur le chevet.

De toute façon, j'ai verrouillé la porte de l'intérieur.
La nuit dehors, tu passeras.

Avant d'éteindre mon téléphone, je décidai d'accomplir mon rituel : écouter le message d'accueil de ma colocataire. Je collai mon téléphone à l'oreille, et rien qu'au son de sa voix un sourire heureux se dessina sur mes lèvres.

— Bonjour, c'est Ashley. Je suis occupée à attendre mon colocataire qui sait terriblement bien embrasser, alors, en attendant, chantez-moi *I Was Made for Loving You*, et je vous rappellerai peut-être.

La porte de la salle de bains s'ouvrit, laissant apparaître une Ashley rayonnante. Quand elle me vit avec mon téléphone, son visage s'assombrit et elle avança vers moi avec détermination.

— J'étais inquiète, commença-t-elle, et j'ai sûrement...

Je l'arrêtai d'un geste de la main et profitai de sa surprise pour la contourner et me placer à l'autre bout de la suite.

— Ben, si tu écoutes ce message, ne chante pas et embrasse-moi à nouveau.

Devant moi, Ashley se triturait nerveusement les mains. Le signal sonore retentit et je pris une profonde inspiration.

— Je n'ai jamais su chanter de toute façon, dis-je en fixant ma colocataire.

Je coupai mon téléphone, le jetai sur une petite table et, tout en avançant vers Ashley, retirai ma veste qui finit au sol. Ma colocataire recula contre la baie vitrée, son regard affolé scrutant mes moindres gestes. Je brûlais d'envie de l'embrasser, de sentir son corps bouger avec le mien, la frénésie de ses lèvres contre les miennes.

Je pris son visage entre mes mains et, lentement, je l'attirai vers moi. Un soupir lui échappa à l'instant où nos bouches se touchèrent. Ses mains agrippèrent ma chemise et elle s'abandonna à moi. Je la repoussai contre la fenêtre, oubliant ma nervosité et mon cœur battant la chamade. Je capturai sa lèvre inférieure entre les miennes et tirai dessus. Un gémissement satisfait brisa le silence de la suite et ses doigts s'enfoncèrent dans mes côtes. A mon tour, je laissai un grognement franchir mes lèvres. Avant Ashley, jamais une femme ne m'avait fait autant perdre mes repères.

Je caressai sa langue de la mienne, pendant que mes mains quittaient son visage pour trouver sa taille. Je la serrai plus fermement contre moi, l'embrassant avec passion et soulagement. Enfin, je la touchais. Enfin, elle était à moi et pas avec un autre.

Enfin, je pouvais laisser libre cours au désir qui me parcourait et trouvait refuge dans mon boxer.

Ma main droite parcourut son corps, s'aventurant sur ses côtes, sa taille, ses hanches et jusqu'à sa cuisse. Sa robe m'empêchait de sentir sa peau, mais je pouvais lui montrer à quel point je la désirais. Je soulevai sa jambe gauche, ma main fermement accrochée au creux de son genou.

A regret et à bout de souffle, j'abandonnai ses lèvres, et ma bouche glissa dans son cou. Entre mes mains, je sentis Ashley se détendre, s'offrir à moi avec confiance. J'aspirai la peau de son cou, avant de la mordre gentiment. Ashley rit doucement et je relevai les yeux vers elle. Je plaquai mon entrejambe contre son corps, ne lui laissant aucun doute sur la suite de notre soirée.

Elle avait les joues rouges et le souffle court, mais n'avait jamais été aussi désirable avec ses lèvres gonflées et ses yeux pétillants de malice.

Je passai mon pouce sur sa bouche, puis le fis glisser sur son menton, sur sa gorge et sur le haut de sa poitrine qui se soulevait à un rythme effréné.

— Je croyais que tu étais timide, murmura-t-elle.

— Je le suis. Disons que tu révèles sûrement une autre personnalité en moi.

— Le chaos ?

— Presque. La plénitude, corrigeai-je.

Je fondis sur ses lèvres, pour un baiser plus tendre. Je libérai sa jambe et l'entraînai vers le lit. Elle s'étala sur les coussins avec une joie presque enfantine. Son corps s'enfonçait dans le moelleux des draps, et ses cheveux étaient éparpillés sur la multitude de coussins. Je retirai mes chaussures et mes chaussettes, puis grimpai sur le lit à mon tour, couvrant son corps du mien.

— Et maintenant ? fit-elle.

— Maintenant, je vais pouvoir te débarrasser de cette robe.

Elle arqua un sourcil, nullement impressionnée par mon programme ambitieux.

— Je croyais que tu ne couchais pas le premier soir ?

— On n'a qu'à dire que c'est le deuxième... ou le troisième soir. Sauf si tu préfères que...

Elle posa sa main sur mes lèvres pour me faire taire. Puis elle secoua la tête, et je vis clairement une lueur moqueuse illuminer son regard.

— Tais-toi, avant de dire une bêtise. Revenons-en à nos moutons : donc, tu vas me retirer cette robe.

— En effet. Et ensuite, je réaliserai mon fantasme #358.

— 358 ? Il y en a 357 avant ?

— Et environ autant après.

Elle ouvrit la bouche de stupéfaction, et son visage se teinta d'une adorable coloration rose qu'elle couvrit de ses mains en riant aux éclats.

— Le compte est approximatif, bien sûr, lui fis-je remarquer avec humour.

Son rire redoubla et son corps s'agita sous moi. Je retirai ses mains de son visage et la scrutai avec intensité.

— Tu ne devrais pas être surprise, tu es très jolie.

— Ce qui me surprend, c'est qu'un mec comme toi ait... des fantasmes. Je t'imaginais chaste et pur, tu sais, ce petit trait d'innocence qui te rend irrésistible, et je te découvre... dépravé.

— C'est un problème ?

— Non. Tu es juste en train de devenir l'homme idéal : adorable en société et dépravé au lit. Félicitations, monsieur Harris, je suis officiellement toute à vous.

— Toute à moi ? répétai-je pour qu'elle me le redise.

— Toute à toi, affirma-t-elle. Corps, âme et estomac inclus.

— Parfait. Maintenant, tourne-toi.

Elle s'exécuta dans l'instant et s'installa sur le ventre. Elle prit un oreiller pour poser la tête et y enfouir les bras. Son regard accrocha le mien, pendant que je tentais de trouver une position agréable pour elle comme pour moi.

— Est-ce que je peux savoir à quoi correspond le fantasme #358 ?

— Non, tu ne peux pas.

— Et ça dure depuis longtemps ?

— Un peu plus de six mois, admis-je en repoussant sa longue chevelure de ses épaules.

Je me penchai et déposai un baiser en haut de sa colonne. Elle frissonna et s'immobilisa. Mes lèvres remontèrent jusqu'à sa nuque, avant d'atteindre son oreille.

— Quand j'en aurai fini avec ta robe, je retirerai ton soutien-gorge et ta culotte. On a la suite jusqu'à 11 heures, interdiction de te rhabiller d'ici là.

— Sinon, tu sors le fouet ? plaisanta-t-elle.

— Sinon, je te prive de muffins jusqu'à nouvel ordre.

Elle rit à nouveau, plus doucement, et s'arrêta brutalement quand mes lèvres retrouvèrent sa peau. J'embrassai son dos, ma bouche suivant la ligne de sa colonne vertébrale. Mes doigts rencontrèrent le zip de sa robe rouge et, dans un silence à peine troublé par la respiration lourde d'Ashley, je commençai à le descendre. Au fur et à mesure, son dos se dévoilait, et j'embrassais chaque centimètre de peau que je découvrais.

J'ignorai le soutien-gorge blanc que j'apercevais maintenant, poursuivant mon chemin. J'atteignis la courbe de ses reins, et mes mains glissèrent sous le tissu, caressant la naissance de ses hanches. Ashley se souleva et laissa mes doigts courir sur la peau chaude de son ventre.

J'étais arrivé au bout de la fermeture Eclair. La bordure de sa culotte apparut, et je devinai que le morceau de tissu n'avait de culotte que le nom. Le haut de ses fesses était à peine couvert par un tissu transparent, qu'on aurait pu déchirer en tirant simplement dessus.

— Soulève-toi, lui demandai-je.

Elle se mit sur ses avant-bras et se redressa. Je descendis les deux bretelles le long de ses bras, puis tirai sur sa robe pour la faire glisser le long de son corps. Je posai le vêtement au sol, puis me levai du lit pour récupérer la bouteille de champagne. Ashley m'observait, toujours allongée sur le ventre, ses jambes interminables étendues sur le lit.

— Est-ce que ton fantasme implique l'utilisation de champagne ?

— Il est surtout en lien avec toi. Avec toi et avec cette petite culotte indécente. Je t'avais dit de te couvrir.

— Mais tu ne m'as pas dit de quoi !

— La prochaine fois, prends un de mes boxers. Ce truc, dis-je en passant mon index sous le tissu qui couvrait à peine sa fesse droite, ne sert à rien. D'ailleurs, je vais l'enlever et le garder.

— Et quand vas-tu, toi, retirer tes vêtements ?

Elle avança jusqu'à moi, féline, et s'installa à califourchon sur mes cuisses. Elle déposa un baiser furtif sur mes lèvres, puis attaqua les boutons de ma chemise. J'ajustai ma position, conscient qu'ainsi elle pouvait sentir mon excitation et que je pouvais ruiner sa belle application. Elle pinça les lèvres, se concentrant sur sa tâche. Ses doigts frôlaient ma peau, et mon cœur battait à toute vitesse.

Elle repoussa ma chemise sur mes épaules, puis retira les boutons de manchette. Elle déposa un baiser dans le creux de ma main droite, puis me débarrassa de ma chemise en la jetant derrière elle.

— Tu es tachycarde, remarqua-t-elle en posant sa main sur mon torse.

— Je l'ai été toute la soirée, avouai-je.

— Cette remise de prix t'a vraiment rendu très nerveux.

— Je te l'ai déjà dit, ce n'était aucunement la remise de prix. C'était cette soirée avec toi. C'était toi, ajoutai-je plus doucement.

Elle passa ses mains dans mes cheveux, puis m'embrassa doucement, son bassin ondulant sur mes cuisses et m'excitant davantage. Je posai mes mains sur ses hanches pour l'arrêter.

— S'il te plaît, gémis-je. Sinon, je vais sûrement rejouer une scène humiliante de mon adolescence.

Elle attaqua la boucle de ma ceinture et la défit avec une dextérité qui m'impressionna. Lorsqu'elle ouvrit mon pantalon, je sursautai, avant de saisir son poignet. D'un geste vif, je la basculai sur le lit, puis la couvris de mon corps. Un cri de surprise fendit l'air, avant que son rire sonore retentisse.

— Monsieur Harris, je suis impressionnée.

— Moi qui espérais que tu serais... excitée ou fiévreuse. Ou prête à tout.

— Aucune mention inutile, murmura-t-elle.

— Parfait. Maintenant, remets-toi sur le ventre.

Elle roula sur le lit, exposant son dos à mon regard gourmand. Je me levai du lit et quittai mon pantalon. Ashley siffla, avant de glousser de rire.

— Tu ris quand tu es nerveuse, commentai-je. De quoi as-tu peur au juste ?

— De rien, assura-t-elle. Disons que ton boxer semble un peu petit.

Son regard se braqua sur mon entrejambe tendu et gonflé. Je fermai les yeux, contenant mal un rougissement massif. Avec Jenny, nous faisions l'amour dans le noir, évitions les préliminaires, et l'exercice était silencieux et minuté.

Pour camoufler mon embarras, je repris le contrôle de la situation. Je saisis sa cheville entre mes mains et l'embrassai doucement. Ashley émit un petit couinement, entre plaisir et stupéfaction, avant de soupirer d'aise. Mes lèvres remontèrent sur son mollet, pour atteindre l'arrière de son genou.

— Ben, s'il te plaît, murmura Ashley.

— Fini de rire, mademoiselle Jordan.

J'embrassai l'intérieur de sa cuisse. Ashley frissonna de plaisir et écarta imperceptiblement les jambes. Je devinai la chaleur moite de son sexe et même le doux parfum de son excitation. Je souris, puis rampai sur elle pour embrasser sa fesse gauche à travers le tissu. Elle s'agita sous moi et se figea quand j'agrippai sa culotte pour la faire descendre le long de ses jambes.

J'entendis sa respiration s'alourdir et m'allongeai au-dessus d'elle, mon sexe tendu et comprimé dans mon boxer trouvant refuge contre ses fesses. Ashley se cambra sous moi, creusant les reins pour accentuer le contact entre nous.

Je passai mon index sous la fermeture de son soutien-gorge et, haletant, le dégrafai avant de nicher ma tête dans sa nuque. Je bougeais les hanches dans un rythme lent, grimaçant au contact désagréable de la barrière de tissu. J'embrassai son épaule, puis tendis le bras pour saisir la bouteille de champagne.

— Et maintenant, on ne bouge plus, lui intimai-je en me mettant à côté d'elle.

Même dans la pénombre, son visage rayonnait. Sa respiration était toujours profonde et lourde, mais, quand ma main caressa son dos, elle ferma les yeux et se laissa emporter.

— Alors, fantasme #358..., murmurai-je.

Les yeux toujours clos, elle soupira, et un beau sourire s'épanouit sur ses lèvres.

— Je veux boire du champagne sur toi, dis-je.

— Vraiment ?

— Je veux tester l'alliance du vin avec la bergamote.

Je versai une larme de champagne sur sa nuque. Elle roula le long de sa colonne, faisant frissonner Ashley de plaisir. De ma bouche, j'interceptai la goutte de vin, puis remontai lentement vers ses épaules.

— Succulent, dis-je avec appréciation.

Je réitérai l'opération, versant une belle rasade de champagne sur ses épaules. Elle étouffa un cri dans l'oreiller.

— Je t'offre un alibi parfait pour prendre un bain dans la monstrueuse baignoire.

— Je n'avais pas besoin d'un alibi. En revanche, j'ai besoin de quelqu'un pour me frotter le dos, à l'occasion.

Le champagne atteignit ses reins, et je le lapai rapidement. C'était divin. Sentir le corps d'Ashley réagir au mien renforça ma confiance.

— La prochaine fois, je testerai avec du chocolat, promis-je.

— La prochaine fois ?

— Et celle d'après avec de la glace au caramel. On pourra inaugurer le canapé.

Elle rouvrit les yeux, me laissant entrevoir une lueur affectueuse inédite. Elle posa sa main sur ma joue et m'attira contre elle pour un tendre baiser. Elle se retourna, et je me retrouvai au-dessus d'elle. Ses mains agrippèrent mes cheveux, ses jambes s'enroulèrent autour de mes hanches et, des talons, elle repoussa mon boxer.

— Je veux te sentir, murmura-t-elle contre ma bouche.

Je me débarrassai de mon boxer d'un mouvement de jambe. Mon sexe frottait contre celui d'Ashley, attisant un peu plus mon désir. Je lui retirai son soutien-gorge, qui avait glissé le long de ses bras. Alors que ma main remontait sur sa poitrine, elle me saisit le poignet et m'arrêta.

— Un garçon bien élevé comme toi a forcément prévu un préservatif ?

— En fait, j'ai prévu... des préservatifs, avouai-je, intimidé.

— Je corrige : un garçon bien élevé et prétentieux !

— Ne me reproche pas d'avoir envie de toi. J'y ai pensé toute la journée, et seul le souvenir de ma mère me sermonnant sur mon attitude avec les filles m'a écarté du péché.

— Du péché ?

— Tu es le péché absolu. Et encore plus quand tu es nue, sous moi, et que tu me regardes comme ça.

— Comme ça ? s'étonna-t-elle.

— Comme la Méduse. Je suis hypnotisé. Et j'ai vraiment envie de te faire l'amour sur ce lit, dans la baignoire et peut-être même sur le tapis. Donc, oui, j'ai prévu des préservatifs.

— Et où sont ces merveilles ?

— Dans ma veste... par terre, grommelai-je, mécontent.

Je l'embrassai chastement sur le front, puis me redressai. Elle se releva sur les coudes et, même en lui tournant le dos, je sentis son regard brûlant sur moi. Je sortis la boîte de la poche intérieure de ma veste et me rallongeai près d'Ashley. Elle se tourna vers moi et prit la boîte de préservatifs d'entre mes mains.

Elle l'ouvrit et éclata de rire en sortant une ribambelle de préservatifs, attachés les uns aux autres.

— Tu es un type très optimiste.

— Je vis avec toi depuis six mois. Certains hommes ont été canonisés pour moins que ça !

— Certains hommes pourraient te tuer pour avoir ta place.

Je l'attirai contre moi, ma main parcourant son dos jusqu'à la naissance de ses fesses. Elle esquissa un bref sourire et étouffa un soupir.

— Je vais être clair avec toi : hors de question que je laisse ma place. Je te veux à moi. Complètement. Je ne partage pas, Ash. Jamais.

Elle allait me répondre, mais je la fis taire d'un geste de la main.

— Et si tu crois que je vais me lasser, tu es loin... très loin du compte.

Pour toute réponse, elle déchira l'opercule du préservatif, les yeux rivés aux miens et le souffle court. Je tentai de l'intercepter, mais elle garda le préservatif entre ses doigts.

— Laisse-moi faire.

— Ash, je... Je n'ai jamais... Enfin... Bon sang, Ash ! grognai-je alors qu'elle entourait mon sexe de sa main.

— Jamais quoi ? murmura-t-elle dans mon cou.

Sa main allait et venait sur moi, amplifiant mon excitation. Je gémis lourdement contre elle, baissant les yeux vers mon sexe tendu. Le désir déferla dans mes veines, incontrôlable et d'une violence inédite.

Peut-être était-ce de l'avoir attendue si longtemps.

Peut-être était-ce l'atmosphère feutrée, tamisée et sereine.

Ou peut-être était-ce elle. Elle, avec ses cheveux blonds éparpillés sur l'oreiller, son sourire coquin et sa bouche pulpeuse. Je dus rassembler toute ma volonté pour ne pas jouir entre ses mains.

— Je... Je le faisais d'habitude. Avec... Jenny, expliquai-je entre deux spasmes de plaisir.

— Et tu le faisais dans le noir ?

— Comment le sais-tu ?

— Maintenant, je le sais, sourit-elle. Et puis tu as pris des capotes phosphorescentes.

— En fait, j'ai piqué celles de Connor, avouai-je dans un rire.

Elle resserra sa main autour de moi, avant de poser sa bouche contre la mienne. Elle déroula le préservatif sur mon sexe, puis m'attira contre elle dans une douce étreinte. Je la surplombai de nouveau, et elle crocheta ses chevilles autour de ma taille.

— Hors de question que je laisse ma place, murmura-t-elle. Et si tu crois que je vais me lasser, tu es... à des années-lumière du compte.

— Vraiment ?

— Toute à toi, me rappela-t-elle.

Le soulagement et une joie intense m'envahirent.

J'avais Ashley dans mes bras, à moi, et pas que pour cette nuit.

Je baissai la tête vers sa poitrine généreuse et pris le mamelon de son sein droit entre mes lèvres. Ses doigts s'enfoncèrent dans ma chevelure, et elle se cambra pour s'offrir un peu plus à moi. Je passai ma main entre nos deux corps et trouvai son intimité chaude et humide. Je glissai deux doigts en elle, et un petit cri de plaisir fendit l'air.

Elle abandonna mes cheveux et passa ses mains sous l'oreiller. Elle bascula la tête en arrière, enveloppée dans son plaisir. Je libérai son sein et fis aller et venir mes doigts en elle. Son corps répondait parfaitement à mes caresses, et son désir répondait au mien. Mon pouce appuya doucement sur son clitoris, et Ashley se souleva brutalement en criant mon prénom.

— Encore, m'intima-t-elle dans un chuchotis d'encouragement.

Je pressai à nouveau mon pouce, remarquant les frissons de plaisir qui la parcouraient. Mon sexe me faisait mal d'être si tendu et si prêt à être en elle. Mais je voulais la voir jouir entre mes mains, je voulais que cette nuit soit aussi inoubliable pour elle que pour moi.

— Plus... vite, haleta-t-elle. Ben, s'il te plaît.

Je couvris son corps du mien, retrouvant le refuge rassurant de son cou. Je suçai sa peau fine, mes doigts allant et venant en elle à un rythme plus rapide. Elle gémit de plus en plus fort, ne contenant plus son plaisir, et soudain elle se tendit, et le seul son qui sortit de sa bouche fut mon prénom.

— Tu as fermé les yeux, soufflai-je, satisfait.

— C'était presque aussi bon que ton dessert au chocolat, avoua-t-elle d'une voix rauque.

Elle rouvrit les yeux. Dans son regard, au-delà du désir, je vis surtout du défi.

— On commence par le lit, affirmai-je.

Je glissai mes mains dans les siennes et les enfonçai dans le matelas. Lentement, j'entrai en elle, savourant le contact divin de sa peau brûlante contre la mienne et observant ses réactions. Elle ferma de nouveau les yeux et bougea son bassin. Je serrai ses mains un peu plus fort et m'enfonçai d'une poussée en elle. J'en oubliai nos disputes et ses réticences. Ashley était à moi, son corps vibrait pour moi, et j'étais déjà en pleine extase.

Les battements de mon cœur pulsaient à mes oreilles et je frissonnai de plaisir. Un grondement m'échappa quand Ashley se cambra et vint plus intimement à ma rencontre. Nos bouches se retrouvèrent, pendant que mon sexe glissait dans le sien. Sa peau était moite et sa respiration hachée, mais elle suivit mon rythme, accentuant le contact entre nous.

Les prémices de l'orgasme chatouillaient mon bas-ventre. J'avais tellement attendu ce moment et je ne tenais déjà plus. Ashley libéra sa main et captura mon index dans sa bouche. Le mouvement de sa langue et ses gémissements me firent perdre ma dernière once de rationalité. Nos mouvements devinrent frénétiques et chaotiques, comme si nous fuyions tous les deux l'orgasme pour faire durer notre plaisir.

Ashley libéra mon doigt, et j'en profitai pour reprendre son sein entre mes lèvres. Elle cria et, l'instant suivant, à bout de souffle, je la sentis se contracter autour de mon sexe. Quelques secondes plus tard, l'orgasme eut raison de ma résistance et je m'effondrai sur Ashley, apaisé et heureux.

A regret, je me retirai d'Ashley et enlevai ma protection pour la jeter dans la poubelle. Quand je retrouvai ma colocataire, nue, souriante et luisante de sueur, je la couvris du drap et la pris dans mes bras.

— Félicitations, monsieur Harris, vous êtes bien l'homme idéal.

— Félicitations, mademoiselle Jordan, il est totalement sous votre charme.

Elle laissa échapper un rire, avant de pivoter vers moi. Elle prit mon visage entre ses mains et m'embrassa tendrement.

— J'ai dû faire un truc vraiment bien pour tomber sur toi maintenant, dit-elle avec gratitude.

— Ne deviens pas trop... mielleuse, grimaçai-je. Je vais encore perdre mes repères si tu deviens normale et affectueuse.

— Tu préfères que je sois folle et tyrannique ?

— Tout à fait. J'ai encore ma liste de contre-arguments toute prête, fanfaronnai-je.

— Tu veux jouer à ça maintenant ? Tu veux que je reprenne mon rôle de la fille qui a le vertige au bord du précipice ? Disons... le temps de te remettre d'aplomb ?

— Je t'autorise deux tentatives.

— Tu es vraiment super prétentieux, remarqua-t-elle en haussant un sourcil dubitatif. Personne ne se remet en si peu de temps !

— Je suis un garçon bien élevé. Jamais en retard et toujours prêt.

Elle se perdit quelques instants dans sa réflexion et prit une profonde inspiration avant de se jeter à l'eau. Elle posa une main sur mon torse et remonta lentement vers mon épaule, puis vers ma nuque.

— Nous sommes amis. Et tu sais, je ne crois pas vraiment à ce genre de choses : soit on est amis, soit on est amants. Mais la transition ne fonctionne jamais. C'est prouvé.

— Soit on est amis, soit on est amants ? Bien. Je prends la seconde option. Et au pire, nous sommes colocataires. Mais je n'ai jamais voulu être ton ami : avoir tous les inconvénients, sans les avantages... C'est mal me connaître.

Ashley me fixa, bouche bée.

— Cela fait un, annonçai-je.

— Bien. Je vais changer de tactique. A quel moment... Non, attends. Si tu devais changer une chose entre nous, une chose qui aurait, disons, accéléré notre relation.

— Ash, si je t'avais proposé d'être autre chose que des colocataires il y a trois mois, tu aurais pris la fuite jusqu'au Canada. Tu n'étais pas prête et, moi, je n'étais pas courageux. Donc, je ne changerais rien. Rien ou presque.

— Presque ?

— J'apprendrais à te présenter. Monsieur Dusnob, je voudrais vous présenter Ashley Jordan, ma petite amie. Cela fait deux.

A nouveau, elle m'observa, consternée et muette. Elle s'étala sur le lit et fixa le plafond, abasourdie.

— OK, j'abandonne. Je n'aurai jamais le dernier mot et, je te préviens, je risque de devenir sacrément mielleuse et chiante si tu continues à être irrésistible en homme idéal. Ta mère a fait un sacré bon boulot.

— Je lui transmettrai tes amitiés.

Elle pivota vers moi, le coude posé sur le lit et la joue calée dans le creux de sa main. Elle me fixa intensément, et je ne pus résister à l'envie de l'embrasser à nouveau. Embrasser Ashley était devenu un vrai passe-temps, plutôt agréable.

— Rien ne change, Ash. C'est toujours toi et moi, juste... plus intimes.

— Tu vas continuer à faire de la pâtisserie ?

— Tu vas continuer à chanter ? demandai-je en retour.

— Evidemment.

Soudain son visage s'illumina et elle me repoussa sur le dos. Elle fit courir ses doigts sur mon torse, titilla mon nombril et effleura mon sexe, encore en pleine récupération.

Elle chantonna un air connu, noyant ses yeux dans les miens. Trop distrait par sa main, j'eus toutes les peines du monde à me concentrer sur ce qu'elle fredonnait. Ses doigts agiles caressaient sensuellement ma peau et rallumaient le désir dans mes veines. J'étais prêt pour un nouvel assaut du mont Ashley.

— En attendant que tu te remettes de tes émotions, je vais... chanter.

— Ah... oui ? bégayai-je.

— C'est connu, ne t'en fais pas.

Elle s'allongea près de moi, et sa bouche se retrouva à quelques centimètres de mon oreille. Sa main quitta mon torse et je grognai de frustration.

— *All by Myself*, chuchota-t-elle.

Quand je baissai les yeux, je vis que sa main était entre ses cuisses. Je n'avais jamais rien vu d'aussi beau.

— Fantasme #359 ? m'interrogea-t-elle tout en fredonnant l'air de la chanson.

— Tu me donnes beaucoup de crédit. Il est plutôt dans le top 10.

— Merveilleux.

Bientôt, elle ne chanta plus. Je ne voyais plus que sa

main bouger sur son sexe, son corps tendu et ses seins gonflés. Pour redéfinir notre relation, il nous faudrait au moins la nuit et tous mes préservatifs.

Au réveil, Ashley avait déserté notre lit. Je me redressai d'un bond, jetant à peine un coup d'œil au paysage magnifique du soleil se levant sur le lac, et tendis l'oreille. L'eau coulait dans la salle de bains, et cela me rassura. Je poussai un profond soupir et tentai de calmer les palpitations de mon cœur. Maintenant que j'avais Ashley — que je l'avais au sens biblique et entier du terme —, la simple idée qu'elle sorte de ma vie me collait la frousse.

J'avais essayé de le lui expliquer : je ne comprenais pas comment tous les hommes qu'elle avait fréquentés pouvaient la laisser repartir aussi vite. J'avais un vague souvenir de ce qu'était ma vie avant elle ; une succession de services au restaurant, une liste d'automatismes — faire les courses une fois par semaine et se limiter à un verre de vin par jour — et ma relation monotone avec Jenny.

Avant elle, je rêvais d'une vie normale. Un métier, une famille, une femme, quelques amis. Avant elle, ma vie était prévisible, mon futur tout tracé. Avant elle, je n'avais qu'à suivre la route que le destin m'avait choisie. Tout aurait été simple, facile.

Et puis Ashley avait déboulé dans ma vie. Elle avait particulièrement soigné son entrée, m'avait souri avec cette joie communicative si caractéristique, et je l'avais regardée danser tout en écoutant distraitement Connor se lamenter de sa non-relation avec Maddie. Le soir même, j'avais compris que les dégâts étaient irréversibles.

J'avais su que ma relation avec Jenny n'y survivrait pas, que ce chemin tout droit ne me convenait plus.

En un claquement de doigts et un clin d'œil, Ashley était parvenue à me bouleverser. Ma vie terne et triste, en noir et blanc, était devenue un décor en 16/9, option technicolor, avec effets spéciaux et instabilités climatiques en tout genre.

Connor ne voyait que l'agitation dans Ashley.

Moi, je ne voyais que son enthousiasme et sa joie débordante. Je ne voyais plus qu'elle. Je ne voyais plus que son sourire lumineux, son regard pétillant et son attendrissante folie.

La porte de la salle de bains s'ouvrit, et je m'arrachai à la contemplation du plafond. Je me redressai, découvrant Ashley habillée d'un peignoir épais. Je lui adressai un sourire et elle leva les yeux au ciel.

— Toujours dans un état postcoïtal avancé ? s'enquit-elle en s'allongeant sur le ventre à côté de moi.

Ses cheveux humides étaient maintenus par sa pince habituelle. Elle battit doucement des jambes, pendant que je caressais sa joue du revers de la main.

— Disons qu'en ce moment je suis plutôt précoïtal.

— Ben Harris ! Une allusion graveleuse au réveil ! J'ai fait de toi un monstre !

— Je vais être honnête : tu es, et de loin, mon expérience la plus érotique.

— Je ne te propose donc pas une grille de mots croisés ?

— Il n'est pas question que nous changions nos habitudes. Le dimanche, c'est mots croisés.

Ashley haussa les épaules et se perdit dans sa réflexion. Elle semblait préoccupée. Qu'elle prenne une douche si tôt n'était pas vraiment dans ses habitudes. Mais je savais qu'elle ne se confierait pas naturellement, qu'il fallait l'encourager à discuter.

— Tu veux me parler de quelque chose ? proposai-je.

— Je n'ai pas couché avec tous ces types, tu sais.

— Avec les médecins ?

— C'était juste... Une distraction. J'ai repensé à hier soir et, miraculeusement, je crois que nous sommes d'accord sur une chose.

— Tu dramatises beaucoup la situation : toi et moi sommes d'accord sur énormément de sujets.

Elle arqua un sourcil, dubitative, avant d'éclater de rire. Elle approcha de moi, posant son menton sur mon torse et rivant ses yeux aux miens.

— Genre... la paix dans le monde. La pâtisserie. Notre lutte contre le muffin industriel... Oh ! et ma couleur de cheveux, ajoutai-je, fier de ma trouvaille.

Ashley acquiesça à chacune de mes remarques d'une petite moue peu convaincue. Elle baissa le regard, et ses doigts jouèrent avec les quelques poils de mon torse.

— Je voulais parler de nous. De notre relation, reprit-elle en hésitant.

— Et ?

— Puisque tu ne veux pas partager, je trouverais ça normal... équitable même, de ne pas te partager non plus.

Elle releva les yeux vers moi, plus incertaine que jamais. Je hochai doucement la tête, pressentant une tendance criminelle à un excès d'analyse comportementale de la part de ma colocataire. Mais ce n'était pas le moment d'ironiser sur son comportement. J'avais attendu ce moment depuis notre séance de Photomaton. Elle faisait un pas vers moi, c'était donc à mon tour d'aller vers elle.

— Tu n'as jamais été dans une relation... suivie ?

— Est-ce que Maddie compte ?

— Ashley, je jure que, si tu m'avoues des incartades licencieuses avec Maddie, je fais allonger indéfiniment ma liste de fantasmes, plaisantai-je.

— Je n'ai jamais été réellement avec un homme. J'ai dû faire une semaine avec un crétin au lycée, peut-être deux jours avec un infirmier pendant un stage. Mais notre colocation est ma première relation durable.

— Mais, avant la nuit dernière, tu n'étais pas dérangée par l'idée de me partager ?

— Bien sûr que si. Mais c'est différent maintenant. Vu que tu es, et de loin, mon expérience la plus exclusive.

Je retirai la pince qui maintenait ses cheveux et attirai Ashley au plus près de moi. Je défis le nœud de son peignoir et découvris son épaule pour caresser sa peau douce de mes lèvres, remonter vers la ligne de sa mâchoire, avant de souffler sur ses lèvres et de l'embrasser.

— N'analyse pas trop tout ça. Laissons-nous... porter par le moment.

— Je ne suis pas certaine de connaître les règles.

— Ne change rien. Vraiment rien. Ne gamberge pas sous la douche, ne réfléchis pas à notre histoire. L'improvisation, c'est bien aussi. C'est comme ça que j'ai créé ton dessert.

— Le Hurricane, railla-t-elle.

— Aucunement. Je lui ai trouvé un nom parfait, un nom qui te correspond et qui correspond au dessert.

— Il faut que je te fasse un truc très cochon pour que tu me dises ce nom ?

— Non. Juste que tu viennes avec moi ce soir. Restaurant, soirée, la totale. Mais ce soir, rien que toi et moi et pas quatre cent cinquante personnes autour de nous. Et tu pourras même venir avec ta tenue lavande.

— Ben, pour la pérennité de notre relation, je refuse d'envisager le fait que tu fantasmes sur ma tenue d'infirmière, me prévint-elle en levant un index menaçant.

— Je n'oserais pas, m'esclaffai-je. Alors, pour ce soir ?

— Jean et pull ?

— Et seuls au monde. Promis. Tu veux le nom du dessert ?

Elle hocha timidement la tête. J'approchai doucement mes lèvres des siennes, remarquant la pointe d'inquiétude qui retenait son sourire habituel.

— Chocolation, murmurai-je.

Son rire mourut dans ma bouche. Je la basculai sur le dos et repoussai son encombrant peignoir. La sensation de son corps nu et de sa peau douce contre la mienne m'excita instantanément. Ashley tendit la main vers le chevet et récupéra un préservatif.

— Et après, on mange, souffla-t-elle en déchirant de ses dents l'emballage.

— On mange, approuvai-je dans un sourire.

Dans le côté obscur, je vis. Dingue d'Ashley, je suis.

Chapitre 8

Bonjour, vous êtes bien sur le portable d'Ashley. Je suis en plein interrogatoire et congelée, mais chantez-moi *You Are My Destiny*, et je vous rappellerai peut-être…

— On pourrait vivre ici quelque temps, proposai-je.

— Ici ? Dans cette baignoire ?

— Aussi. Mais je voulais dire dans la suite.

Je pris de la mousse dans le creux de ma main et la soufflai vers mon colocataire. Il s'affaissa un peu plus, pendant que, face à lui, je l'observais. Entre le Ben aux cheveux turquoise et le Ben assis en face de moi dans une baignoire, une petite éternité s'était écoulée.

Une petite éternité et une nuit inoubliable. Rarement un homme m'avait fait l'amour avec autant de déférence, presque de la prudence. Ce matin encore, il m'avait apporté mon mug de café au lit, parfaitement sucré, dosé en lait comme je l'aimais et parfumé d'une touche de vanille.

Quand je croisais des couples de gens âgés dans la rue, je me disais toujours que l'amour devait ressembler à ça : un vieux couple qui se tenait encore la main, qui finissait les phrases de l'autre et qui se regardait avec adoration. Je me disais aussi qu'il n'y avait aucune chance que cela m'arrive, que je finirais ma vie comme je l'ai commencée : seule et triste.

Maintenant, je me demandais si cela ne pouvait pas aussi ressembler à un café parfaitement servi, à un dessert personnalisé au chocolat ou à une longue liste de fantasmes inavoués. Ou encore à un Ben muet comme une tombe au sujet de notre prochaine soirée. Les yeux clos, la tête légèrement en arrière, les bras ballants le long de la baignoire, il semblait presque somnolent.

Cela me tira un sourire heureux. Je n'avais plus cette sensation de vide atroce quand il s'agissait de notre histoire. Il m'avait recommandé de me laisser porter par notre relation, de ne pas analyser. Et c'était exactement ce que je faisais dans ce bain : je fixais ses lèvres gonflées, son torse immergé et ses clavicules honteusement sexy.

— Cinéma ? tentai-je.

— Non, dit-il.

Donc, Ben ne dormait pas.

— Patinoire ?

— Non.

— Piscine ?

Il ouvrit un œil et me dévisagea, consterné.

— Tu es sérieuse ? Quel genre de type amènerait une fille à la piscine pour un rendez-vous ?

— David Hasselhoff ?

— Je suis avec toi, dans une baignoire, et tu penses à David Hasselhoff ?

— Mystère mystérieux du cerveau humain. A vrai dire, je pense surtout à notre soirée. Au loft ?

— Non.

— Y a-t-il une chance pour que tu me le dises ?

— Honnêtement ? Non. J'adore te voir cogiter. Tu

fronces les sourcils et tu plisses le nez. Je trouve ça vraiment adorable.

— Ben Harris, êtes-vous en train de me feinter pour me faire cesser mon interrogatoire ?

— Ça me paraît évident, dit-il en retrouvant sa position initiale, l'air indolent, dans notre bain.

— Oh ! à la laverie ? m'écriai-je subitement.

Il se redressa brutalement et, après un court instant de réflexion, s'approcha de moi. L'eau déborda de la baignoire et Ben se retrouva au-dessus de moi, les mains cramponnées aux rebords, ses cheveux gouttant sur ma poitrine. Je frissonnai et me tassai un peu. Le Ben pimenté d'une dose de domination était incroyablement sexy, surtout avec ses clavicules en plan extra-large et ses fossettes à éblouir une taupe.

J'étais peut-être un tout petit peu sous le charme. Rien qu'un peu.

— Quel genre de type amènerait une fille à la laverie pour un rendez-vous ?

— Toi, répondis-je dans un sourire. Et tu l'as déjà fait.

— Non, Ash. Ce n'est pas la laverie. C'est une surprise. Et accepter les surprises, c'est aussi une partie de notre relation. Tu as juste à te laisser porter.

Il déposa un baiser tendre sur mes lèvres, et mon cœur se mit à palpiter comme celui d'une adolescente devant son boy's band préféré. Avec Ben, tout semblait si simple que l'élan d'affection et de tendresse qui m'assaillit me fit presque mal.

— Ne me brise pas le cœur, murmurai-je.

— Ce n'est pas dans mes plans. J'envisage plutôt d'en prendre soin et de le chérir pendant quelque temps.

— Quelque temps ?

— Jusqu'à ce que je trouve le créneau idéal pour la sérénade et la demande en mariage.

Je retins mon souffle, tétanisée. Avant, nous avancions

dans le petit train-train de notre routine, maintenant nous étions dans une fusée, lancée à pleine vitesse. Ma gorge s'asséchа et une pointe d'angoisse titilla mon estomac.

— Relax, Ashley. Je ne te briserai pas le cœur, répéta-t-il. J'y tiens trop. Je tiens à toi, je tiens à ton sourire et je t'ai déjà dit que je n'arriverais pas à vivre sans toi.

— C'est juste que... je débute.

— J'irai à ton rythme, Ash. Mais, si tu m'annonces que tu veux t'enfuir au Canada, je ne serai peut-être pas d'un enthousiasme débordant.

— J'irais plutôt au Mexique. Soleil, plage, tequila... Définitivement au Mexique !

— On pourrait en parler ce soir. Juste avant que je couvre tes seins de chocolat.

Son regard se braqua sur ma poitrine, et une petite coloration rose s'installa sur ses joues. Je pouffai de rire et le rougissement s'accentua, jusqu'à la racine de ses cheveux.

— Pardon, c'était déplacé, murmura-t-il.

— Hors de question que tu t'excuses. Tu parles à une fille dont le filtre cerveau-bouche est souvent défaillant.

— Ce n'est pas une raison pour... me laisser emporter par le feu de l'action.

— Il faut qu'on parle de ça, ajoutai-je, mutine. De ton petit côté... jeune jedi du sexe qui apprend à manier son sabre laser phosphorescent.

— Est-ce que... enfin... suis-je si... mauvais ? bégaya-t-il.

— Tu n'es pas mauvais. Tu es juste pur. Ta dernière petite amie a gâché un merveilleux potentiel. Merveilleux potentiel que je compte exploiter jusqu'à l'épuisement.

Ses muscles se tendirent et je vis son visage tressaillir. Il tentait de ne rien montrer de son trouble mais, avec son corps si près du mien, je sentais son sexe tendu et gonflé frotter sur ma cuisse. Je fis courir mes doigts sur sa main gauche, m'amusant de sa réaction intimidée.

— On a vingt minutes avant de rendre la chambre, plutôt tapis ou baignoire ?

— Tapis, dit-il d'une voix enrouée.

— Bien. Tu sais donc où me trouver, annonçai-je en me redressant.

L'eau ruissela sur mon corps et je pris une serviette pour m'essuyer. Derrière moi, je sentis le regard de Ben brûler ma peau. Je l'entendis remuer, puis il sortit de la baignoire. Il se plaça derrière moi et tira sur ma serviette.

— Contre le mur, maintenant, murmura-t-il à mon oreille.

J'avançai en souriant et posai mes mains contre le mur. Le corps humide de Ben frotta contre le mien et attisa un peu plus le désir qui ravageait mon bas-ventre.

— Ne bouge pas, je vais chercher un préservatif.

Il m'abandonna dans la salle de bains, me laissant ivre de désir et tremblante. Quand il réapparut, il m'adressa un sourire audacieux. Il déchira l'enveloppe du préservatif et le déroula sur son sexe.

— D'ici quelque temps, quand notre stock sera épuisé, j'aimerais bien faire... sans.

— Et voilà qu'il révèle son côté Indiana Jones.

Il se plaça derrière moi et posa ses mains sur mes hanches. De sa jambe, il me fit écarter les cuisses et attira mon dos à son torse.

— J'ai envie de te sentir. Et de te faire des enfants.

— Quoi ? m'écriai-je d'une voix blanche.

— Je me demandais quand ton goût pour la fuite allait resurgir.

Ses doigts galopèrent sur mon dos, longeant ma colonne vertébrale. Les muscles tendus et toujours sous le choc, je grimaçai. Je n'étais pas prête pour ça. Je n'étais même pas prête pour avoir cette conversation.

— C'était juste une blague, Ash. Détends-toi, chuchota Ben dans ma nuque.

— Ben, je sais que...

— Je voulais juste te dire que je voulais te sentir vraiment et retirer ces trucs. On fera le nécessaire. Et d'ici vingt-cinq ans, si je veux des enfants, nous en reparlerons. D'accord ?

— D'accord. Mais dans vingt-cinq ans, mes ovaires ressembleront à des citrons flétris et desséchés.

— Une chance que personne ne les voie.

Dans une lente torture, il me pénétra. Le désir reprit le dessus sur la panique et je fermai les yeux, engloutie dans mon plaisir. Ben nicha sa tête dans mon cou et embrassa ma peau fine. Ses mains s'enfoncèrent dans mes hanches, et son rythme lent me tira des râles d'excitation. Je basculai la tête en arrière et cambrai les reins pour accentuer le contact entre nos deux bassins. Je voulais le sentir au plus profond de moi. Je l'entendis siffler de plaisir, et sa cadence augmenta un peu.

Il mordit mon cou, et sa main prit mon sein gauche en coupe. Je haletais, le cœur au bord de l'implosion.

Cela aurait pu être juste érotique et puissant. Mais avec Ben, il y avait cette tendresse que je n'avais jamais connue auparavant. Son toucher était toujours empreint de délicatesse et, même contre ce mur, notre acte n'avait rien de vulgaire ni de sauvage. C'était passionné mais aussi doux, tendre et attentionné.

Je l'entendis murmurer mon prénom, son sexe allant et venant en moi de plus en plus vite. Mon cœur battait à un rythme frénétique et j'étais à bout de souffle. Mes cheveux humides retombaient sur ma poitrine, caressant la pointe de mes seins.

J'ondulais en rythme avec Ben, ne maîtrisais plus

vraiment mes mouvements. Je sentis que les prémices de l'orgasme menaçaient de me terrasser violemment. Je pris la main de Ben dans la mienne et la posai sur mon sexe.

Surpris, il la retira aussitôt, avant de la reposer.

— Montre-moi, m'intima-t-il dans un souffle à peine audible.

J'imprimai un rythme lent à sa caresse, la concentrant sur mon clitoris. Ben ravala un grognement, et je n'entendis plus que sa respiration hachée dans mon cou.

— Ash, dit-il d'une voix rauque.

L'orgasme déferla en une vague surpuissante, me surprenant tout à fait. Je criai ma jouissance, pendant que Ben s'effondrait sur mon dos, extatique lui aussi. Toujours à bout de souffle, il se retira, se débarrassa du préservatif et, sans me demander mon avis, me prit dans ses bras.

— Il nous reste quinze minutes. Et je fais partie de ces hommes qui aiment les câlins après le sexe, expliqua-t-il en m'allongeant sur le lit défait.

— J'ai dû faire un truc de vraiment hyper bien dans une vie antérieure.

Il me prit dans ses bras, mon dos contre son torse. Je contemplai la vue sur le lac, le soleil désormais haut dans le ciel. Notre temps était écoulé.

— Peut-être que tu as fait un truc de vraiment hyper bien dans cette vie, souligna-t-il. Genre, débarquer au loft et dans mon existence.

— Et la réduire en miettes ?

— Et la rendre magique. Cesse de te rabaisser, Ash. Tu es magique, répéta-t-il en caressant mon épaule de ses lèvres.

Je poussai un soupir d'aise et me surpris à fermer les yeux. La respiration de Ben s'apaisa, et il tira le drap sur nos deux corps enchevêtrés. Je sombrais peu à peu : j'étais en train de tomber amoureuse de mon colocataire timide et en décalage avec son siècle.

— Tu as fermé les yeux, chuchota-t-il dans un sourire.

— Comment... Bon sang, mais jamais tu n'arrêteras ?

— Jamais. Pas tant que tu resteras avec moi.

Je ne répondis pas. A ses yeux, être magique valait plus que tout.

La femme de chambre avait fini par entrer dans notre suite au moment où Ben et moi nous brossions les dents devant le miroir. Les cheveux hirsutes et rayonnant de notre aura post-baise intensive, nous avions quitté la suite pieds nus et hilares.

Sitôt le seuil de la suite franchi, Ben avait repris son costume de héros romanesque austenien. Vêtu de son pantalon de la veille, il avait posé sa veste sur mes épaules et n'avait conservé que sa chemise blanche, légèrement ouverte, et son veston noir. Il s'était chaussé dans l'ascenseur et, sa main sur le bas de mon dos, m'avait guidée jusqu'à son carrosse.

Du moins, jusqu'à sa Mustang.

J'eus un sourire quand il m'ouvrit galamment la portière.

— Ben, tu es une lueur d'espérance pour toutes les célibataires de l'Etat.

— Tu es ma lueur tout court, murmura-t-il. Et je ne suis plus célibataire.

Si j'avais eu ma culotte sur les fesses, elle se serait désintégrée dans la seconde. Je le dévisageai, stupéfaite. Il baissa les yeux, embarrassé, comme s'il avait honte de son élan romantique.

— Nous sommes quinze dans le service de pédiatrie. Ce qui veut dire que treize femmes et un homme vont me détester quand je vais leur raconter ce que tu viens de me dire. Enfin, ils vont couiner, pleurer, puis me maudire... et enfin me détester.

— Je leur amènerai des muffins.

— Tu plaisantes ? Tu veux qu'en plus tous ces gens m'écartèlent en salle de suture ?

— Pour l'instant, je veux que tu montes dans cette voiture.

Je m'exécutai et Ben contourna le véhicule avant de s'installer derrière le volant. L'autoradio se lança sur les premières notes d'une musique entraînante et étonnamment moderne. Devant ma mine étonnée, Ben éclata de rire.

— Tu as quelque chose contre Gershwin ?

— Il est du siècle dernier. Ce qui est... Enfin, ce n'est pas un peu trop moderne pour toi ?

— Gershwin est un génie, affirma-t-il en montant le son. L'alliance du classique et du moderne.

— Je me disais aussi. Tout cela était bien trop beau pour être vrai. Forcément, tu avais un défaut bien enfoui. Et Daft Punk, toujours pas ? l'interrogeai-je avec ironie.

— On peut faire l'amour sur du Gershwin.

— On peut faire l'amour avec des boules Quies, suggérai-je en retour.

— Et me retirer mon plus grand plaisir ?

— Gershwin est ton plus grand plaisir ?

— Non. T'entendre crier mon nom en plein orgasme est mon grand plaisir, rectifia-t-il en me lançant un regard brûlant.

Et ce fut le retour de la désintégration de ma culotte imaginaire. Ben venait de créer une nouvelle catégorie d'hommes : après le « baisable », après le « archi-baisable », je venais de découvrir le « Benjamin Harris », qui surpassait tous les autres hommes sur Terre. Du moins, ceux que j'avais côtoyés de près.

Je retirai mes chaussures et me calai dans le siège.

— Soit, Gershwin est un génie, admis-je, avec réticence.

— Je ne pensais pas que tu serais si faible devant une simple allusion à tes capacités vocales.

Je haussai un sourcil et décidai finalement de porter une derrière attaque. Ben se pensait le maître du monde depuis notre nuit ensemble. Soyons honnêtes, il était au moins le maître de mes ovaires et du délicieux chatouillis de désir qui se nichait dans le creux de mes reins.

Il fit démarrer la voiture et s'engagea sur la route. Il me jeta un regard inquiet, redoutant, à raison, ma prochaine remarque.

— Tu es au courant que je ne porte pas de petite culotte ? précisai-je, désinvolte.

La voiture hoqueta et manqua de caler à l'approche d'un feu. Je défis ma ceinture et me penchai vers lui, mes lèvres flottant à proximité de son cou sans jamais s'y arrêter. Du coin de l'œil, je vis ses mains se crisper sur le volant et ses mâchoires tressauter.

— Maintenant, tu sais, chuchotai-je à son oreille.

Ses lèvres se retroussèrent dans un rire, et il finit par secouer la tête.

— Tu es impossible, ronchonna-t-il.

— Tu t'y feras.

— Je sais. Tant que tu restes avec moi.

— Tu sais, on devrait faire ça plus souvent, suggérai-je en me penchant vers Ben.

Il resserra sa prise autour de mes jambes et m'adressa un petit sourire. Juchée sur son dos, j'enroulai mon bras droit autour de son cou et je passai mon autre main dans ses cheveux bruns, respirant leur doux parfum d'orange. Cette odeur me ramènerait pour toujours vers notre nuit dans cette suite. Enfin, vers la salle de bains et notre bain matinal.

— Tu parles de la nuit dans la suite ou du chantage odieux que tu m'as fait dans la voiture ?

— Un chantage odieux ? C'était... un accord consensuel entre deux adultes, corrigeai-je. Tu veux que je dorme dans ta chambre, il fallait bien que je trouve une contrepartie.

— Tu as vendu ton corps pour que je te porte sur mon dos, ça n'a rien d'une contrepartie. C'est du chantage, répéta-t-il en fouillant dans sa poche pour trouver les clés de l'appartement.

Je retrouvai le sol et m'adossai contre la porte. Ben releva les yeux vers moi, avant de rétrécir le regard. Il savait très bien que je préparais un mauvais coup. Depuis notre nuit ensemble, j'avais la sensation qu'il me connaissait encore mieux.

— Quoi ? fit-il, partagé entre agacement et inquiétude.

— Tu veux que je te dise ? Je suis Christophe Colomb, déclarai-je avec fierté.

— Je ne te suis pas, fit-il en triturant son trousseau de clés.

— Je suis Christophe Colomb et tu es le territoire vierge. Enfin vierge ou presque.

— Jamais je n'aurais dû t'avouer ça !

La pointe de ses oreilles rougit dans l'instant, et il ouvrit la porte du loft. Il s'effaça pour me laisser passer et jeta ses clés sur le bar. Je retirai sa veste de mes épaules et approchai de lui. Il fronça les sourcils, toujours embarrassé.

— Et ça arrive à plein d'hommes, renchérit-il.

— Pas avec moi, souris-je, mutine.

Je défis les boutons de son veston et le lui enlevai. Je passai mes mains sur son torse et, à travers sa chemise, je sentis sa respiration s'accélérer.

— Pas ici, dit-il d'une voix rauque. Connor et Maddie sont sûrement là.

— Tu veux faire ça où ? Pour une première, il faut mettre les formes. Tu veux être assis ? Allongé ? Peut-être même debout ?

— Dieu du ciel ! dit-il, mortifié. Je... Je ne sais pas.

— Tu veux que je sois nue ?

— Bon sang, Ash, je... je ne sais pas, avoua-t-il, haletant, en plantant ses yeux dans les miens.

Il paniquait. Je le voyais à la lueur d'angoisse qui brillait dans son regard. Ma main descendit vers sa taille, avant d'atteindre son entrejambe. Il étouffa un grognement quand mes doigts coururent sur son érection. Il ferma les yeux, à bout de souffle et tétanisé au milieu de la pièce. Puis, brutalement, sa main se referma sur mon poignet, me faisant arrêter ma caresse.

— Pas comme ça, murmura-t-il. Je ne veux pas faire ça... juste pour le faire.

— Répète après moi : fellation. Fel-la-tion. Je t'assure que ça ne te tuera pas et ne fera pas de toi un être néandertalien. Ça fera de toi un homme satisfait et accompli.

— Et je le serai encore plus ce soir, assura-t-il en embrassant la paume de ma main. Nous avons le temps.

A l'instant où j'allais répondre, Connor sortit de la chambre et claqua la porte derrière lui. Son visage furieux parlait pour lui. Maddie surgit alors derrière lui, animée d'une colère bien visible.

— Et ne claque pas la porte de la chambre alors que nous sommes en pleine dispute ! cria-t-elle.

— Tu crois qu'ils nous ont vus ? chuchota Ben.

Son regard passa de Connor, réfugié derrière le bar de la cuisine, à Maddie, fulminante de colère au milieu du salon. Apparemment, nous étions en pleine zone de conflit.

— Nous ne sommes pas en pleine dispute, indiqua Connor en pivotant vers nous. Elle cherche juste à avoir raison.

— J'ai raison, éructa Maddie. Et tu refuses de me donner une explication rationnelle.

— Je t'ai donné une explication, dit-il avec un calme inquiétant. Cette femme est critique, elle prenait juste de mes nouvelles.

— Si c'était vraiment le cas, tu m'en aurais parlé. Et si c'était vraiment le cas, tu ne serais pas en train de me mentir en ce moment même.

Connor serra les poings sur le bar et soudain balaya d'un bras colérique le pauvre mug qui avait fait l'erreur de rester sur le comptoir. Ben se plaça devant moi et nous fit reculer. J'aurais presque pu m'extasier sur ce geste chevaleresque si je n'avais pas été si préoccupée par la scène qui se jouait devant moi.

— Ce n'est pas le moment, Maddie. Ni le lieu, ajouta-t-il en nous désignant du menton.

— Ça fait des semaines que ça dure. Des semaines que, dès que ton téléphone sonne, tu t'isoles. Alors dis-moi, est-ce que c'est une de tes serveuses ?

— Cette conversation est ridicule.

— Vraiment ? Alors, qui ? Un fournisseur ? Une cliente ? Vous faites ça où ? Dans les vestiaires ?

Je fronçai les sourcils, surprise par la véhémence de ma meilleure amie. Maddie n'était pas une fille jalouse ou possessive. Qu'elle s'en prenne à Connor devant un public, à cause d'une potentielle autre femme, me surprenait.

Ben m'attira un peu plus contre lui et, lentement, nous écarta de la zone de tir. J'étais inquiète. Maddie était vraiment furieuse, et Connor semblait presque indifférent. Il se contenait, serrant les poings de plus en plus fort et voûtant les épaules. Elle l'accablait, mais il tenait bon.

— Il y a quelque chose de pourri au royaume de l'amour fou, souffla Ben.

— Tu es au courant de quelque chose ?

Il haussa les épaules et, dès qu'il fuit mon regard, je sus qu'il était au courant de quelque chose.

— Alors, dis-moi, reprit Maddie. Dis-moi à quel point je me suis trompée sur toi.

— Maddie, je t'assure... je te promets que tu ne t'es pas trompée sur moi. Et encore moins sur nous.

Il la toisa et Maddie se figea. Elle le dévisageait, comme si elle le découvrait pour la première fois. Elle parvint à retenir les larmes qui menaçaient de couler et approcha de lui.

— Parle-moi alors, Connor. Parle-moi de cette femme. Ça me rend dingue d'imaginer que tu voies quelqu'un d'autre.

— Je ne peux pas t'en parler maintenant.

— Tu ne peux pas ? hurla-t-elle. Et je suis censée faire quoi ? Attendre que tu te décides entre elle et moi ? Tu es en pleine étude de marché ?

Connor soupira et passa une main sur son visage. Soudain, je réalisai que la fatigue prenait le dessus sur son agacement. La dernière fois que j'avais parlé à Connor et Maddie, nous étions autour d'une table, buvant un shot de tequila. Tout allait bien. Avaient-ils passé la nuit à se disputer ? Je fronçai les sourcils : Maddie et Connor ne devaient pas se disputer. Parce que, si leur couple improbable mais complémentaire battait de l'aile, je ne donnais pas cher du couple imprévisible et antinomique que je formais avec Ben.

— Je vais prendre l'air, annonça finalement Connor, l'air défait, en torturant une serviette en papier entre ses mains.

— Tu prends la fuite. Encore ! Comme toujours ! Dès que les choses s'enveniment, tu prends la poudre d'escampette, railla ma meilleure amie.

— Crois ce que tu veux, Maddie. Mais cette dispute démontre au moins une chose : tu ne sais rien de ce que je ressens pour toi. Rien du tout.

Il jeta les restes de la serviette en papier qu'il avait massacrée. Ils volèrent en confettis dans le salon tandis qu'il quittait le loft. Maddie, blanche comme un linge au milieu de la pièce, demeura immobile. Ben et moi avions trouvé refuge sur le canapé. Nous étions perdus et ne comprenions pas la scène à laquelle nous venions d'assister. En cinq minutes et deux hurlements, notre aura post-baise intensive venait de disparaître.

— Je vais rejoindre Connor, annonçai-je.

— Tu ne veux pas plutôt t'occuper de Maddie ?

— Je suis la spécialiste de la fuite. Si Connor doit parler à quelqu'un, c'est bien à moi. Fais un café à Maddie, frotte-lui le dos et assure-toi que tout va bien.

Je l'embrassai rapidement sur les lèvres, enfilai ma paire de baskets et attrapai la veste de Ben. Maddie me suivit du regard, toujours muette et tétanisée devant la porte. Je descendis l'escalier aussi vite que possible, avant de me souvenir que Connor préférait le toit.

Je fis le chemin inverse et le retrouvai, assis et grelottant dans le froid de Chicago. J'enfonçai mes mains dans les poches de la veste de mon petit ami et m'assis, sur le sol, près de Connor.

— Tu devrais rentrer, il fait froid. Et je ne suis pas spécialement d'humeur à parler, me prévint-il sans me jeter un regard.

Les yeux rivés sur l'horizon, il prit son paquet de cigarettes et en sortit une pour lui, avant de m'en offrir une autre, que j'acceptai avec joie. Je n'avais pas fumé depuis des lustres, mais j'en gardais un souvenir plutôt bon. J'avais toujours considéré la nicotine comme une sorte de récompense ultime de ma vie merdique et, pendant longtemps, comme ma seule amie loyale et fidèle.

— L'avant-dernière fois que j'ai fumé une cigarette, c'était en sortant d'un poste de police.

Il alluma sa cigarette, puis la mienne. Je pris une longue bouffée de nicotine, admirant la vue de Chicago devant nous. Pour une fois, il n'y avait aucune brume, et un soleil blanc et lumineux éclairait les gratte-ciel.

Une belle journée pour mourir de froid sur un toit, songeai-je. *Connor, ce que tu me fais faire...*

— Tu faisais quoi au poste de police ?

— J'attendais que les services sociaux me récupèrent. Tu es en présence d'une spécialiste de l'évasion des centres d'hébergement. La fuite, ça me connaît !

— Je ne savais pas. Désolé, je ne voulais pas réveiller de mauvais souvenirs.

— Ma vie entière est un mauvais souvenir. Enfin, sauf depuis que je vis ici.

Un petit sourire flotta sur ses lèvres et, dans un geste affectueux, il m'entoura de son bras et m'attira contre lui. Je tremblais de froid, mais j'espérais que notre conversation finirait par résoudre la crise entre Maddie et lui.

— Alors. Ben et toi ? sourit-il.

— Ben et moi. Oui. Ce qui devait advenir est advenu. Il est très... chouette.

— Tu sors avec lui, juste parce qu'il est chouette ? rigola-t-il.

— Tu ne réalises pas à quel point il est dur pour une femme de trouver un homme chouette dans cette ville. Des crétins, des connards, des imbéciles, des banquiers... Ça oui, on trouve. Mais des types chouettes... Vraiment, c'est une quête.

— Je suis sûrement dans la case « crétins ».

— Bien sûr que non. Maddie est juste perturbée de voir son « type chouette » plus tourmenté que d'ordinaire.

— Elle s'inquiète.

— A sa place, je m'inquiéterais aussi. La simple perspective de repartir en quête d'un type chouette doit la mettre de mauvais poil !

Connor haussa un sourcil, puis il tira sur sa cigarette et souffla la fumée au-dessus de lui, perdu dans ses pensées. Soudain, un sourire nostalgique illumina son visage et il soupira.

— Je suis tombé amoureux de Maddie sur ce toit, m'expliqua-t-il. Comme ça. A la nuit tombée, dans un froid sibérien. Le meilleur moment de toute ma vie.

— Je suis tombée amoureuse de Ben ce matin. Dans un lit, au chaud. Ça m'a pris... un clignement d'yeux. Le meilleur moment de ma semaine. Je me laisse une marge pour le « de toute ma vie ».

Une toute petite marge. Je savais qu'il n'y aurait rien de mieux que cet instant précis, avec lui. Il n'y aurait rien de mieux que l'instant de plénitude parfaite, de calme, de confiance, que j'avais ressenti, son corps moulé contre le mien.

— Tu lui as dit ? demanda-t-il.

— Evidemment. Et ensuite, je l'ai crié sur tous les toits, j'ai passé une annonce dans le journal, et CNN va sûrement interrompre ses programmes pour diffuser l'information, ricanai-je.

Je tirai sur ma cigarette, sentant mon cœur s'accélérer rien qu'à l'idée d'avouer mes sentiments à Ben. J'étais la fille fêlée, inconstante et incapable d'assumer quoi que ce soit. L'amour était un concept abstrait pour moi. J'étais à deux doigts de reprendre sérieusement ma consommation de cigarettes.

— Une professionnelle de la fuite, lui rappelai-je. Je suis plutôt du genre à garder tout ça pour moi.

— Il doit savoir.

— Je me protège, Connor. J'ai toujours agi comme ça. Ben est dans ma vie, mais cela m'a demandé du temps avant d'accepter tout ce qu'il pouvait m'apporter. Je ne suis pas prête à dire tout ce que je ressens. Je lui dirai sur mon lit de mort.

— Tu ne crains rien, tu sais. Il est dingue de toi. Il te suit du regard en permanence. Il ne parle que de toi.

— Il faisait ça aussi avec Jenny, rétorquai-je.

— Pas avec cette lueur dans le regard. Et crois-moi, je connais cette lueur.

Nous échangeâmes un regard entendu, puis je haussai les épaules. Je ne craignais pas la réaction de Ben si jamais je lui avouais mon amour fou. C'était moi et mon esprit tordu, avec une tendance nette à tout gâcher, que je redoutais.

— Bon, peux-tu me dire ce qu'on fait ici à se geler les fesses ? lançai-je pour reprendre le but initial de ma visite sur le toit.

— Je réfléchis. Je repensais à mon histoire avec Maddie.

— Interdiction de parler au passé ! Maddie et toi êtes la preuve vivante que l'ONU a raison de se battre pour la paix dans le monde. Vous êtes... presque des modèles pour moi.

— C'était simplement une façon de parler, me rassura-t-il. Maddie a tort, il n'y a personne d'autre. Elle est la seule à mes yeux, depuis cette fameuse nuit sur ce toit. La seule qui me rend heureux, la seule qui m'inspire en cuisine. La seule, répéta-t-il, pensivement.

— J'avais compris. Tu ne fuis pas, tu lui caches quelque chose.

— Perspicace, me complimenta-t-il.

— Expérimentée. Ma vie a toujours été un grand chaos. Je sais fuir, je sais mentir, je sais cacher des choses.

Connor soupira, puis tira une dernière fois sur sa cigarette avant de l'écraser. Il ramena ses genoux contre son torse et, le regard tourné vers les gratte-ciel, demanda :

— Que dirais-tu si on te proposait de partir à des milliers de kilomètres d'ici ?

Mon cœur loupa un battement. Je me sentis blêmir, et le goût de la nicotine sur ma langue n'était soudainement plus si agréable. Malgré le sol dur et froid sous mes fesses, j'étais heureuse d'être assise.

— Vous... Vous allez... partir ? l'interrogeai-je d'une voix blanche.

— Je ne sais pas. Je... J'ai toujours rêvé d'avoir mon restaurant, et voilà qu'on me propose de prendre la tête de la brigade d'un restaurant étoilé à Londres.

— Connor, tu t'es déjà tellement investi dans ton restaurant. Et Maddie travaille là-bas aussi. C'est...

— ... un vrai bourbier, résuma-t-il en enfonçant ses mains nerveusement dans ses cheveux. Je ne veux pas perdre Maddie. Je le sais. Mais cette opportunité est tellement incroyable.

J'écrasai ma cigarette et en pris une autre dans le paquet posé devant moi. Connor en porta une à ses lèvres et sortit son briquet. Il alluma ma cigarette, puis la sienne. Maddie avait été ma seule véritable amie depuis des années. Son départ pour Houston était déjà horrible pour moi... mais la savoir en décalage de plusieurs fuseaux horaires était insupportable.

— C'est ma meilleure amie, tu sais, repris-je.

— Je sais. Ne m'en veux pas, je tente vraiment de trouver la meilleure des solutions. Mais je ne veux pas lui en parler pour l'instant, c'est trop compliqué.

— Alors tu préfères que vous vous disputiez pour un malentendu idiot ? Elle t'aime, crétin. Tu lui dirais de rejoindre l'Australie à la nage qu'elle le ferait.

— C'est injuste pour elle, soupira-t-il en allumant une autre cigarette. Ce boulot va me prendre tout mon temps.

— Tu dramatises. Rien n'est jamais parfait, Connor. Mais vous avez la chance de vous être trouvés. Parle-lui. Et offre-lui un bijou hors de prix pour te faire pardonner, suggérai-je.

— Ça ne résout pas mon problème.

— Ton problème est insoluble. Tu cherches une solution idéale, où il n'y en a pas. Et en plus, tu risques d'attraper la grippe avec ce froid.

— Y a des chances, oui. Mais comment lui demander de tout quitter, encore, pour moi ?

— Epouse-la. Si elle dit oui à ce genre d'aventure, c'est qu'elle est prête à tout.

— Je lui ai promis de ne jamais la demander en mariage, contra-t-il avec un sourire heureux.

— Promets-lui de l'aimer même quand elle ne sera pas parfaitement épilée et qu'elle sera énorme à cause de vos jumeaux. Je t'assure, ça fonctionne tout aussi bien !

Il éclata de rire et me serra contre lui. Nous restâmes silencieux de longues minutes, tirant chacun sur notre cigarette. J'imaginais ce que devait ressentir Maddie, partagée entre inquiétude et incompréhension.

— Je comprends mieux Ben, quand il dit que tu es surprenante.

— Et encore, le pauvre, il n'a rien vu, admis-je. J'adore le déstabiliser et le faire rougir, cela m'amuse beaucoup.

— Tu comprends que je suis obligé de te dire que si tu lui brises le cœur...

— ... tu me casses les jambes ?

— Aussi. Et tu me fais perdre deux cents dollars contre ma presque femme. Sois gentille avec lui, il débute dans tout ce bazar.

— Non, *je* débute, lui fis-je remarquer.

— Je parlais des relations... contre-nature. Je commence tout juste à prévoir les réactions de Maddie. Je pense donc que Ben va sûrement mettre au moins dix ans à comprendre les tiennes. Promets-moi d'être indulgente.

— Promis. Tu sais que toute cette conversation serait aussi palpitante au chaud et avec une bouteille de tequila ?

— Possible. En tout cas, je suis soulagé que Ben t'en ait parlé, dit doucement Connor en écrasant sa cigarette.

Je me tournai vers lui et secouai la tête.

— De Londres ? Pourquoi m'en aurait-il parlé ?

Et, à l'instant où la question franchit mes lèvres, je compris où il voulait en venir. De stupéfaction, j'en lâchai ma cigarette. Mon estomac entama une petite pirouette qui me donna la nausée.

— Merde, murmura Connor. Je pensais que... Je me disais que tu étais montée ici parce que tu savais.

— Qu'est-ce que je dois savoir ?

— Rien, je t'assure.

Il se leva précipitamment et essuya son pantalon dans un geste qui trahissait son anxiété. Mon cerveau turbinait à toute allure, et les mots se bousculaient dans ma bouche.

— Connor, je sais reconnaître une personne qui prend la fuite. Dis-moi ce que je dois savoir, lui intimai-je sèchement.

— Ben doit t'en parler. Vous êtes ensemble maintenant, ça change tout.

— Tu lui as proposé de venir avec toi, c'est ça ? demandai-je en me levant à mon tour.

— Ash, ce n'est qu'un vague projet. Ben avait l'air intéressé, mais c'était avant votre... officialisation. Maintenant, c'est à vous deux de décider.

— Ce qui veut dire que, en fait, tu es totalement décidé ? Tu veux vraiment partir là-bas ?

— Ecoute, c'est une formidable opportunité. Je n'ai aucune idée du choix que je vais faire. Mais Ben... Ben est un excellent pâtissier ; pour lui, un poste en palace serait un formidable tremplin. Je me suis dit que... J'ai pensé que, si vous n'étiez toujours pas ensemble après tout ce temps, je ne craignais rien à lui en parler.

Je tremblais toujours, mais pas de froid. Je frissonnais de nervosité, d'angoisse, de la sensation désagréable d'avoir été prise au piège. Connor se perdait dans ses explications, tentant de se justifier. Il avait raison sur un point : Ben aurait dû m'en parler.

Au moins par amitié, au moins pour la nuit dernière, au moins parce que nous partagions ensemble les quelques factures du loft.

— Et pour Maddie ? m'enquis-je, d'une voix cassée.

— Je vais suivre ton conseil.

— Pour le bijou hors de prix ?

— Pour l'épouser. Pour qu'elle comprenne qu'il n'y a qu'elle dans mon monde et que, sans elle, je ne suis pas grand-chose. Pour qu'elle sache que je l'aime, elle, et pas une autre.

— Je suis d'accord, fit la voix de Maddie derrière nous.

Connor pivota lentement, pour lui faire face. Maddie grelottait de froid, son visage couvert de larmes et ses poings serrés autour des manches trop longues d'un pull qu'elle avait dû emprunter à Connor.

— Depuis quand es-tu ici ? demanda-t-il.

— Depuis ta deuxième cigarette.

La panique se peignit sur les traits de Connor, qui, figé, ne parvenait même plus à articuler un son.

— Et je suis d'accord, annonça Maddie. Pour le palace, précisa-t-elle. Pour tout quitter encore. Pour être avec toi.

Je resserrai la veste de Ben autour de mes épaules. J'avais la sensation d'assister à un moment trop intime pour être partagé. Je m'éloignai sans un bruit, pendant que les pas de Connor résonnaient sur le toit.

— Et pour t'épouser aussi, ajouta Maddie avec une fêlure dans la voix.

C'était quoi le 9 vertical déjà ? Ah oui... « écœurant ».

Chapitre 9

- *Eviter les lacs et, de manière générale, tout ce qui pourrait de près ou de loin être considéré comme une arme. Réussite estimée à 50 %*
- *Trouver ma feuille d'impôts. Dossier jaune, sous dossier orange dans la grande armoire. Réussite estimée à 100 %*
- *Apprendre à danser. Du moins, à dompter mes pieds, mes jambes et le reste. Au pire, apprendre la parade amoureuse du paon. Echec prévisible*

Connor marchait de long en large devant moi. Et son manège durait depuis presque quinze minutes.

— J'ai changé le canapé, je n'aimerais pas devoir changer le tapis, dis-je finalement, les yeux rivés sur une grille de mots croisés.

Il ne prit même pas la peine de m'adresser un regard et se contenta de se décaler, reprenant ses allées et venues sur le parquet. J'entendis Ashley rire dans la chambre. Elle discutait avec Maddie, dissipant ainsi les dernières traces de la dispute que cette dernière avait eue avec Connor.

— Je n'arrive pas à croire que j'ai fait ça, marmonna mon meilleur ami.

— Ça quoi ? Accepter l'offre du palace ou parler sans vérifier qui est derrière toi ?

— Je l'ai demandée en mariage ! s'écria-t-il brutalement. En mariage !

— Merci, grâce à toi, je viens de trouver le 2 vertical qui me manquait. Ahurissement, annonçai-je triomphalement en le notant dans la grille.

— Sur le toit. Je l'ai demandée en mariage sur le toit.

— Techniquement, tu ne le lui as pas vraiment demandé, pondérai-je, les yeux sur le journal.

Connor cessa de marcher et vint s'asseoir près de moi. Il bascula la tête en arrière, ferma les yeux et poussa un gémissement de lassitude. Je retins un rire et me concentrai sur la définition du 8 horizontal.

— Je l'ai demandée en mariage sur le toit.

— Techniquement...

— Oui, je sais, me coupa-t-il. Attends, ça compte quand même, non ?

Il se redressa vivement, me fixant comme si j'étais l'oracle suprême qui détenait la réponse. Je soupirai et abandonnai ma grille de mots croisés. Connor paniquait, et ça m'exaspérait. Il était adulte, il aimait Maddie, il vivait avec elle. Il n'avait aucune raison de s'angoisser.

— Je ne sais pas, Connor. Pourquoi n'irais-tu pas poser la question à ta fiancée ?

— Peut-être parce qu'elle est capable de me tuer si je simule une soudaine crise d'amnésie qui m'aurait fait oublier ce que j'ai fait là-haut ?

— Connor, tu n'as pas commis un meurtre. Tu as demandé à ta petite amie de t'épouser. Je comprendrais que tu sois catastrophé si elle avait refusé, mais elle a dit oui. Et elle a dit oui à tout, y compris quitter le pays et sa famille pour te suivre dans ton nouveau projet.

— Et sa famille, répéta-t-il, les yeux dans le vague. Bon sang, Austin va me massacrer ! s'exclama-t-il brutalement.

— Il va falloir que tu m'expliques : tu voulais demander

Maddie en mariage et, maintenant qu'elle t'a mâché le plus gros du travail, tu... tu doutes ?

— J'avais un plan, expliqua-t-il.

— Tes plans sont toujours foireux, ricanai-je.

— Je devais lui demander et elle devait refuser. Maddie a toujours dit qu'elle ne voulait pas se marier. Après ça, je lui aurais demandé de me suivre et, sous le poids de la culpabilité d'avoir refusé de m'épouser, elle m'aurait suivi. Et nous aurions été heureux pour toujours... dans un célibat officiel et un cycle éternel de baise officieuse.

— C'était ton plan ? m'étonnai-je dans un rire.

— Un plan parfait, renchérit-il.

— C'est de la manipulation, Connor.

— Bienvenue dans la vie de couple. Tu verras, ça t'arrivera aussi. Tu finiras comme moi, assommé dans ce canapé et te questionnant sur les mystères de l'univers.

— J'ai déjà été ravagé sur un canapé et en bisbille avec l'univers, il y a quelques mois, lui fis-je remarquer. Donc tu ne veux pas te marier avec Maddie ?

— Si. Mais je ne veux pas du « mariage ». Je suis d'accord pour la bague, pour... la fête et même découper le gâteau...

— Je ferai le gâteau, l'interrompis-je avec un sourire.

— ... Mais je ne suis pas prêt pour une vie planifiée et du sexe deux fois par semaine.

— Tu vas te marier, Connor. Pas intégrer Alcatraz en cherchant à tout prix à t'en échapper. Je trouve que tu dramatises la situation.

— Tu n'as aucune idée de la situation. Tu es en couple depuis moins de vingt-quatre heures !

J'étouffai un nouveau rire. Il n'y avait pas si longtemps, Connor estimait que j'avais suffisamment d'expérience en vie de couple pour lui distiller quelques conseils de sagesse. Je me relevai du canapé et me dirigeai vers la cuisine.

De la chambre de Maddie, j'entendais toujours les rires

d'Ashley. Nous devions partir du loft dans moins d'une heure pour assister à la représentation.

J'avais donc une heure pour refaire son dessert, dans le vague espoir de le manger avec elle et sur elle cette nuit. Connor marmonnait toujours, assis sur le canapé. Il était donc possible de voir un homme à la fois heureux et désarmé.

— Tu veux boire quelque chose ? proposai-je pour lui changer les idées.

— Tu as de l'arsenic ? Des anxiolytiques ?

— Désolé. Pour toi, j'ai soit de la verveine, soit de la tequila.

— Tequila alors, soupira-t-il.

Il me rejoignit en cuisine et s'installa sur un tabouret face à moi. Je cassai le chocolat en morceaux et le disposai dans un bain-marie. Puis je sortis la tequila du réfrigérateur et nous servis deux verres.

— Ça lui a plu ? demanda-t-il.

— Je crois, murmurai-je dans un petit sourire.

— Je parlais du dessert... pas du truc cochon que tu es en train d'imaginer en ce moment.

— Des trucs cochons, corrigeai-je. Au pluriel.

Connor grimaça, avant d'éclater de rire. Je cassai les œufs, les séparai et montai les blancs en neige. Mon ami avala son shot de tequila d'un trait et grogna à la brûlure de l'alcool dans sa gorge.

— Tu vois, je ne suis pas marié avec elle que j'ai déjà perdu l'habitude de boire de la tequila.

— La tequila est le fil rouge de votre histoire. D'ailleurs, je devrai y réfléchir, quand je ferai ton gâteau.

Il se versa un deuxième verre, et j'en profitai pour ajouter le sucre dans les blancs. Connor me fixait, et je savais que je n'échapperais pas à une nouvelle approche. Maintenant qu'il assimilait son mariage avec Maddie, il s'attaquait à un nouveau défi.

— Je ne plaisantais pas, dit-il finalement. Nous faisions une superéquipe ici, je suis certain qu'on peut en faire autant là-bas.

— Tu as vingt-quatre heures de retard, répondis-je. Je ne suis plus seul maintenant.

— Tu veux dire que, si je t'en avais parlé plus tôt, tu aurais accepté ?

— Ce n'est pas vraiment...

— Ben, j'ai besoin d'un second. Et tu es un excellent pâtissier. On me donne carte blanche pour monter ma brigade, ne me force pas à employer le chantage pour parvenir à mes fins. Je peux être très...

— Ça n'aurait rien changé, le coupai-je un peu sèchement.

Il cligna des yeux plusieurs fois, comme s'il tentait de comprendre. Je vérifiai la consistance du chocolat. Avec un peu de chance, Ash allait surgir et mettre un terme à cette conversation. Avec un peu de chance, Connor comprendrait que j'étais dans la même situation que lui : désormais, mes choix ne dépendaient plus exclusivement de moi.

— Tu veux dire que pour Hurricane Ashley tu resterais ici ?

— Ne l'appelle pas comme ça. J'aime Chicago et j'aime vivre ici avec elle. Je ne veux pas lui imposer quoi que ce soit. Surtout maintenant. Je n'ai pas ton don pour les plans parfaits et les manipulations douteuses.

— C'est donc elle que je dois convaincre, en fait.

— De la part de l'homme qui ne voulait même pas parler à sa fiancée de peur qu'elle ne décampe, me moquai-je.

— Tu es en train de me feinter.

— Parfaitement. Et j'ai un dessert à faire pour ma petite amie, tu permets ?

— Tu sais quoi ? Tu es déjà marié, à l'intérieur de toi. Tu lui as fait un dessert, vous avez acheté un canapé ensemble. Et je suis à peu près sûr qu'elle porte tes fringues régulièrement.

— La tequila fait son petit effet, on dirait. Tu es beaucoup plus détendu !

— Double-feinte, s'écria-t-il en pointant ses index vers moi. J'ai donc raison.

Il prit les deux bergamotes qui étaient dans le saladier à fruits et entama une séance de jongle approximative. Je repoussai mes deux préparations et posai mes mains sur le bar, me cramponnant au rebord.

— Ma vie est ici, Connor. Il n'y a pas que Ash. Il y a le restaurant, mes amis et même ma mère.

Il reposa les bergamotes sur le bar et approcha son visage du mien. Son regard pétillait d'amusement, et il secoua la tête en faisant claquer sa langue contre son palais.

— Je te parle de carrière, Ben. De succès, de guides prestigieux. Je te parle de faire la cuisine que tu aimes. Ce qui te fout la trouille, ce n'est pas de quitter le pays, c'est d'embarquer Ash.

Alcoolisé, Connor devenait étonnamment perspicace.

— Je vis avec elle depuis six mois. Et je suis avec elle depuis moins de vingt-quatre heures. Dire que notre relation est fragile est un euphémisme. Je marche sur des œufs. Elle n'a aucune confiance en elle. Je ne peux pas lui demander ça, Connor. Je ne peux pas lui demander de tout quitter pour moi.

— Et dans six mois ?

— Dans six mois ? Bon sang, Connor, je ne sais même pas si nous passerons le cap des six prochaines heures. J'adore Ash, mais elle est imprévisible et déroutante. Je n'ai aucune feuille de route.

— Tu l'aimes à ce point alors ?

— Tu aimes Maddie au point d'avoir manqué de ruiner votre histoire. Et au point de vouloir l'épouser.

Je haussai un sourcil, fier de mon argumentation. Mon

meilleur ami s'affaissa un peu sur son tabouret et soupira. Soudain, un petit sourire éclaira son visage.

— L'amour, c'est de la folie douce, lâcha-t-il, pensif. C'est de Sophia. C'est ce qu'elle a dit à Maddie pour la faire revenir ici et me donner une seconde chance.

— C'était au moins ta centième chance, fit la voix de Maddie derrière lui.

Elle s'assit près de lui et tira vers elle le bol rempli de chocolat chaud fondu. Alors qu'elle s'apprêtait à y plonger le doigt, je récupérai ma préparation et fis non de l'index avec un air sévère.

— C'est pour Ash. Pour son dessert.

Et sans raison, je me mis à rougir comme un adolescent. Comme si parler de ce dessert devant Maddie et Connor officialisait ma relation avec Ashley. Je leur tournai le dos, posant mes deux préparations sur le plan de travail.

Quand je me tournai à nouveau, Maddie et Connor se dévoraient des yeux, frôlant l'indécence et l'attentat à la pudeur. J'émis un grognement de dégoût, auquel mon meilleur ami répondit en levant un majeur dans ma direction.

Pendant que je préparais la coque en nougatine, je les écoutais d'une oreille distraite. J'avais tenu la distance avec un Connor sous tequila et fatigué mais, avec une Maddie intelligente et toujours prête à argumenter, j'étais en position de faiblesse.

— Il ne veut pas venir, se lamenta finalement Connor sur un ton plus haut que nécessaire.

— Il n'est pas sourd, lui fis-je remarquer.

— Non. Mais il est amoureux. Et cela fausse complètement son jugement, objecta-t-il.

— Je ne suis pas...

— Ne termine pas cette phrase, me conseilla Maddie. Tu es à deux doigts d'être l'homme idéal et tu vas ruiner tout ton potentiel si tu finis cette phrase.

Elle m'adressa un regard lourd de reproches, pendant que Connor, ravi, croisait les bras sur sa poitrine avec fierté.

— Je ne suis pas aveuglé, finis-je. Je veux rester ici. Je veux être avec Ashley, et notre relation est pour le moment trop fragile pour que je prenne le risque de tout abandonner.

— Ça se comprend, acquiesça Maddie.

— Ça se comprend ? ! s'écria Connor. Mais il est en train de tout gâcher : sa vie, sa carrière... pour...

— Ne finis pas cette phrase non plus, le prévint-elle. Je sais depuis quelque temps que tu n'es pas l'homme idéal, mais je tiens à préserver ton image de prince charmant devant un public.

— Je trouve ça ridicule, soupira-t-il finalement.

— C'est mon choix, affirmai-je avec force. C'est trop tôt pour nous deux. On est ensemble depuis...

— Six mois, termina Connor pour moi. Vous vivez ensemble ici. Vous pourrez vivre ensemble là-bas. Et, si tu y tiens vraiment, tu pourras l'épouser et entamer une campagne massive de reproduction de petits Ben rougissants.

— La ferme, râlai-je, mécontent. Fin de cette conversation. Je resterai ici, parce que Ashley est là et que je ne peux pas l'entraîner dans ce genre de projet. Je veux lui offrir un peu de... normalité.

— Et voilà comment il manqua, de peu, le titre d'homme idéal de l'année, se désola Maddie. C'est une mauvaise raison, Ben. Ashley n'a pas besoin de normalité, elle ne rêve que d'extraordinaire. Promets-nous au moins d'y réfléchir.

— Reparlons-en dans quelques mois, proposai-je pour terminer cette conversation. Où est Ash ?

— Elle tente de trouver une tenue pour votre soirée. J'ai abandonné quand elle a voulu enfiler ses après-ski.

J'éclatai de rire en même temps que Connor. L'atmosphère s'allégeait enfin. Je mis ma nougatine dans le four et terminai ma mousse au chocolat. Dans le reste de chocolat fondu, je râpai un zeste de bergamote sous l'œil attentif de Connor.

— Tu travailles après-demain ? demanda-t-il.

— Oui. Mais je peux tout de même vous accompagner à l'aéroport.

— Je le ferai, proposa Ash en apparaissant dans le salon. Je décalerai ma garde du matin.

— Tu as encore des gardes ? s'étonna Maddie. Je croyais que tout s'arrêtait après ton examen.

— Je fais encore deux semaines, ensuite, ils doivent m'embaucher sur un poste aux urgences.

J'échangeai un regard avec Connor, et je compris instantanément pourquoi il ravalait un rire amer : voilà que j'étais cloué pour de bon à Chicago. Sans le savoir, Ashley venait de clore le débat.

— Tu avais dit pull et jean. Tu n'as jamais mentionné le port d'accessoires.

— Tu l'enlèveras sur place. C'est pour préserver la surprise, expliquai-je avec patience.

Elle me tourna le dos, se pliant de mauvaise grâce à mes instructions. Je glissai le masque de nuit sur les yeux d'Ashley. Elle ronchonna pour la forme, et je posai mes mains sur ses épaules tendues.

— Je suis certain que cela va te plaire. Fais-moi confiance.

— Un club échangiste ?

— Non, soupirai-je. Quel genre de mec inviterait une fille pour un rendez-vous dans un club échangiste ?

— Connor ? tenta-t-elle en étouffant un rire.

— Je suis dans la pièce. Et j'approuve totalement cette réponse, s'écria-t-il en dévorant un vieil Agatha Christie.

— Arrête de rêver, rétorqua Maddie en lui lançant un coussin au visage.

— Tu n'es pas obligée de m'accompagner.

— Et je ne suis pas obligée de coucher avec toi durant les trois prochains mois.

Ashley rit doucement, et j'attirai son dos contre mon torse. Mes bras entourèrent sa taille. Elle se détendit contre moi, mais sa nervosité était toujours présente. Je déposai un baiser dans son cou, et elle enroula son bras autour de ma nuque.

— Fais-moi confiance, répétai-je.

— On ne va quand même pas sur le toit ? demanda-t-elle, inquiète.

— Non, assurai-je. Il fait trop froid. Et le toit est réservé à Maddie et Connor.

— Et quel est notre endroit à nous ?

— Je t'y amènerai le moment venu. Mais pas ce soir. Puis-je entrer dans ta chambre ?

Elle se tourna vers moi, le masque sur les yeux, un sourire amusé sur les lèvres. Je me sentis rougir et ma gorge s'assécha. Avec ma chance, même les yeux bandés elle avait deviné ma timidité légendaire et mon embarras envahissant. Elle posa ses mains sur mon torse et évalua ainsi la distance entre nous deux. Sa bouche se posa contre mon oreille et son souffle chaud, et un peu trop rapide, me fit frissonner.

— J'espère bien que tu entreras dans ma... chambre, d'ici la fin de la soirée.

— C'est très inconvenant d'imaginer ce genre de... choses, bégayai-je.

— Fais-moi plaisir, sois inconvenant.

— Bien. Je vais aller chercher ton manteau et ton écharpe.

Je pris ses mains dans les miennes, déposai un baiser dans le creux de sa paume gauche et la laissai debout près de l'entrée. A son froncement de sourcils, je sus que ce n'était pas vraiment ce qu'elle avait imaginé. Je récupérai le nécessaire dans sa chambre, admirant au passage nos photos prises à l'aéroport coincées sur les bords de son miroir.

A mon retour dans le salon, elle avait repoussé le masque sur son front et tapait du pied avec impatience. Je lui offris son manteau, et elle leva les yeux au ciel devant mon geste de galanterie.

— Je sors avec un évadé du XIXe siècle, se désespéra-t-elle. Est-ce que le mot « suffragette » te dit quelque chose ?

— La dernière fois que j'ai vérifié, être galant n'était pas en désaccord avec les droits de la femme.

— La dernière fois que tu as vérifié ? Tu veux dire juste avant l'élection de Lincoln ?

— Non. Juste avant de prendre un bain avec toi et de te masser les pieds.

— Bien joué, admit-elle dans un sourire.

Je remis le bandeau sur ses yeux et enfilai mon manteau. Je glissai l'écharpe d'Ashley autour de son cou, avant d'en tirer les pans vers moi pour déposer un baiser chaste sur ses lèvres. J'adorais avoir cette liberté nouvelle avec elle. Pouvoir l'embrasser comme je le voulais, quand je le désirais, sans craindre qu'elle me repousse me remplissait de joie.

— Au zoo ? demanda-t-elle.

— Non.

— A la bibliothèque ?

— Non plus.

— Mon Dieu... On va chez ta mère ?

J'éclatai de rire en imaginant ma mère affrontant Ashley : une petite épreuve pour moi, une menace cataclysmique pour l'humanité. Ashley était imprévisible. Ma mère savait ce qu'elle allait manger dix jours à l'avance. Leurs deux personnalités étaient aux antipodes l'une de l'autre.

— Je ne vois pas ce qu'il y a de drôle, dit Ashley.

— Ma mère et toi autour d'une table. Il va falloir attendre un peu et que je la prépare.

— Que tu la prépares ? répéta-t-elle.

— A découvrir un autre univers que le sien, un univers en technicolor, à tendance sismique. Ça risque de la chambouler un peu. Regarde déjà dans quel état je me trouve après six mois de vie commune avec toi.

— Et alors, dans quel état te trouves-tu ?

— Je dirais bien un état second... Mais, franchement, c'est plutôt un état dixième, voire quinzième.

Ashley m'offrit un sourire timide pour toute réponse. Je pris les clés de ma voiture et dirigeai ma petite amie vers la porte.

— Mais j'adore ça et j'en redemande, ajoutai-je.

— Je ne sais pas si je vais pouvoir répondre à toutes vos exigences, monsieur Harris.

— Tu y réponds largement. Crois-moi sur parole.

Je saluai distraitement Connor et Maddie pendant qu'Ashley leur disait au revoir d'un grand geste de la main.

Je dirigeai cette dernière vers l'ascenseur, puis dans les couloirs menant au parking de l'immeuble. Ma petite amie fut étonnamment silencieuse. Un tel calme ne lui ressemblait pas, et je regrettais de ne pas voir ses yeux pour sonder son état d'esprit.

Je lui ouvris la portière côté passager et l'aidai à s'installer.

— Ceinture, murmurai-je en tirant dessus.

Je l'attachai et en profitai pour caresser ses lèvres des miennes. Ashley se tendit, surprise, et je m'écartai avant d'aller plus loin. Elle bougonna et souleva le masque, me révélant son regard pétillant, tandis que je m'installais derrière le volant.

— Allumeur, chuchota-t-elle.

— Je voulais m'assurer que tout allait bien. Tu étais étonnamment silencieuse.

— Je réfléchissais, répondit-elle en remettant le masque en place.

— Sur notre lieu de rendez-vous ?

— Sur nous.

Son ton sérieux me surprit, et je fronçai les sourcils. Je n'aimais pas l'idée qu'Ashley cogite sur notre histoire. Tant qu'elle se laissait porter, tant qu'elle m'offrait un peu de confiance, tout allait bien. Mais au moindre doute, à la moindre erreur, je savais qu'elle reprendrait sa liberté, me laissant dévasté et inconsolable sans même un regard en arrière.

— Je me rends compte que je connais la couleur de tes caleçons et que tu parles souvent de ta mère, mais tu ne dis rien sur ton père.

— Il n'y a rien à dire. Je ne l'ai pas connu. Il est mort dans un accident de voiture quand ma mère était enceinte de moi.

— Oh ! désolée, je ne voulais pas remuer de mauvais souvenirs.

— Est-ce que tu veux me parler de ton passé ?

Même si elle était cachée partiellement par le masque, je vis distinctement Ashley se rembrunir. Elle tourna son visage vers la vitre, m'empêchant de la regarder. Arriverais-je un jour à obtenir une information sans avoir la sensation de lui tirer les vers du nez ? Elle poussa un long soupir, avant de se lancer :

— Ma mère était incapable de m'élever. Elle n'a jamais su me dire qui était mon père. J'ai appris à me débrouiller toute seule, à devenir indépendante et à laisser les gens vivre leur vie sans m'occuper de ce qu'ils pensent de moi.

— Vous n'êtes plus en contact ?

— Je pense qu'elle serait incapable de me reconnaître, même si je la croisais dans la rue.

Sa voix se brisa, et elle pinça les lèvres. Elle glissa ses mains sous ses cuisses et soupira lourdement. Je commençais seulement à comprendre pourquoi elle craignait tant de me perdre, pourquoi, à ses yeux, notre amitié comptait plus que tout. La voir si remuée et triste me bouleversa. J'aimais Ashley. Et à ce titre, j'étais autorisé à tuer tous ceux qui lui avaient fait du mal.

— Je suis une âme errante, conclut-elle avec tristesse. Et je ne retiens personne prisonnier, Ben. Jamais.

— Je ne me sens pas prisonnier, ni otage de quoi que ce soit, rétorquai-je vivement. Pourquoi penses-tu à un truc pareil ?

— Parce que je sais que je suis insupportable et imprévisible. Tu connais mon passé, tu sais qui je suis, et la raison pour laquelle je n'ai jamais voulu de vraies relations, c'est que je ne veux pas voir de pitié dans les regards.

— Tu dois mal regarder. Je n'ai jamais ressenti aucune pitié envers toi.

— Ça viendra. Le jour où tu réaliseras que je suis un peu trop technicolor, ou sismique, et que tu voudras une fille normale. Tu douteras, tu prendras des pincettes, tu culpabiliseras de me laisser.

— « Technicolor » et « sismique » étaient des compliments, précisai-je, agacé par la tournure de cette conversation. La nuit dernière, tu voulais être sûre que je n'allais pas partir et, maintenant, tu veux être certaine que je te quitte sans l'ombre d'un regret ?

Je profitai d'un ralentissement sur la route pour repousser le masque qui m'empêchait de voir son regard. Ce n'était pas la Ashley que je connaissais. La femme qui était devant moi avait un regard nostalgique et semblait perdue.

— Tu veux que je te dise ? Tu n'as pas à t'inquiéter de ça. Parce qu'il est fort possible que *tu* finisses par me quitter du jour au lendemain. Je serai trop calme, trop routinier, trop timide pour toi. Tu vas t'ennuyer, tu vas regretter tes soirées tequila, tes mecs d'un soir, ta vie sans attaches. Et tu partiras.

— Impossible. Tu fais des muffins. Et la lessive. Et tu as fait un dessert à mon nom. J'ai un ego plus puissant que ma libido, je resterai tant que tu me flatteras.

— Bien. Alors cesse d'imaginer le pire nous concernant. J'ai mis six mois à t'inviter à un rendez-vous, je ne vais pas lâcher ma proie comme ça.

— Ta « proie » ? Il est temps que Connor reparte de l'appartement.

Elle m'adressa un sourire, et le nuage sombre au-dessus de sa tête s'évapora. Je serrai le volant un peu plus fort, ravalant un soupir de lassitude. J'espérais que la soirée allait nous aider à retrouver une ambiance joyeuse.

— Remets ton masque, dis-je.

Ma voix transpirait d'agacement. Je ravalai la colère inexpliquée qui me gagnait. Ashley révélait une nouvelle facette de sa personnalité, en totale contradiction avec son optimisme habituel. Je détestais qu'elle ait si peu d'estime pour elle et si peu confiance en nous.

— Chez Sher ? tenta-t-elle.

— Parce qu'on s'est rencontrés là-bas ? demandai-je, surpris.

— Je pensais que... J'imaginais qu'on revenait sur les lieux du crime. Je t'avais trouvé plutôt mignon. Pour un type déjà en couple, compléta-t-elle.

— A chaque fois que tu m'as trouvé « mignon », tu étais ivre, soulignai-je. Chez Sher, pour commencer. Puis sur le bar au loft, quand tu as balancé la petite relation clandestine de Maddie et Connor. Et pour te répondre : non, nous n'allons pas chez Sher.

— Alors, quoi ? Restaurant quelconque ? Bar ? Soirée hot-dog sur le port ?

— Non, souris-je.

— Pour un type soi-disant routinier, tu as été très créatif sur ce sujet, s'agaça-t-elle en croisant les bras sur sa poitrine.

— Je peux être créatif sur nombre de sujets.

— J'imagine que tu honoreras cette belle promesse à notre retour au loft ?

— En effet.

Elle releva un coin du masque et me fixa avec circonspection. Je lui adressai un sourire ravi, satisfait que l'ambiance morose laisse place à une atmosphère plus joyeuse.

— Tu ne rougis pas, tu ne bégayes pas, tu es étonnamment confiant. Tu ne parles pas de sexe, conclut-elle.

— Je parle de pâtisserie, admis-je.

Fantasme #485 : ma bouche sur la pointe des seins d'Ashley couverts de chocolat fondu.

— Et maintenant, tu penses au sexe ! s'esclaffa-t-elle en me pointant du doigt.

Je sentis mes joues chauffer et tentai de masquer mon embarras. Pour faire diversion, je lançai l'autoradio et accélérai. Ashley rit un peu plus fort et remit son masque en place. Je secouai la tête pour chasser les images de la nuit dernière, qui revenaient en vagues déferlantes. Je n'avais jamais connu un désir aussi fort pour une femme. Avec Ash, j'étais au-delà de ce stade, j'étais au niveau « définitivement dépendant ».

— Je vais finir par trouver. Près du lac ?

— Non.

— Au musée ?

— Non, ris-je.

— Un cimetière ?

— Dieu tout-puissant ! Mais quel genre d'homme ferait un truc pareil ?

— Gomez, de la famille Addams. Et ça ne fait pas de lui un type bizarre !

— Non, bien sûr ! raillai-je. Donc, non, ni cimetière ni musée. J'espère t'émouvoir un peu, pas t'épouvanter.

— Bien, je joue ma dernière carte : l'observatoire ?

tenta-t-elle dans un haussement d'épaules. Tu es le genre de mec qui amènerait une fille à l'observatoire.

— Je ne sais pas si je dois être vexé ou honoré. Ou juste... abasourdi peut-être, ajoutai-je pour moi-même.

— C'est un endroit romantique, calme, reposant. Amener une fille à l'observatoire, c'est comme lui promettre amour éternel, mariage, et deux enfants et demi. C'est un must, quasiment imbattable, assura-t-elle.

— J'avais un tout petit peu le trac et, maintenant, j'ai carrément la frousse de t'amener là où je voulais.

— Donc c'est l'observatoire, triompha-t-elle en frappant des mains.

— Je vais te décevoir mais, honnêtement, je n'y ai même pas pensé.

— Notre relation est donc vouée à l'échec, soupira-t-elle dramatiquement. Pas d'observatoire, pas de mariage.

— Pour une fille qui prône l'anticonformisme, je te trouve très traditionaliste.

De nouveau, elle repoussa le masque qui cachait ses yeux. Elle me dévisagea, fronça les sourcils et poussa un soupir. Je me concentrai sur la route, la circulation devenant de plus en plus dense au fur et à mesure que nous approchions du centre-ville.

— En fait, nous sommes quasiment mariés, dit-elle en braquant son regard sur les immeubles que nous longions.

— « Quasiment » ?

— On vit ensemble. Tu fais la lessive. On fait des mots croisés. On couche ensemble. Tu prends mes messages. Tu sais que j'aime les fraises Tagada après une grosse journée. On a survécu à l'épreuve de l'achat de meubles. Cette dernière aventure a définitivement scellé notre union, tu ne crois pas ?

— Tu me prends à froid, éludai-je.

— Dans notre cas, le mariage ne serait qu'une régularisation fiscale, assortie d'un diamant énorme.

J'éclatai de rire, bientôt rejoint par Ashley. Après notre conversation un peu trop sérieuse sur notre avenir commun, elle délirait sur une régularisation fiscale douteuse. Ashley, la vie en technicolor et effets spéciaux. Une sorte de grand huit, à l'envers, avec la tête perpétuellement en bas.

— Et c'est moi le cœur de pierre qui manque de romantisme ? Donc je dois te demander en mariage avec ma feuille d'impôts sous les yeux ? m'enquis-je, amusé.

— Disons que maintenant tu ne regarderas plus jamais ta feuille d'impôts sans penser à moi.

— Je pense déjà très souvent à toi. Sans ma feuille d'impôts, ajoutai-je avec un clin d'œil complice.

Imaginer Ashley en future épouse était nouveau et agréable. Mais, sauf catastrophe nucléaire, elle n'accepterait jamais ce genre de demande. Elle était bien trop indépendante pour nouer officiellement et durablement nos deux vies. Elle trouverait une pirouette astucieuse pour s'en sortir.

— Et concernant le diamant ?

— Comment au juste en sommes-nous arrivés à cette conversation ?

— Benjamin Harris, il s'agit de la feinte-double-feinte la plus horrible de tous les temps ! s'écria-t-elle, faussement choquée.

— Ashley Jordan, vous êtes redoutable. Mais que ferais-tu d'un diamant, aussi gros soit-il ?

— Aucune idée. Parfois, au milieu de mon exubérance, je tente de conserver des points de repère de normalité. Histoire de m'intégrer sur cette planète.

— Tu n'es pas une fille à diamant, conclus-je.

— Et pourquoi ?

— Parce qu'une fille à diamant serait obéissante et garderait son masque sur les yeux.

Elle replaça son masque convenablement et m'adressa

un sourire. J'éclatai de rire et bifurquai sur la gauche. Notre destination était en vue.

— Trop facile, commentai-je en prenant sa main dans la mienne.

— Un masque contre un diamant… C'est plutôt moi qui devrais dire « trop facile ».

Je ris à nouveau, puis remontai la longue avenue qui menait à ma destination. Je garai la voiture dans un des parkings attenants et coupai le moteur. Ashley pivota vers moi et sautilla d'excitation sur son siège.

— Je peux l'enlever maintenant ?

— Absolument pas. Je te le retirerai le moment venu.

Je descendis de la voiture, la contournai et ouvris la portière d'Ashley. Elle tâtonna pour détacher sa ceinture, avant de sortir du véhicule. Je capturai sa main dans la mienne, ajustai son masque et la guidai vers le lieu de notre rendez-vous.

— Tu es déjà allée à Paris ? demandai-je.

Elle se figea et s'arrêta net au milieu du trottoir, levant les mains devant elle.

— Le seul homme autorisé à affréter un avion pour une femme est Richard Gere.

— Donc tu es d'accord pour le diamant, mais pas pour l'avion ?

— Ben, je te jure que s'il y a un avion devant moi je t'épouse, sans diamant et sans sous-vêtements affriolants, assura-t-elle en tentant de maîtriser sa panique.

— Au départ, il s'agissait d'une simple régularisation fiscale, et maintenant tu me parles d'affréter un avion pour Paris ? m'étonnai-je dans un rire.

— Au départ, il s'agissait d'une simple colocation, corrigea-t-elle. C'est toi qui as voulu aller plus loin.

— Je vais encore te décevoir : aucun avion en vue. Donne-moi ta main.

Ses épaules se détendirent. Je sonnai à une des portes

dérobées du bâtiment, et nous patientâmes quelques instants. Je retirai son masque à Ashley, qui cligna des yeux devant la soudaine luminosité.

— Où sommes-nous ? demanda-t-elle alors que la porte s'ouvrait devant nous.

— Salut, Ben, pile à l'heure. Et tu dois être Ashley ?

— Euh oui.

Ashley dévisagea la femme devant nous et lui tendit sa main avec réticence. En assistant à cette scène, je me demandai si j'avais réellement eu une bonne idée en amenant ma petite amie ici. Un mauvais pressentiment me disait que j'allais le regretter.

— Bienvenue au Chicago Theatre[1]. Je m'appelle Jenny.

Même sans la toucher, je devinai qu'Ashley se crispait en entendant le prénom de Jenny. Je nouai mes doigts aux siens et sentis une pointe de résistance.

Nous suivîmes Jenny, qui portait déjà ses pointes et son tutu. Elle avait enfilé un gilet épais pour couvrir ses épaules, et son chignon, au sommet du crâne, tenait parfaitement. Nous enchaînâmes quatre couloirs sans âme, avant de parvenir à la grande salle. Ashley embrassa du regard le grandiose du lieu.

— Mais il n'y a personne ! dit-elle finalement à voix basse.

— C'est une des dernières répétitions.

Jenny retira son gilet et l'abandonna sur un des sièges en velours rouge du premier rang. Je l'embrassai rapidement sur la joue et lui souhaitai bonne chance.

— Tu as encore dix minutes, si tu veux faire le tour, déclara-t-elle.

1. Salle prestigieuse, du début du XXe siècle, spécialisée dans les divertissements comme les spectacles de magie, les comédies et les concerts. (NdA)

— Super. Viens par là, dis-je à Ashley en l'entraînant dans la travée principale.

— Où est-ce qu'on va ?

— A Paris !

D'un pas rapide, je la conduisis vers le hall principal. C'était un de mes lieux préférés au monde, me rappelant un tas de souvenirs heureux avec ma mère. Nous descendîmes l'escalier, le bruit de nos pas étouffé par le tapis épais et rouge carmin qui couvrait les marches.

— C'est inspiré de l'Opéra de Paris, dis-je en désignant l'escalier.

Ashley leva les yeux vers le plafond richement décoré et les moulures travaillées. Un sourire se dessina sur ses lèvres ; gagner le jackpot à Vegas ne m'aurait pas rendu plus heureux.

— Quel genre de mec t'invite au Chicago Theatre pour un rendez-vous ? s'interrogea-t-elle, ébahie.

— Celui qui ne peut pas affréter un jet ? Celui qui n'a aucune idée d'où se trouve l'observatoire ?

— Je pense qu'on peut aussi éliminer David Hasselhoff et Gomez de la liste.

Elle approcha de moi et tira sur les revers de ma veste pour m'attirer contre ses lèvres. De toute évidence, sa contrariété d'avoir croisé Jenny s'était dissipée.

— Merci, chuchota-t-elle contre ma bouche.

Je l'embrassai à mon tour, enroulant mes bras autour de ses hanches et la maintenant fermement contre moi. Quand Ashley était contre moi, j'avais la sensation qu'elle ne doutait plus de nous. Elle se laissa aller, m'abandonnant ses lèvres dans un gémissement. Ma bouche longea la ligne de sa mâchoire, trouvant la peau de son cou. Le désir flamba entre nous, et nos respirations s'accélérèrent. Ashley plongea ses mains dans ma chevelure et je finis par m'écarter, à bout de souffle.

Je soudai mon front au sien et fermai les paupières pour tenter de reprendre mes esprits.

— Tu fermes les yeux, s'amusa Ash dans un chuchotis.

— Il y a des choses qu'on ressent mieux les yeux fermés. Viens, on continue.

Je rouvris les yeux, pour constater qu'Ashley conservait les siens clos. Je déposai un baiser affectueux sur son front et souris largement en entendant Ashley soupirer.

— Tu sais ce qui est en train de se passer, n'est-ce pas ? demanda-t-elle.

— J'ai ma petite idée, admis-je.

— Tu vas me ruiner pour les autres hommes.

— Après notre régularisation fiscale, il ne sera plus question des autres hommes. Viens, je veux te montrer le hall de plus près.

Elle rouvrit les paupières et me suivit. Ses yeux s'agrandirent comme des soucoupes quand elle découvrit le hall majestueux. Seuls dans cet endroit, tout nous paraissait encore plus grand. Ashley tourna sur elle-même, les yeux au plafond, son sourire s'élargissant de plus en plus.

— Paris aussi ?

— Chapelle royale de Versailles.

— J'adore quand tu dis des mots érotico-cochons à voix haute. Je présume que faire l'amour contre une de ces colonnes pourrait poser quelques problèmes.

— Tu présumes parfaitement bien.

Fantasme #486 : faire l'amour à Ashley contre une de ces colonnes, jusqu'à entendre ses cris résonner dans le hall.

— Tu es en train de l'ajouter à ta liste ? demanda-t-elle en m'adressant un regard en biais.

— Là encore, tu présumes parfaitement bien. Mais pas ce soir. Il nous reste deux minutes pour rejoindre la salle.

Nous fîmes le chemin inverse, traversant le hall et remontant l'escalier monumental. La main d'Ashley dans la mienne, nous nous installâmes au deuxième rang, profitant d'une salle vide, mais éclairée comme si c'était la première.

L'orchestre était déjà en place, et la troupe des danseurs était sur scène dans l'attente des premières notes.

— Qu'est-ce qu'on va voir ?

— *Le Lac des cygnes.* J'ai pensé que ça pourrait t'intéresser. Jenny répète depuis des semaines.

— Elle... danse ? hésita Ashley.

— Depuis ses quatre ans. Elle fait partie du corps de ballet. Elle est magnifique à regarder, très gracieuse et émouvante. Je suis certain que tu vas aimer.

Les lumières diminuèrent progressivement, et l'orchestre entama le premier mouvement. Je reconnus Jenny dès son entrée en scène, vêtue d'une robe en tulle, colorée et brodée avec soin. Ses pas étaient précis et parfaitement synchrones. La musique me transportait, joyeuse et symphonique. Près de moi, Ashley fixait la scène en fronçant les sourcils.

— Toute la première partie est une scène festive. Le prince fait la fête avec ses amis, expliquai-je.

Elle acquiesça et je repris le fil du ballet. Après une suite de pas particulièrement difficile, je hochai la tête et croisai le regard de mon ex-petite amie. Nous n'avions pas réussi notre relation mais, depuis quelques semaines, nous avions renoué une amitié sincère.

Je trouvai la main d'Ashley et, dans le creux de sa paume, je battis le rythme de la musique. Un bref sourire éclaira son visage, mais elle fixait la scène avec fascination. A la fin de la première partie, la musique se fit plus douce et plus lente.

Je me penchai vers Ashley et lui expliquai les grandes lignes de l'histoire.

— Il rencontre le cygne blanc, Odette. Un sorcier lui a jeté un sort : elle est cygne le jour, femme la nuit. La seule façon de briser le sort est qu'elle trouve l'amour.

— Et donc, ils dansent pour...

— Ils se promettent l'amour éternel.

Ashley se tourna vers moi, et un grand sourire barra son visage. Rendre Ashley heureuse me rendait fou de joie. J'étais fait pour ça : pour la voir sourire et la sentir vibrer entre mes mains. Le reste — ses incertitudes, ses hésitations, ses reculades — n'avait alors plus aucune importance. Je vivais un moment parfait avec elle, et cela valait toutes les tortures du monde.

— *Le Lac des cygnes*, *Dirty Dancing*, même combat, résuma-t-elle.

— Si on veut, oui ! m'esclaffai-je. Ce qui compte, c'est la façon dont le prince met en valeur Odette. Il la vénère, la porte, la soulève, il l'accompagne dans sa danse. Leurs corps sont proches, ils se touchent.

Ashley hochait la tête à chacune de mes explications, son regard suivant les mouvements gracieux du couple de danseurs étoiles.

— Donc, pour toi, l'amour ressemble à... ça ? s'enquit-elle avec curiosité.

— Pas pour toi ?

— Non. Pour moi, l'amour, c'est des post-it sur le réfrigérateur.

— Oh ! revoilà Jenny ! m'exclamai-je en la voyant revenir sur scène. C'est la danse des petits cygnes, sûrement l'un des exercices de danse les plus compliqués. Il faut être synchrones à quatre tout en conservant l'équilibre. Le tout avec grâce et légèreté.

Je souris en voyant Jenny évoluer devant moi. Je l'avais souvent vue répéter cette chorégraphie, devant le miroir de son appartement. Elle s'était exercée, refaisant encore et encore les mêmes gestes, réajustant son port de tête, travaillant ses pointes, comptant religieusement ses pas chassés. J'avais toujours cette même fascination à la regarder. Les danseuses avaient une aura incomparable lorsqu'elles étaient portées par la musique, habitées par la danse.

— Elle a gagné en rapidité, commentai-je. Ses pointes sont parfaites.

— C'est de la torture, riposta Ashley, effrayée.

— C'est de l'art, tempérai-je. Elle n'a jamais aussi bien dansé.

Les mouvements s'enchaînaient. De temps en temps, j'éclairais ma petite amie d'une explication de texte, mais je gardais les yeux soudés à la scène. Je n'avais pas assisté à un ballet depuis des mois, et revoir *le Lac des cygnes* me rendait toujours nostalgique.

— Le prince se confronte au sorcier. Il veut récupérer le cygne blanc et l'assurer de son amour. Je ne sais pas encore quelle fin ils ont choisie.

— Parce qu'il y a plusieurs fins ?

— Comme à chaque histoire d'amour. Le panel va du très joyeux au très dramatique.

Le dernier morceau commença, et Ashley serra ma main un peu plus fort. Ses yeux s'embuèrent de larmes. La grande salle résonna de la puissance des cordes et, sur la scène, le prince et Odette se déclaraient pour la dernière fois leur amour.

— C'est la fin dramatique, expliquai-je à Ashley. Le sorcier est tué par le prince, mais cela n'annule pas le sort. Alors Odette va se noyer dans le lac et le prince, terrassé par le chagrin, meurt aussi dans le lac.

— Mais c'est abominable ! cria Ashley, bouleversée à la fois par la musique et par l'histoire.

— Un peu, oui. Mais leur amour reste éternel.

— Reste éternel... dans un lac. Finis tes phrases, Ben. Et tu me fais voir ce genre de spectacle pour un premier rendez-vous ?

— Euh... oui.

Le cygne blanc fit ses derniers entrechats, et je le suivis

des yeux. Derrière, Jenny faisait partie de la troupe des petits cygnes, qui accompagnait Odette jusqu'à la mort. Je concentrai mon attention sur elle, sur sa grâce innée, sur les mouvements parfaits de ses bras.

— Mon Dieu, murmura Ashley quand les vents se firent entendre en accord avec les violons.

Elle écrasa ma main dans la sienne et se tendit tout entière vers la scène. Le corps de ballet entama une série de fouettés et de pas chassés, faisant ainsi leurs adieux à Odette. Puis, dans une dernière envolée lyrique et puissante, le rideau tomba, et les cygnes disparurent dans un nuage de brume artificielle.

Après un instant de silence stupéfait, Ashley lâcha ma main et se redressa.

— C'était le truc le plus abominablement beau que j'aie jamais vu.

— Je me doutais que ça te plairait ! On pourra revenir pour le vrai spectacle si tu veux, avec les décors et les costumes définitifs.

— Je veux bien.

— Hey ! Ben !

La voix de Jenny me fit pivoter. Elle courut dans ma direction et elle m'étreignit avec force. Elle portait encore son tutu, mais avait abandonné ses chaussons de danse pour être pieds nus.

— Tu as été fabuleuse, la complimentai-je. Et cette danse des petits cygnes, c'était parfait.

— Pas tout à fait, mais ça sera parfait pour la première. Ce sont de nouvelles pointes, elles ne sont pas suffisamment assouplies.

— Il faut que tu les humidifies. C'est ce que ma mère faisait pour les jeunes danseuses. Mais vraiment, tu as très bien dansé. C'était fluide, gracieux.

— Est-ce que tu as le temps pour un verre ?

— Pas ce soir, je vais rentrer avec Ash. Mais que

dirais-tu de demain ? On pourrait aller à ce bar que tu aimes, dans le centre, proposai-je.

— Avec plaisir. Je t'appelle dans la journée, il faut que j'y aille.

Je saluai Jenny, l'embrassant avec chaleur sur la joue. Quand je pivotai à nouveau, Ash n'était plus là. Je remontai l'allée jusqu'au hall, songeant qu'elle était peut-être retournée visiter les lieux, sans succès. Je rejoignis alors l'entrée des artistes et retrouvai Ash, appuyée contre le mur, perdue dans ses pensées.

— Toujours chamboulée ? demandai-je.

— Un peu, oui.

Je retirai ma veste et la posai sur ses épaules. Elle releva les yeux vers moi et, pendant une fraction de seconde, il me sembla percevoir l'ombre d'un mensonge. Mais cette sensation disparut aussi vite qu'elle était apparue. Un sourire éclaira le visage d'Ashley, et elle reprit le contrôle d'elle-même.

— Tu as aimé ? m'enquis-je en nous dirigeant vers la voiture.

— J'ai adoré. C'était génial. Et merci pour les explications, tu es un vrai puits de science.

— Science très limitée au ballet. Ce n'est pas franchement un signe de virilité.

— Et encore, tu n'as plus tes cheveux roses. Je suis d'ailleurs surprise que tu t'entendes si bien avec Jenny.

— Nous sommes amis. Nous avons mis nos différends de côté. Elle était trop étouffante pour moi, et je crois que nous sommes plus heureux amis qu'amants, dis-je en haussant les épaules, désabusé.

— Tu as raison : elle danse merveilleusement bien.

— Merveilleusement, acquiesçai-je. Rentrons, j'ai des projets avec toi.

— Encore ta liste ?

— Fantasme #485. D'ailleurs, on va sûrement se resservir de ça, indiquai-je.

De ma poche, je sortis le masque de nuit et le rendis à Ashley. Elle esquissa un sourire trop rapide, avant d'arquer un sourcil entendu. Elle sortit son téléphone, et j'éclatai de rire en comprenant son manège.

— Bonjour, vous êtes bien sur le portable d'Ashley. Je passe actuellement une nuit débridée de sexe et de débauche avec mon petit ami. Mais chantez-moi *All Night Long*, et peut-être que je vous rappellerai.

Elle coupa son téléphone et le glissa dans son sac.

— Monsieur Harris, je suis toute à vous pour la nuit.

— Seulement pour la nuit ?

— Pour cette nuit, et les prochaines. Indéfiniment.

J'accélérai. Notre nuit allait commencer par un bel excès de vitesse sur l'autoroute.

En technicolor, ma vie est. Amoureux d'elle, je suis.

Chapitre 10

Bonjour, vous êtes bien sur le portable d'Ashley. Je suis dans la chambre de Ben. Nue. Orgasmée. Heureuse. Et, en fait, je n'ai pas vraiment envie de vous rappeler. Mais chantez-moi *Sex on Fire*, et je vous rappellerai peut-être…

— Donne-moi au moins un indice, suppliai-je en passant la porte du loft.

— Je tiens à ménager la surprise. Ne ruine pas tout.

Ben retira sa veste de mes épaules et l'accrocha à une patère. Ben, le seul homme au monde à suspendre sa veste, plutôt que de la jeter négligemment sur la première surface venue. Je devais admettre que j'aimais cette petite manie. Il y avait, chez mon colocataire, une forme d'élégance qui le rendait irrésistible.

Je me débarrassai de mes chaussures et les abandonnai au milieu du séjour.

— Je ne ruine pas tout, repris-je. Je veux juste savoir ce qu'est le fantasme #485. Et éventuellement, je veux bien une liste détaillée des quatre cent quatre-vingt-quatre autres.

— Et qu'en ferais-tu ?

— Je comparerais. Il y a sûrement des choses que j'ai déjà faites.

— Je vais faire comme si tu n'avais pas eu une vie sexuelle débridée avant moi. Sinon, je vais finir moi aussi au fond d'un lac à me morfondre.

— Une petite pointe de jalousie, monsieur Harris ?

— T'imaginer avec d'autres hommes est pénible. Et imaginer d'autres mains que les miennes sur toi est insoutenable. Ce qui me fait songer qu'on devrait envisager cette fameuse régularisation fiscale au plus vite.

Mon cœur s'emballa, et je reculai instinctivement vers le cocon protecteur de ma chambre. C'était une blague. Une horrible blague. Pourtant, je sentais le piège à loup se refermer sur moi, Bientôt, il se planterait dans mon mollet et m'empêcherait de prendre la fuite. Je n'étais pas prête à ça.

— Si tu avais eu un genou à terre, nous aurions pu en débattre, plaisantai-je.

— Si j'avais eu un genou à terre, tu te serais enfuie par l'escalier de secours. Et tu aurais été irrattrapable. Ne me fais pas croire que tu es prête pour ça.

— Et pourquoi pas ?

— Parce que tu te dandines, mal à l'aise, devant moi.

J'esquissai un bref sourire. Ben me connaissait mieux que personne, et cela me rassura. Il lirait toujours en moi, quoi qu'il arrive. Il approcha de moi et entoura ma taille d'un de ses bras. De la poche arrière de son jean, il sortit le masque de nuit que j'avais arboré plus tôt et le glissa sur mes yeux.

— Le jour où tu seras prête, on régularisera. C'est promis. Et tu ne seras plus jamais seule.

— Au moins sur ma feuille d'impôts.

— Tu ne seras plus jamais seule, répéta-t-il à mon oreille dans un chuchotis sensuel. Je ne plaisante pas, Ash.

Je réprimai un frisson, et mes doigts s'enfoncèrent dans ses avant-bras. Sa bouche trouva mon cou, et, lentement, il me fit reculer jusqu'au mur. La fraîcheur des briques me tira un cri de surprise, mais Ben s'occupait déjà de mon pull, me le retirant d'un geste fluide. Dans l'obscurité, mes sensations semblaient décuplées. Je redécouvrais celle du souffle chaud de mon petit ami, le contact de sa peau contre la mienne et même ce parfum entêtant de chocolat fondu qui le suivait partout.

Il déboutonna mon jean et en profita pour passer sa main sous mon T-shirt. Un gémissement lourd m'échappa, et, au loin, il me sembla entendre la sonnerie du téléphone. Ben se figea un court instant, avant de reprendre son exploration, sa main autour de mon sein droit.

Sa joue râpeuse frotta la mienne, et sa respiration haletante trahit son excitation. Il repoussa mon masque sur le front et plongea son regard noisette dans le mien.

— Maintenant, tu vas dans ma chambre, tu retires tes vêtements et tu t'allonges sur mon lit.

— C'est un grand moment, non ? L'instant où je vais franchir le seuil de ta chambre. Tout changera dans notre colocation.

— Je pensais que tout avait changé depuis longtemps.

Son sourire tendre m'atomisa, et je me sentis rougir comme une adolescente. Oubliés les papillons, j'avais une tripotée de rouges-gorges qui batifolaient dans mon estomac en cui-cuitant à loisir.

Il y avait un mot pour ça : archi-cuite.

— Depuis la laverie ? tentai-je.

— En ce qui me concerne, ma vie a changé le jour où je t'ai rencontrée.

— Ah oui ? m'étonnai-je, un peu surprise par son aveu.

— Oui. Pour la première fois de ma vie, j'ai regretté de ne pas savoir danser pour aller te rejoindre sur la piste.

Il y avait un mot pour ça : absolument pas fair-play.

Ben sortait le grand jeu pour moi. Si dans la bouche d'un autre homme, cela aurait pu paraître cliché et faux, je savais que mon colocataire, lui, pensait et pesait chaque mot. Il savait que j'avais besoin d'être rassurée, qu'à la première hésitation je retournerais dans ma zone de confort, loin du loft et loin de lui.

— Va dans ma chambre, je te rejoins dans deux minutes, me promit-il.

— Qu'est-ce que...

— Méthodologie du fantasme #485. Remets bien ton masque.

— Tu veux que je t'attende sur le dos ? Sur le ventre ?

— Sur le dos, pour le moment.

Je m'éclipsai dans sa chambre. Hormis mes incursions illégales et furtives en vue de lui emprunter caleçon et T-shirt, je n'avais jamais réellement pénétré dans la chambre de mon colocataire. Sans surprise, tout était parfaitement rangé.

Et, élément contre-nature entre tous, Ben avait fait son lit. Le mien était un bazar permanent, entre les coussins défoncés disséminés un peu partout, mes livres de cours, mes vêtements et des grilles de mots croisés.

Je me déshabillai entièrement et m'allongeai sur le lit. J'étais toujours mal à l'aise de la tournure de notre soirée. Le ballet était fantastique, mais entendre Ben parler de Jenny m'avait blessée. Le regarder l'admirer m'avait arraché le cœur. Quelque chose de fort les liait l'un à l'autre, et après six mois de vie commune avec Ben — six mois de relation quasi exclusive — voir surgir Jenny m'horripilait.

Maintenant, j'avais le trac. Il y avait eu notre nuit dans la suite, mais cette nuit dans sa chambre allait effectivement tout changer. Cette soirée me faisait déjà voir notre relation d'un autre œil.

La porte de la chambre s'ouvrit et grinça un peu.

— Remets ton masque, m'ordonna Ben.

— D'accord.

Je m'exécutai, et une vague de désir s'empara de moi. L'air était plus lourd, plus électrique, et les mouvements feutrés de Ben autour de moi rajoutaient à la tension ambiante. J'avais la sensation d'être une proie à la merci de son prédateur.

— Tu es à l'aise ? s'enquit-il.

— Tes draps sentent l'adoucissant. J'ai l'impression d'être la fichue ménagère dans une pub porno pour lessive.

— S'il y a bien une chose que tu n'es pas, c'est bien une ménagère.

— Ben, ce n'est pas parce qu'on couche ensemble qu'il faut être désagréable avec moi. Je ne suis peut-être pas une pro de la lessive, mais je...

— Chut, fit-il sur mes lèvres. Tu parles dans le vide quand tu es nerveuse.

J'entendis un bruit sourd, comme un objet qu'on posait sur le chevet. Je tournai la tête vivement, intriguée. Laisser mon destin entre les mains de Ben me rendait fébrile. Je tentai de canaliser ma nervosité et agrippai le drap sous moi.

— Il faut que tu apprennes à me faire confiance, Ash. Donc, tu gardes le masque. Et ensuite, tu passeras le reste de la nuit ici.

— On pourra en rediscuter. Mais, étant donné la situation, j'imaginais qu'on pouvait partager la mienne. Pourquoi l'homme veut-il toujours que tout se passe sur son territoire ?

— Parce que tu l’as dit toi-même : mes draps sentent l’adoucissant.

J’entendis un froissement de vêtements et présumai que Ben retirait ses habits. Puis le bas du lit s’affaissa, et une odeur familière chatouilla mes narines. Je me redressai sur mes avant-bras, récoltant un clappement de langue réprobateur de mon colocataire.

— Allonge-toi.

Ses doigts effleurèrent ma cheville gauche et, très lentement, remontèrent le long de ma jambe. Je me tendis et agrippai les draps, les serrant dans mes poings. Un soupir satisfait m’échappa, et Ben reprit son manège : ses doigts firent le chemin inverse jusqu’à la plante de mon pied, avant de reprendre leur ascension.

Le lit bougea de nouveau, et je compris que Ben était au-dessus de moi. Il ne me touchait pas, mais l’image du prédateur refit surface : il évaluait la situation, pendant que je me tortillais comme une âme damnée sur son lit.

— Ouvre la bouche, murmura-t-il.

J’entrouvris les lèvres, partagée entre excitation et inquiétude. Ben était le premier homme à qui je me donnais de la sorte, en toute confiance, dans sa chambre, sans redouter le pire au réveil.

— Plus grand. Voilà, parfait.

Le chocolat liquide et encore chaud me fit gémir. Je basculai la tête en arrière, savourant cette douceur. Ben passa son index à la commissure de mes lèvres, pour effacer une petite trace.

— Encore, murmurai-je.

— Le reste est pour moi.

Sa voix vibra contre la peau de mon cou, et mon cœur, déjà dans un rythme anarchique, vira tachycarde. Mes muscles se détendirent et le désir, chaud et brûlant, remonta de mon bas-ventre à ma poitrine. Haletante, je poussai un petit cri en sentant le chocolat chaud couler entre mes seins. Je tirai sur le drap et murmurai le prénom de Ben.

— S'il te plaît, gémis-je. Je veux te sentir.

— Pas trop vite, mademoiselle Jordan. Je n'en suis pas encore à l'aboutissement de mon fantasme.

Sa langue effaça la larme de chocolat qu'il avait fait couler sur ma poitrine, et mon cœur manqua un battement. Mes poumons me faisaient mal, et je serrai les cuisses pour contenir mon excitation.

Un métal froid glissa sur ma peau, entre mes seins, avant de s'attarder sur mes pointes érigées. La morsure du froid après le contact de la bouche chaude de Ben me fit frissonner. Puis il tortura mon autre sein, avant de descendre jusqu'à mon nombril. Un voile de chair de poule couvrit mon corps, bien vite remplacé par une sensation de plaisir intense.

Ben déposa un peu de chocolat sur mon téton, avant de le prendre entre ses lèvres et de le sucer doucement. De sa main libre, il agaça mon autre sein. Je bougeai sous lui, mon bassin cherchant plus de contact. Je creusai les reins et grognai de frustration quand sa bouche s'éloigna.

— Ouvre la bouche, ordonna-t-il.

Il inséra la cuillère entre mes lèvres, et je léchai goulûment le chocolat dessus. Il repoussa mon masque, et la lumière tamisée de la chambre me fit cligner des yeux.

— Salut, sourit-il.

— Tu me laisses regarder ?

— Je me sens d'humeur chevaleresque.

— Parce qu'il y a des jours où tu n'es pas chevaleresque ? l'interrogeai-je en léchant mes lèvres.

— Tu as une très haute opinion de moi, me fit-il remarquer.

— Tu me supportes depuis plus de six mois. Certains

ont eu la croix de guerre pour moins que ça. Tu es admirable.

— Tu es archi-baisable, contra-t-il.

Cela me cloua le bec, et je restai muette pendant qu'il étalait un peu de chocolat sur mon autre sein. Quand sa langue vint lécher le cacao liquide, une salve de désir me parcourut, et mes doigts se plantèrent dans ses épaules. En retour, il aspira un peu plus mon téton hypersensible, m'arrachant un cri entre douleur et plaisir.

Il libéra mon sein et s'écarta légèrement de moi avant de déposer un baiser furtif sur mes lèvres et d'abandonner la cuillère sur le chevet. Il m'adressa un sourire timide et plaça ses mains dans le creux de ma taille, pour les faire glisser jusqu'à mes cuisses. Je le fixai intensément, scrutant un signe de Benittude.

Benittude : capacité surnaturelle et désuète de Ben à rougir, bégayer, balbutier et perdre tous ses moyens devant moi.

Mais rien ne se produisit. Ben était confiant, sûr de lui et aux antipodes de l'homme qui avait manqué de faire une attaque devant mes petites culottes à la laverie. Il passa le plat de sa main sur ma poitrine, puis mon estomac, avant d'insérer un doigt dans mon intimité. Je tournai la tête et étouffai un gémissement contre l'oreiller.

— Encore, murmurai-je, pantelante.

Il glissa un deuxième doigt, me caressant dans une lenteur insoutenable. J'entendis sa respiration s'accélérer, et il ajusta sa position sur le lit. Loin de se contenter de cette caresse, il trouva mon clitoris et pressa son pouce dessus. Les deux stimulations me firent perdre pied, et mon cœur s'emballa à m'en faire mal. Le désir montait puissamment, vite et violemment.

J'enfonçai mon visage dans l'oreiller, refermai mes

poings sur le drap sous moi et râlai de plaisir quand la bouche de Ben se posa sur mon sexe.

— Merde, jurai-je, extatique.

Sa langue prit la place de son pouce et agaça mon clitoris gonflé. Ses doigts bougeaient en rythme, allant et venant, parfaitement synchrones avec les petits mouvements rapides de sa langue. Il me rendait folle.

— Ben, Ben... S'il te plaît.

Je plongeai mes mains dans sa chevelure, sentant les prémices de l'orgasme brûler mes reins. Il souffla contre mon intimité, et ses coups de langue devinrent plus lents, comme s'il tentait d'apaiser le feu qui m'étreignait.

Il retira ses doigts et, tel un fauve, rampa au-dessus de moi.

Son sexe tendu effleura le mien, et je me figeai, haletante. Un sourire coquin s'étira sur ses lèvres, pendant qu'il déroulait un préservatif sur lui.

— Maintenant, sur le ventre, m'intima-t-il.

Je me tournai et sentis son regard courir le long de mon dos et finir sur mes fesses. Il s'allongea au-dessus de moi, et son sexe caressa mon intimité. J'ajustai ma position à la sienne, creusant les reins, poussant mes fesses vers lui. Je le voulais. Maintenant et tout de suite, dans une étreinte sauvage et chaotique.

Quand il entra en moi, mon corps tout entier se détendit, comme soulagé d'avoir obtenu ce qu'il voulait depuis le début de la soirée. Ben grogna et crocheta ses mains autour de mes hanches. Je me redressai un peu, accentuant le contact entre nos deux corps, et Ben commença à bouger, allant et venant en moi à un rythme beaucoup plus soutenu que ce que j'avais imaginé.

Le désir reprit de plus belle et flamba partout autour de nous. Sa peau chaude glissa contre la mienne, et il mordilla la courbe de mon épaule. Je gémis en retour et me cambrai pour ajuster notre position. Ben accéléra, sa respiration sifflante trahissant son excitation, pendant que je gémissais et murmurais son prénom. Ses mouvements prirent de l'ampleur et devinrent plus rapides et plus saccadés.

Je fermai les yeux, enivrée de plaisir et un peu plus amoureuse de mon colocataire. L'orgasme me frappa brutalement, et je m'enfonçai dans le matelas, rassasiée. Ben jouit quelques secondes plus tard, ses doigts enfoncés dans ma chair. Son corps transpirant couvrit le mien, et il se retira de moi pour se débarrasser du préservatif.

— Il me reste une chose à faire.

Il reprit le chocolat qu'il avait abandonné et en déposa sur chacune de mes fesses, jusqu'à l'intérieur de mes cuisses. Encore assommée par mon orgasme, je réagis à peine et sortis seulement de ma transe quand la langue experte de Ben passa sur mon intimité humide.

Le chocolat n'était qu'un lointain souvenir, disparu sous les coups de langue de Ben et, maintenant, sa bouche me dévorait avec appétit, réveillant une nouvelle vague de désir.

Je me cambrai, la tête contre l'oreiller, les fesses tendues vers mon colocataire. Ben enroula ses bras autour de mes cuisses, accentuant le contact de sa bouche contre mon sexe. Mes poumons me faisaient mal et la tête me tournait un peu. Mais le désir était là, palpitant, coincé entre sa langue, ses lèvres et mon sexe.

Sans me prévenir, il se tourna, dos au matelas, la tête entre mes jambes. Je me retrouvai sur mes avant-bras et mes genoux, regardant avec fascination, le visage de Ben, sous mon sexe.

— Viens sur moi, murmura-t-il.

— Préservatif, Ben.

Ce n'était pas le moment d'oublier l'essentiel. Ma vie

était suffisamment compliquée. Je n'avais pas besoin d'un locataire supplémentaire.

— Tiroir, indiqua-t-il.

A l'instant où je le saisis, Ben enserra mes cuisses et m'attira vers lui. Je me retrouvai face à lui, ses yeux brillants plongés dans les miens.

— Je crois qu'on va aussi réaliser le fantasme # 486.

— Oh. Accessoire ? Position ? Lieu ?

— Position. Déroule le préservatif.

J'ouvris le sachet avec mes dents et plaçai la protection sur son sexe déjà tendu. Il soupira lourdement quand mes mains le touchèrent, me rappelant qu'il était encore... vierge de certaines pratiques.

— Le fantasme #10 va devoir attendre, murmura-t-il.

— Je le crains, acquiesçai-je en plaçant mes hanches au-dessus des siennes.

Je le fis entrer en moi tout en douceur. Allongé et alangui sur le lit, il ferma les yeux, et son visage afficha une expression d'extase. J'ondulai au-dessus de lui, mes poings enfoncés dans le matelas. La pointe de mes seins frôla son torse, et il rouvrit les paupières, un sourire satisfait sur les lèvres. Mes cheveux glissèrent de mes épaules et Ben les repoussa, avant de se redresser pour s'appuyer sur ses avant-bras. Je basculai en arrière, à califourchon sur Ben qui s'était assis sur le lit.

— Là, on y est, avoua-t-il.

Il remua les hanches et m'arracha un cri de plaisir. Le Ben à l'horizontale semblait bien plus doué et adroit que le Ben à la verticale. A méditer.

Il plaça ses mains sur mes hanches, et nous bougeâmes, lentement, à l'unisson, synchronisant nos corps. Cela n'avait plus rien de la frénésie de nos premières étreintes, il s'agissait de prendre son temps, d'harmoniser nos mouvements et de ne faire plus qu'un. La gorge serrée, je m'abandonnai, laissant Ben imposer sa cadence.

L'orgasme montait progressivement, me faisant perdre tout sens de la réflexion.

Il prit mon visage entre ses mains et attira ma bouche contre la sienne. Son sexe allait et venait en moi prodigieusement, sa langue luttait contre la mienne, et un sentiment inédit me saisit.

J'étais définitivement à lui et je finirais sûrement par aller me noyer moi aussi dans un lac d'ici peu pour graver éternellement notre amour. Après lui, il n'y aurait plus d'autres hommes à la hauteur.

Mon petit ami accéléra le rythme, ses mouvements devinrent plus amples et moins tendres. Il abandonna ma bouche et posa son front contre ma poitrine. Il murmura mon prénom et, dans une spirale de désir incandescent, l'orgasme nous emporta et nous vola nos dernières forces. Je m'effondrai sur lui, et il se retira de moi.

Il se débarrassa du préservatif. J'étais éreintée et heureuse. Le corps chaud de Ben se pressa contre le mien, et nous disparûmes sous la couette.

La dernière chose que je perçus avant de sombrer dans le sommeil fut la voix chantonnante de Ben.

— *All night long, all night...*

Au réveil, je me retrouvai seule dans le lit de Ben. L'odeur d'assouplissant avait disparu au profit de nos parfums intimement mêlés et d'une odeur douteuse d'activités adultes.

Et le meilleur dans tout ça, c'est que je n'avais pas ma gueule de bois habituelle post-nuits débridées. Je me souvenais de tout, chaque détail était scrupuleusement gravé dans ma mémoire. Je me souvenais du regard embrumé de Ben après l'orgasme, de ses mains possessives sur moi.

Et pas une once de peur, ni de panique. Je voulais rester dans ce lit pour l'éternité, m'enrouler entre les draps, retenir le parfum de Ben contre moi et hurler, sur le toit, qu'il était à moi.

Je me souvenais aussi de notre rendez-vous, du Chicago Theatre, du ballet... Et de Jenny. Danseuse émérite, d'une normalité éclatante, lumineuse sur scène, chaleureuse, et — cerise sur le gâteau de l'amertume — son ex. Cinq bonnes raisons de la détester. J'enfonçai la tête dans l'oreiller, tentant de refouler la scène horrible qui m'avait fait quitter la salle de représentation.

Il la regardait, elle, avec cette fascination absolue et une pointe de regret. J'avais naïvement cru qu'elle faisait partie de son passé, dans la section « souvenirs désagréables de l'ex hystérique ». Mais l'ex avait muté, comme seuls les aliens savent le faire. Maintenant, elle était dans la section « bonne copine qui danse ».

Et qui danse bien.

Et qui est jolie.

Et qui avait eu le bon goût de la jouer sympa, adorable et serviable en nous invitant à venir la voir.

Voilà ce qui différenciait les femmes des hommes : nous, nous parvenions à repérer une embuscade à des kilomètres. Et Jenny était une fichue embuscade, une menace tapie dans l'ombre, prête à tout pour gagner, un adversaire impitoyable digne d'un film de guerre. Jenny était une mutation extraterrestre potentielle : de petite amie, à ex hystérique, à nouvelle amie pour redevenir petite amie. Je n'aimais pas ça.

Jenny était *Apocalypse Now* et elle pirouettait sur la chevauchée des Walkyries.

Un éclat de rire provenant du salon me tira de mes pensées assassines. Etrangler Jenny avec son tutu n'était pas une solution. Pas plus que de l'étouffer avec ses ballerines ou de la dissoudre au napalm.

Je repoussai les draps et récupérai ma petite culotte et mon T-shirt. Je sortis de la chambre et trouvai Connor en pleine conversation téléphonique. Il m'adressa un signe de la main, m'indiquant d'attendre, mais je secouai la tête et entrai dans ma chambre.

La douche coulait, et un sourire éclaira mon visage. Avec un peu de chance, je pourrais savonner le dos de Ben et lui faire oublier la perfection détestable de son ex.

Je fis coulisser la porte de la cabine de la douche et, une fois que le nuage de buée fut dissipé, je découvris Austin.

Enfin, le sud d'Austin, couvert chastement de mousse parfumée à l'hibiscus. Il sifflotait gaiement, promenant ma fleur de douche, vert fluo, sur son torse musclé. Adieu fleur de douche, sacrifiée sur l'autel de l'indécence.

— J'ai pris ton gel douche, j'espère que ça ne t'ennuie pas ?

Je refermai la porte de la douche vivement et m'y adossai, sous le choc. Austin était sous ma douche. Austin était ici. Mes yeux furetèrent à droite, puis à gauche, à la recherche d'une explication.

Une faille spatio-temporelle ?

Une gueule de bois carabinée qui m'avait fait fantasmer la semaine qui venait de s'écouler avec Ben ?

Une hallucination due à un excès de sexe ?

— Ne sois pas embarrassée, j'ai l'habitude avec les douches communes des vestiaires, lança Austin à travers la porte.

— Je... Je... Je ne m'attendais pas... à toi.

— J'ai vu que tu avais découché, je ne pensais pas déranger.

— Je n'ai pas découché, m'agaçai-je.

— Oh ! fit Austin, peu concerné.

Je levai les yeux au ciel et comptai jusqu'à trois. Austin était un homme, qui plus est un sportif, avec un nombre de neurones inférieur à la moyenne. Il finirait bien par comprendre.

Je poussai jusqu'à dix, tapant mes mains contre la surface vitrée de la douche. Je me sentais mal à l'aise, pétrifiée même à l'idée de parler de ma relation avec Ben. Qu'aurais-je pu en dire ? Hey, au fait, vous savez quoi ? Ben et moi on est en couple. C'était ringard.

Le fait d'être en culotte, avec un Austin nu et couvert de mon gel douche, n'arrangeait rien.

— Oh ! oh... ! s'exclama-t-il finalement. Ben m'a parlé d'une histoire rocambolesque de canapé qui a mystérieusement lâché. J'ai donc enfin une explication.

— Rien à voir, soupirai-je.

Quoique...

— Je vais devoir cinquante dollars à Sophia.

— Vous aussi vous avez parié ? m'étonnai-je.

— Je suis père d'un bébé de deux mois, et ma vie sexuelle n'est pas, comment dire, totalement épanouie dernièrement. On se distrait comme on peut.

Il entrouvrit la porte de la cabine, et son visage à la fois massif et poupon apparut.

— Rassure-toi, je te laisse Céline Dion.

— Trop aimable, raillai-je avec un sourire forcé. Je crois que je vais aller t'attendre dans la cuisine.

Il referma la porte et reprit son sifflotement. Je quittai la chambre et rejoignis la pièce principale. Connor était toujours au téléphone, et je compris qu'il était en pleine négociation pour son départ à Londres. Imaginer ma meilleure amie à plusieurs fuseaux horaires de moi me minait le moral. Je lançai le percolateur, et Connor m'adressa un regard plein d'espoir, avant d'articuler silencieusement un « moi aussi ».

A l'instant où je m'installai au bar, mon mug entre les mains, la porte du loft s'ouvrit, laissant apparaître Maddie, Ben et Sophia, avec son bébé endormi dans les bras. Ben portait une lourde valise, et Maddie, un truc à bébé.

Oui, une nouvelle définition sur laquelle je devais mettre un mot : un truc à bébé.

— Je vais le mettre dans le cosy, murmura Sophia.

Un cosy. Mystère résolu.

Ben s'engouffra dans ma chambre et y déposa la valise de Sophia. Apparemment, je venais d'être dépossédée de ma chambre.

— Et je te laisse ma chambre pour le bébé, indiqua-t-il.

Ben m'adressa un regard, mais je me perdis dans mon café. Je n'étais qu'une pièce rapportée ici, sans lien réel avec Austin et Connor. Donner mon avis ne servait à rien. Connor saisit son café, qui l'attendait, et rangea son téléphone.

Sophia eut à peine le temps de poser le bébé dans son cosy que Connor s'empara de son neveu et le prit dans ses bras.

— Alexander dort, Connor.

— Je te le rends dès qu'il pleure, sourit ce dernier.

— J'ai dormi dix minutes dans le taxi, je ne suis pas d'humeur. S'il pleure, tu te charges de le calmer.

— Maman s'en fait beaucoup trop, dit Connor au bébé. Je m'en occupe, assura-t-il à sa sœur. Fais-toi un café.

Connor cala le bébé dans le creux de son bras et le berça doucement. Je risquai un sourire attendri. Maddie s'assit près de moi, et un soupir trahit son agacement.

— Tout va bien ? m'enquis-je.

— Oui. Juste fatiguée. Et à chaque fois que Connor voit son neveu, il tente de me convaincre de faire un enfant.

— Je le trouve plutôt mignon, dis-je en observant Connor embrasser le front du bébé. Il est peut-être prêt.

— Connor ne sait pas se servir du percolateur. Crois-moi, il n'est pas prêt pour un bébé, assura-t-elle.

Ben avança vers nous, avant de contourner le bar et de m'embrasser dans le cou. Je réprimai un frisson. Ses mains glissèrent sous mon T-shirt et caressèrent mon ventre.

— Au moins, tu as une culotte, murmura-t-il à mon oreille.

— La faute à qui ?

— Sophia avait besoin d'aide pour les valises.

— Toi et ton tempérament chevaleresque.

Il prit mon mug d'entre mes mains et but une gorgée de mon café. Je lui laissai mon tabouret, où il s'assit, avant de m'installer entre ses jambes, en appui contre son torse. Derrière nous, Sophia lança le percolateur qui émit un petit sifflement.

— Vous savez quoi ? Jamais je n'aurais cru qu'un percolateur me rappellerait autant de bons souvenirs.

— Tout est une question de point de vue, pondéra Connor. Cette machine est habitée par le diable !

Alexander émit un petit cri, entre pleurs et sanglots, et, immédiatement, Connor reporta son attention sur lui. Sophia s'installa à son tour autour du bar, à côté de Maddie, et nous dévisagea, Ben et moi.

— Austin me doit donc cinquante dollars.

— Il paraît, oui, éludai-je. Je ne pensais pas que nous suscitions autant d'intérêt.

— Si vous aviez tenu encore deux mois, j'en remportais vingt de plus. Je ne pensais déjà pas attendre un mois.

— Qui te dit qu'il ne s'est rien passé avant ? demandai-je, provocante.

— Il s'agit de Ben. Avec Connor, évidemment, je n'aurais pas eu à attendre vingt-quatre heures, mais Ben est un type bien.

— Et je suis toujours dans la pièce, intervint Connor. Je peux être très patient.

— Maddie, combien de temps avant qu'il ait pris ta culotte en otage ? demanda Sophia en riant.

— Vingt minutes. En voyant large, précisa-t-elle.

— Le plus important c'est que j'ai pris en otage son cœur aussi, râla Connor en approchant de nous.

Il déposa un baiser furtif sur la joue de sa fiancée puis reprit sa discussion à base d'onomatopées niaiseuses avec le bébé.

— Aussi, soupira Maddie avec un sourire heureux.

Ben profita de ce tendre moment de déclarations mielleuses — et qui me donnait un peu la nausée — pour nicher sa tête dans mon cou. Mal à l'aise, je m'écartai et profitai de l'arrivée d'Austin comme d'une diversion. Si je vivais parfaitement ma relation avec Ben, ce soudain affichage me collait la trouille. Cela ressemblait à une officialisation suprême, comme si tout le monde hochait soudain la tête pour donner sa bénédiction à notre histoire.

Personnellement, je plongeais dans ma première véritable histoire avec prudence, un peu comme quand on testait l'eau du bain avant d'y entrer : d'abord le pied et ensuite le reste si la température était bonne.

Derrière moi, je sentis mon petit ami se tendre, et ses mains qui étaient sur mes hanches me quittèrent.

Austin, simplement habillé d'une serviette de bain, nouée autour de la taille, approcha de notre groupe. Il embaumait l'hibiscus et ma crème à l'amande douce pour les mains.

— Je ne comprendrai jamais pourquoi cet enfant vomit sur son père, dit-il en regardant son fils.

— Tu te sens mieux ? demanda Sophia en souriant.

— En tout cas, maintenant, je sens bon.

— Ben m'a aidée pour la valise, tout est dans la chambre si tu veux t'habiller.

Je me demandais ce que j'avais loupé. Que fichaient Austin et Sophia ici ? Aux dernières nouvelles, ils vivaient en Californie, organisaient des barbecues dans leur jardin immense et sirotaient des cocktails autour de leur piscine, filtrée avec des produits naturels et honteusement chers.

Et tout ça, en plein mois de novembre. Et Sophia était encore plus mince qu'avant sa grossesse.

Non, je ne les jalousais pas. Ma réserve de jalousie était entièrement vouée à Jenny depuis hier soir.

— Tout va bien ? m'interrogea Ben, alors que je me perdais dans mes réflexions.

— Oui. Mais... Qu'est-ce qu'Austin et Sophia font ici ?

— Visite surprise. Ils ont prévenu à l'aube ce matin. Tu dormais, je n'ai pas voulu te réveiller.

A nouveau, il tenta de m'embrasser dans le cou, mais j'esquivai son geste. Il soupira mais, quand je tentai de m'échapper de son emprise, il me retint contre lui avec autorité.

— Ne bouge pas, chuchota-t-il.

Austin réapparut avec un grand sourire sur les lèvres. Son T-shirt noir était tendu sur ses pectoraux, et ses biceps gonflés menaçaient d'en déchirer les manches courtes. Il se posta devant le bar, dominant notre petit groupe. J'avais un mauvais pressentiment. Austin n'avait aucune raison de venir ici.

— Bien, j'ai encore quinze minutes devant moi.

— Quinze minutes avant quoi ? intervins-je, inquiète.

— J'ai vendu le loft, annonça-t-il.

Soudain, j'eus la sensation qu'une faille géante venait de s'ouvrir dans le sol et que j'allais y tomber. Je repoussai la main de Ben qui me maintenait contre lui et m'éloignai, sous le choc.

— Vraiment ? demanda Ben. Vendu ?

— Vendu.

— Tu aurais pu nous en parler, dis-je, amère.

— Mais je l'ai fait. J'ai laissé un message sur votre répondeur, il y a des semaines. Personne ne m'a jamais rappelé.

Ben fronça les sourcils et son regard, dur et sévère, me pétrifia. Le souvenir de ma manipulation douteuse avec le répondeur resurgit. Comment un détail aussi infime pouvait-il maintenant avoir autant de conséquences ? Je tenais là le parfait exemple de la théorie du chaos : un répondeur hors service pouvait déclencher un tsunami dans ma vie.

— Je n'ai plus d'équipe, ni de famille à Chicago, maintenant. Je n'avais aucune raison de garder ce loft.

— C'est tout à fait normal, acquiesça Ben.

— Normal ? Normal ? Tu trouves ça normal ? m'agaçai-je. On fait quoi maintenant ?

— Eh bien, vous avez trois mois pour vider les lieux, nous annonça Austin. Je vais signer l'acte de vente d'ici dix minutes.

Mon cœur tomba au fond de mes pieds, et un sentiment de panique mêlée de colère me saisit. J'avais enfin trouvé un peu de stabilité, et on me l'arrachait sans me demander mon avis.

— On trouvera autre chose, tempéra Ben.

— Et c'est peut-être le moment de réfléchir à ton avenir, suggéra Connor.

Maddie lui adressa un regard consterné, pendant que Ben, mal à l'aise, s'agitait sur son tabouret. Paradoxalement, son absence de réponse me fit encore plus de mal. En dix secondes, deux pans de mon existence étaient en train de se désagréger : nous devions quitter le loft, et Ben envisageait sa nouvelle vie.

— Ce n'est vraiment pas le moment, grinça-t-elle, les dents serrées.

— Ou peut-être que si, contrai-je.

Les regards d'Austin et Sophia nous sondèrent tour à tour, stupéfaits. Leur petite visite amicale et chaleureuse était en train de se transformer en marasme thermonucléaire. Les braises de ma rancune de la veille — contre Jenny, contre cette soirée idiote — se ravivaient et nourrissaient maintenant ma rage matinale. J'avais besoin d'évacuer ma colère, et le silence de Ben était la goutte d'eau.

Il ne réagissait pas. Il ne répondait pas. Et le piège, maintenant, me cisaillait vraiment le mollet. J'avais offert à Ben ce que je n'avais encore jamais partagé avec personne. Je m'étais offerte, moi, tout entière. Face à son silence, je me sentais nue et plus fragile que jamais.

L'abandon, je connaissais. Je gérais. Si Ben voulait partir, alors je gérerais. Encore. A m'en faire mal et à m'en cramer les neurones de doutes et d'interrogations, mais j'y arriverais. Mon cœur fêlé finirait par se disloquer complètement. Mais je gérerais.

— Peut-être que Ben veut nous faire part de ses futurs choix de carrière ? proposa Connor.

Ben et lui échangèrent un regard, et je compris que j'avais loupé l'essentiel. Il n'avait jamais été question de Ben et moi... juste de lui, sans moi. Comme toujours dans ma vie. Si j'avais eu un doute lors de ma conversation avec Connor sur le toit, si j'avais pris soin de le camoufler soigneusement et d'éviter d'y réfléchir, ce petit doute était maintenant au milieu de la pièce. Inévitable et douloureux.

— Je peux encore décaler la date de signature pour vous laisser un peu de temps pour...

— C'est inutile, Austin. Merci. Tu as déjà fait beaucoup en nous laissant vivre ici, intervint Ben, conciliant.

— Inutile ? répétai-je, d'une voix blanche.

— Allons discuter de ça ailleurs, proposa Ben en avançant vers moi.

— Je peux prendre ta voiture, Ben ? demanda Austin.

— Sans problème. Les clés sont sur le guéridon.

— Et... Euh... Connor et moi allons... prendre un café. Dehors, ajouta Maddie, pressentant l'orage.

— Et le bébé ? fit ce dernier, mécontent.

— Je le prends, intervint Sophia.

En moins de deux minutes, l'appartement se vida, et Ben et moi restâmes seuls, au milieu de ce salon qui ne serait bientôt plus le nôtre. J'étais perdue au milieu de sentiments contradictoires : j'étais énervée, déçue, au bord des larmes, et imaginer Ben me laisser me détruisait déjà. C'était exactement ce que j'avais redouté en acceptant d'aller plus loin avec lui. Je le perdais totalement.

— Si tu me disais ce qui se passe ?

— On va devoir quitter cet appartement, et la nouvelle ne passe pas très bien.

— Nous avons trois mois, Ash. Largement de quoi nous retourner. On peut regarder les petites annonces pour commencer.

— On ?

Son visage calme se chiffonna. Il avait compris que ma colère n'était pas uniquement liée à notre départ de l'appartement. Que cette histoire n'était que le déclencheur. Je le lus dans son regard. Comment osait-il m'inclure à nouveau dans ses plans, quand, de toute évidence, il avait déjà fait le choix de partir et de me laisser ? Comment pouvait-il imaginer que j'acquiescerais sans rien dire ?

— Oui. « On », répéta-t-il. Je ne pensais pas devoir te convaincre de ce sujet.

— Ce n'est pas moi qu'il faut convaincre, ricanai-je.

— Tu penses que je ne suis pas convaincu par notre relation ? Bon sang, Ash, à quel moment vas-tu enfin prendre confiance en toi et en nous ?

— Peut-être le jour où tu me parleras ? Peut-être le jour où tu m'annonceras que tu as accepté la proposition de Connor ? Ton passeport est prêt, j'imagine ?

— Alors, c'est ça ? Tu me fais une scène pour...

— Je ne te fais pas une scène ! intervins-je, pour préserver ma dignité.

— Ça y ressemble pourtant. Concernant l'offre de Connor, je l'ai refusée. Et je ne t'en ai pas parlé, car je n'ai pas jugé utile de t'embarquer là-dedans.

— Pas jugé utile ? Alors quoi, on parle de ses fantasmes, on vit notre histoire et on ne parle pas avenir ?

— L'avenir en question est entre tes mains. Je viens de te proposer de poursuivre notre colocation, et tu la remets en cause. Je ne voulais pas que tu imagines que je te prenais en otage avec cette offre. Je veux nous laisser du temps, Ash. On vient à peine de se trouver...

Il ferma les poings et tenta de contenir sa colère. J'allais et venais dans l'appartement et m'efforçais de réfléchir de manière rationnelle. Ben était d'un calme souverain et déstabilisant.

— Donc, tu veux rester ici ?

— Je veux... Je veux faire au mieux, expliqua-t-il d'une voix étranglée.

— Et pour Jenny ?

— Que vient faire Jenny dans cette histoire ? ! s'exclama-t-il, stupéfait.

Il passa une main sur son visage, comme s'il se réveillait d'un cauchemar pénible. Mon cœur martelait dans ma poitrine. Dans le chaos qu'était ma vie, j'étais au moins certaine d'une chose : je n'étais pas le genre de fille à retenir un homme contre son gré.

Londres et Jenny constituaient deux bonnes raisons de le laisser libre.

— Hier soir, je t'ai vu la regarder. Tu la regardais avec adoration.

— J'admirais sa danse. C'était totalement désintéressé.

Je soupirai lourdement et m'assis sur le canapé, cachant mon visage dans mes mains. Pour la première fois de ma vie, je ne parvenais pas à trouver les mots, à trouver la phrase qui ferait mouche et qui me ferait gagner notre petite confrontation.

— Vous faites partie du même monde, murmurai-je. Si vous êtes restés ensemble si longtemps, c'est pour une bonne raison.

— Et si je l'ai quittée, c'est aussi pour une excellente raison. Jenny est devenue une amie. Nous étions arrivés au bout de notre histoire.

— Ben, soyons réalistes. Combien de temps nous laisses-tu avant de te rendre compte que nous sommes bien trop différents l'un de l'autre ? Tu veux ce poste à Londres. Et Jenny est sûrement une fille adaptée à ton monde. Peut-être que quitter le loft est en fait la solution à notre problème.

— Notre problème ? Je ne vois aucun problème ici. Je ne vois que toi, cherchant des excuses lamentables pour prendre la fuite.

Je relevai les yeux vers lui. Mon cœur commençait à s'émietter doucement. Je pouvais faire l'impossible, mes vieux réflexes remontaient toujours à la surface. Je les faisais fuir. A son regard, je sus qu'il était blessé, et cela ne fit qu'accentuer la douleur lancinante que je ressentais. Ben s'éloigna de moi, sa colère froide prenant le pas sur son attitude diplomatique. Dans le genre colérique et déterminé, Ben se révélait. Mais me mettre au pied du mur ne ferait que me convaincre de le franchir au plus vite.

— Et tu l'as toujours fait. C'est ton mode de fonctionnement, Ash. Tu choisis la fuite dès qu'il s'agit de prendre un risque.

— Tu es injuste.

— Tu me trouves injuste ? Tu ne veux plus qu'on vive ensemble, tu veux à peine que je te touche en public et tu me fais une scène pour un prétexte ridicule, en espérant que je te quitterai de lassitude. Je ne suis pas injuste, c'est toi qui es en train de tout ruiner méthodiquement.

Je me relevai vivement et avançai vers lui. Mais, d'un geste du bras, il me fit m'arrêter et me dévisagea avec froideur. Il se pinça l'arête du nez et, après une profonde inspiration pour contenir une nouvelle vague de colère, reprit :

— J'ai la trouille aussi. Tout le temps. J'ai peur de te perdre. A chaque fois que tu franchis cette porte, j'espère que tu reviendras ici. Tu es insaisissable, Ash. Et, à l'instant où je pense avoir enfin une prise sur toi, tu te faufiles entre mes doigts.

Les larmes roulèrent sur mes joues, et je serrai les bras contre ma poitrine. Je tremblais de tout mon corps, et une douleur intense comprimait ma poitrine.

— Je ne suis pas certaine de te rendre heureux, murmurai-je. Jenny est parfaite pour toi, quand moi je trimballe mes casseroles derrière moi. Tu ne peux pas refuser Londres, tu n'en as même pas envie. Je te l'ai dit, je ne retiens personne.

— Alors, tu me sors le vieux cliché du « je préfère te savoir heureux avec une autre » ? Bon sang, Ash, tu n'as aucune idée de ce que je ressens. J'étais heureux ce matin, j'étais avec toi, tu étais dans ma chambre. Il faut que tu comprennes ça, que tu admettes que c'est toi que je veux.

— Jusqu'à quand ? marmonnai-je.

— Je ne suis pas certain de pouvoir y croire pour nous deux. Je veux être avec toi, mais je ne peux pas te forcer à rester avec moi. La seule vraie différence entre nous, c'est que, moi, je suis persuadé que le risque en vaut la peine.

— Tellement persuadé que tu refuses un poste à Londres ?

— Oui. Nous voilà revenus à la case départ...

Il prit sa veste et l'enfila rapidement. Ma colère se diluait peu à peu, laissant place à l'ahurissement. Il me laissait le choix. Il me laissait lui dire ce qu'il pouvait faire. J'attendais des cris, des larmes, des reproches, mais Ben n'était qu'un puits de compréhension.

Ne pouvait-il pas, pour une fois, faire ce qu'on attendait de lui et me quitter en claquant la porte de colère ou en m'envoyant paître avec dignité et élégance ?

Je le dévisageai, muette comme une tombe. Mon cœur tombait en lambeaux. Ce matin encore, je me tortillais entre ses draps, et voilà que nous étions en train de nous quitter.

Je pouvais gérer l'abandon. Ce que je ne gérais déjà plus, c'était la douleur aiguë et insupportable qui me transperçait le cœur.

— Tu sais, ce que tu as dit au sujet de la porte à franchir ?

Il se raidit et, sur son visage, je vis clairement apparaître une expression paniquée. S'il pensait que me mettre au pied du mur allait changer la donne, il se trompait lourdement. Je savais que notre histoire était sans lendemain. Je savais qu'une fois l'euphorie agréable du sexe dissipée nous nous retrouverions dans une belle impasse.

— Revenir à la case départ ne changera rien, affirmai-je en essuyant mes larmes d'un revers de la main. En revanche, nous pouvons mettre un point final à tout ça.

— Alors fais-le.

Et, pour la première fois de sa vie, Ben eut enfin une réaction appropriée : il claqua la porte du loft à en faire trembler les murs. Aussitôt, toutes mes forces m'abandonnèrent, et je pleurai à chaudes larmes. J'étais à nouveau seule.

C'était quoi le 3 horizontal déjà ? Ah oui… « ruines ».

Chapitre 11

- *Survivre à cette journée. Et à celles qui suivront. Réussite estimée à 20 %*
- *Me remettre au footing. Pour de vrai. Ou à la boxe. Ou au curling. Réussite estimée à 10 %*
- *Récupérer Ashley. Et la garder. Voire l'attacher. Echec prévisible*

— Il me faut deux mousses, trois soufflés aux poires et un sabayon pour la 18. Ensuite, on enchaînera avec une mousse, une salade de fruits et une meringue coco chocolat pour la 14.

Je relevai les yeux vers la chef et opinai. Je disposai les assiettes devant moi et, aidé de mon commis, préparai les commandes de la 18. Joan piqua le ticket de commande et écrasa le plat de sa main sur la sonnette.

— Service ! hurla-t-elle.

Les assiettes s'envolèrent dans l'instant, et j'en mis en place immédiatement de nouvelles pour la table 14.

— Ensuite, il nous faut deux mousses. Ça sera la dernière commande, Ben.

— Entendu.

J'avais passé l'intégralité du service du soir dans un silence presque religieux. Si Joan avait noté mon humeur maussade, elle ne l'avait pas relevée. J'étais encore tourmenté par la conversation que j'avais eue avec Ash. A cette heure-ci, elle avait dû prendre la poudre d'escampette, trop heureuse d'avoir obtenu mon autorisation.

Je dressai les deux dernières mousses et retirai mon tablier. Je m'essuyai les mains et demandai à mon commis de nettoyer notre zone de dressage.

— Ben ? Une fille te demande en salle, m'indiqua un de nos serveurs.

— Une fille ?

— Plutôt mignonne d'ailleurs.

Mon cœur s'emballa, pendant que j'adressais un regard furieux au messager. Je n'avais eu aucune nouvelle d'Ashley depuis notre conversation. Je refusais d'employer le terme de dispute. A mes yeux, nous étions d'accord sur l'essentiel : elle n'était pas prête à assumer notre relation, et je n'avais pas la force de le faire pour elle.

Elle avait choisi pour nous deux, et je n'avais pas l'âme d'un don Quichotte prêt à se battre contre des moulins à vent.

— Où est-elle ?

— Table 8.

— Une cliente conquise, sûrement, supposa Joan.

— Je n'espère pas, murmurai-je, inquiet.

Avant de pousser la porte battante qui séparait la cuisine de la salle, je pris une profonde inspiration. Il y avait de multiples raisons qui auraient pu pousser Ashley à venir ici : s'excuser, rendre les clés, m'annoncer son départ pour l'Amazonie, m'avouer son amour éternel, admettre ses torts, trouver une solution, relancer la quête de l'être parfait qu'était Patrick Swayze à ses yeux.

La seule chose dont j'étais certain, c'était que j'étais déterminé à ne pas revenir sur ce que j'avais dit. J'avais la sensation d'avoir été compréhensif et à son écoute. C'était à elle maintenant de faire le chemin.

Je poussai la porte, le cœur battant, avant de me figer.

Comment avais-je pu croire qu'Ashley, accompagnée de sa fierté et de son indépendance, viendrait ici ? Et je me targuais de la connaître. Ma naïveté charmante me perdrait.

— Jenny ?

Elle releva les yeux vers moi et me sourit largement. Je tirai la chaise face à elle et m'y assis.

— Désolée de te déranger ici, dit-elle.

— C'est la fin de service. Tu aurais pu passer à l'appartement.

Et tomber nez à nez avec Ashley et lui donner une raison de plus de douter de notre relation.

— En fait, j'ai... j'ai essayé de t'appeler à l'appartement, mais je suis tombée sur le répondeur et...

— Le répondeur ? Qu'est-ce que... Oh ! je comprends mieux. Ash et moi avons enregistré ce message il y a des mois. On avait un peu bu.

— Je me suis dit que débarquer là-bas n'était pas l'idée du siècle. J'avais juste besoin de te parler.

— Bien sûr. Tu veux un café ? Je suis exténué, j'ai besoin d'un remontant.

— Pourquoi pas ?

Je me relevai et contournai le bar du restaurant. Je nous préparai deux cafés, dont un très serré pour moi. J'étais encore embrumé par ma discussion avec Ashley, harassé par le service du soir et incapable d'aligner deux pensées cohérentes. Et il me fallait encore affronter mon retour au loft.

— Tu as semblé surpris de me voir, commenta Jenny alors que je déposais nos deux tasses sur la table.

— J'attendais quelqu'un d'autre.

— Ashley, j'imagine. J'ai l'impression que ça se passe bien avec elle, non ?

— Juste une impression, murmurai-je, défait. Nous ne

sommes pas vraiment sur la même longueur d'onde pour certaines choses.

Jenny rit tout bas et porta sa tasse à ses lèvres.

— Et ça te fait rire ?

— Ben, tu es amoureux de cette fille justement parce qu'elle n'est pas sur la même longueur d'onde que toi. Ça crève les yeux.

— Ça ne semble pas si flagrant pour elle.

— Parce que tu n'as pas vu comment elle me regardait. Cette fille a sûrement imaginé cinquante façons différentes de me tuer depuis hier soir. C'est aussi pour ça que je n'ai pas voulu aller au loft. Je voulais limiter les mauvaises ondes.

— Et tu es venue ici uniquement pour me parler d'Ashley ?

— Pas du tout. Mais tu ressembles à un chiot à qui on a retiré son jouet qui fait pouic-pouic. Jouet qui est insupportable pour l'humanité tout entière, mais que le chiot que tu es adore.

— Tu es en train de comparer ma petite amie à un pouic-pouic ? m'esclaffai-je.

— Ça a au moins le mérite de te faire rire. Un mort-vivant aurait sûrement meilleure mine que toi.

Elle prit ma main dans la sienne avec affection et m'adressa un sourire compatissant. Sa paume chaude me fit du bien. Avoir une amie, loin du loft, loin des luttes intestines entre Ashley et moi était agréable.

— Je suis certaine que cela va s'arranger. On ne peut pas être deux femmes sur Terre à te faire du mal.

— Mon cœur s'est remis, rassure-toi !

— Je parlais de tes cheveux. Je m'en veux d'avoir été si garce.

— Le colorant était une bonne idée. C'était l'idée de mettre du fixateur qui était redoutable, lui fis-je remarquer.

Je préviendrai ton prochain petit ami de ton inclination pour le vice capillaire.

— Alors tu devrais le faire rapidement.

Elle haussa les sourcils, me laissant tirer la conclusion qui s'imposait. Elle posa son autre main sur nos deux mains déjà jointes, et je remarquai le splendide solitaire qui brillait à son annulaire.

— D'autant plus rapidement que je vais l'épouser, reprit-elle.

Un ange passa, et Jenny se mordilla nerveusement la lèvre, attendant une réaction de ma part. J'étais partagé entre la joie de la voir épanouie et une pointe de jalousie. Cela me rappelait cruellement l'état de ma relation avec Ashley.

J'eus un bref souvenir de notre conversation de la veille : à cette heure-ci, hier, elle voulait une feuille d'impôts commune... et ce fameux diamant.

— Il a fait sa demande hier soir, après la représentation.

— Un danseur ?

— Un violoniste de l'orchestre. Il est chauve, ajouta-t-elle dans un éclat de rire.

— Cet homme ne sait pas la chance qu'il a, soupirai-je en passant une main dans ma chevelure. Et je ne parle pas que des cheveux. Il a vraiment de la chance.

Un silence s'installa. Malgré moi, je devais admettre que ma rupture avec Jenny avait été presque plus réussie que notre relation. Notre amitié comptait désormais plus à mes yeux que notre passé commun.

Encore une chose qui n'arriverait jamais avec Ashley : non seulement j'étais déjà nostalgique de nos vingt-quatre heures de vie de couple mais, en plus, j'étais certain qu'il ne resterait même pas une ruine pour m'apitoyer. Ashley, en bon ouragan qui se respecte, balayerait tout sur son passage.

— En fait, je suis venue ici pour te demander un service.

J'aimerais que tu réalises notre gâteau de mariage, dit-elle dans un souffle.

— Sérieusement ?

— Tu n'es pas obligé d'accepter. Je me disais juste que ça pourrait... Oublie, c'était sûrement une mauvaise idée.

— Je suis incapable de te répondre, avouai-je. Je ne sais pas... Je n'ai aucune idée d'où je serai dans quelques mois. Connor m'a proposé de devenir son second dans un palace à Londres. J'ai refusé, mais vu que je n'ai plus aucune véritable raison de rester ici...

— Le Ben que je connais n'aurait jamais pris la fuite.

— Je l'ai fait avec toi.

— C'était différent : j'ai tout fait pour te faire partir. Ecoute, je ne sais pas ce qui s'est passé avec Ashley, mais tu devrais aller la voir.

— Austin vend le loft. Et... Bon sang, je lui ai dit des choses assez horribles. Elle ne voulait pas qu'on revive ensemble, elle pense qu'elle est indigne de nous. Je voulais juste la protéger, nous préserver et...

— Ben, tu ne peux pas sauver toutes les âmes ! m'interrompit Jenny. Tu ne peux pas protéger tout le monde, tu ne peux pas choisir pour elle.

— Il y a une ligue des ex de Ben quelque part dans cette ville ? Vous vous soutenez ?

— Arrête ! Tu sais que j'ai raison. Tu as toujours agi comme ça : tu protèges les gens que tu aimes, et c'est adorable. Mais tu ne peux pas décider pour elle. Tu ne dois pas. Et puis je parie que tu as foncé dans cette histoire à deux cents à l'heure, comme tu l'as fait pour nous. Comment veux-tu qu'elle te suive ?

— Les yeux fermés, répondis-je instantanément. Je veux qu'elle me suive les yeux fermés.

Cette simple pensée me tira un sourire heureux. Je vérifiai l'heure sur mon téléphone. A minuit passé, elle devait être à l'appartement.

Du moins, si elle n'avait pas déjà fait son sac.

Après ma colère de la journée, ma conversation avec Jenny m'avait mis un peu de baume au cœur. Si Ashley avait besoin de temps, j'étais prêt à le lui accorder. J'étais prêt à discuter, à suivre ses conditions. Mais je refusais qu'elle me repousse sans explication.

— On va devoir fermer. Je te raccompagne à ta voiture.

— Toujours aussi galant.

— J'ai manqué ma carrière de *bad boy*, souris-je en ouvrant la porte du restaurant vers l'extérieur.

Je l'escortai jusqu'au parking, refermant la portière derrière elle. Elle descendit la vitre et esquissa un bref sourire nostalgique. Elle tendit la main vers moi, captura la mienne et la serra. Parler avec Jenny m'avait apaisé et avait dissipé les pensées négatives que j'avais ruminées toute la journée.

— Quelque chose me dit qu'on ne va pas se revoir de sitôt, déclara-t-elle. Prends bien soin de toi, d'accord ? Et fais des enfants, les femmes de ce pays ont encore besoin du un pour cent d'hommes qui tient vraiment à s'engager.

J'éclatai de rire et serrai sa main en retour, avant d'y déposer un baiser.

— A bientôt. Et encore bravo pour le mariage.

Elle hocha la tête et fit démarrer la voiture. Je la suivis des yeux jusqu'à ce qu'elle disparaisse dans la circulation. Je retournai à l'intérieur du restaurant et aidai Joan à fermer. J'étais désormais pressé de rentrer à l'appartement.

Ashley et moi devions parler, comme des adultes, sans nous faire de reproches stériles. Nous pouvions surmonter cela. Nous devions surmonter cela. Quoi qu'elle en dise, nous étions heureux ensemble, dans une harmonie particulière, mais qui n'appartenait qu'à nous.

Connor et Austin franchirent la porte de l'appartement à 2 heures du matin. Ils avaient cette odeur typique des hommes qui ont trop bu, trop transpiré et trop mangé de cacahuètes.

J'avais élu domicile sur le canapé depuis mon retour au loft. La télécommande en main, je zappais de chaîne en chaîne, jusqu'à l'abrutissement.

J'avais une bonne excuse : le bébé dormait dans ma chambre. Sophia et Austin avaient investi celle qu'Ashley occupait habituellement, et Connor et Maddie étaient installés encore pour cette nuit dans la troisième. Oui, j'avais une excuse parfaite.

Et Ashley était portée disparue.

— Qu'est-ce que tu fais ici ? demanda Connor, pendant qu'Austin se faufilait dans sa chambre.

— Le bébé dort dans ma chambre.

— Non, pour de vrai.

— Je dors ici.

— Ben, ne fais pas l'innocent. Je reconnaîtrais cette scène entre mille : tu es en train de te morfondre pour une fille, ricana-t-il.

— Le crépuscule m'envahit, et bientôt la nuit va tomber. Ainsi vont les choses.

Son rire cessa, et il approcha de moi. Il jeta un coup d'œil à l'écran de télévision qui illuminait la pièce, grimaça et m'arracha la télécommande des mains.

— Yoda, acheter une table à repasser soufflante à 2 heures du matin ne va pas résoudre ton problème.

Il alluma la lampe près du canapé, et la forte lumière m'aveugla. Je clignai des yeux et passai une main sur mon visage.

— Où est Ash ? m'interrogea Connor avec patience.

— Aucune idée. Mais elle ne va pas revenir.

Je plongeai ma main dans la boîte de céréales au riz soufflé au chocolat noir et la fourrai dans ma bouche. Je fis passer le tout avec une grande rasade de lait chaud. Je poussai un soupir, indifférent au tapis de miettes qui couvrait mon T-shirt.

Ash n'était pas là. Et je n'avais aucune idée d'où elle se trouvait. Je refusais même d'envisager qu'elle puisse être avec un autre. Mon cœur était déjà brisé, il n'avait pas besoin d'être réduit totalement en poussière.

— Tu ne peux pas boire de l'alcool comme tout le monde pour noyer ton chagrin ?

— Ça tue le palais. Et la tequila me fait penser à Ash.

Je m'enfonçai un peu plus sur le canapé, fixant le sol d'un œil hagard. Ash n'était pas là. Et je savais qu'elle n'allait pas revenir. Je le sentais, intimement, presque jusque dans mes os. Elle avait fini par décamper, reprenant avec elle sa précieuse indépendance qui la préservait de toute relation poussée.

— Ash va revenir, riposta Connor, comme s'il lisait dans mes pensées. Ses chaussures sont là. Sa veste est encore suspendue dans l'entrée. Elle finira par franchir le seuil, et vous pourrez discuter.

— Je ne crois pas, marmonnai-je.

— Tu as intérêt à y croire. J'ai parié deux cents dollars sur toi. Tu es mon étalon. Tu es le romantique, le prévenant. Tu récupéreras Ash en un claquement de doigts et un bouquet de fleurs.

— Des fleurs ?

— J'ai offert de la ciboulette un jour à Maddie. Et admire le résultat : elle va m'épouser d'ici peu.

Connor s'empara de ma boîte de céréales et la posa sur la table basse devant lui. Je me redressai un peu, toujours bougon. Malgré ce que disait Connor, malgré les chaussures, malgré sa veste, je savais qu'Ash ne reviendrait pas.

— Tu as essayé de l'appeler au moins ?

J'éclatai d'un rire amer. J'étais groggy par ma soirée, assommé par ma conversation matinale avec Ashley, que je ne cessais de rejouer. L'appeler avait été mon premier réflexe. L'appeler avait été une monstrueuse erreur. L'appeler avait déclenché le protocole canapé-céréales-philosophie yodaienne.

— Où est ton portable ?

— Sur le bar.

Connor soupira et se leva pour se saisir de mon téléphone. Il composa le numéro d'Ashley et le mit sur haut-parleur. Je me raidis, sentant déjà le poignard transpercer mon dos et s'enfoncer dans mon cœur.

Bonjour, vous êtes bien sur le portable d'Ashley. Je ne suis pas disponible pour le moment mais laissez un message, et je vous rappellerai.

— Tu vois, elle ne reviendra pas.

— Et tu sais ça rien qu'au message sur son répondeur ?

— Oui. Il est normal, expliquai-je. Ash n'a jamais fait ce genre de message. Elle... Elle demande aux gens de chanter, elle trouve une chanson en lien avec son activité. Elle... Elle ne fait pas ce genre de truc, résumai-je, agacé.

Connor me fixa, dubitatif. Il raccrocha et reposa le téléphone sur le bar avant de hausser les épaules et de revenir s'installer près de moi. Il reprit la boîte de céréales et la posa entre nous deux.

— Perdre deux cents dollars justifie certainement une nuit dans ce canapé, commenta-t-il en rallumant la télévision. Et de toute façon, je dois attendre Maddie.

Il frappa son poing contre le mien en signe de solidarité masculine et entreprit de zapper plus vite que son ombre. Quand son téléphone vibra dans sa poche arrière, il le tira et son sourire s'élargit.

— Ma fiancée, gloussa-t-il, comme un adolescent.

— Tu as fini par te faire à l'idée.

— Oui. Quand j'ai vu les dessous coquins qu'elle voulait mettre sous la robe.

— Maddie te connaît tellement bien.

Je baissai le son de la télévision et enfonçai ma main au fond du paquet de céréales. Je ruminais toujours ma déception et mon amertume. J'aurais très bien pu laisser un message sur le répondeur d'Ashley, mais son message laconique et terriblement normal m'en avait coupé l'envie.

— Dis à Ben de venir chez Sher. On a besoin d'un chevalier dans son armure pour sauver Ash, débita Connor, avant d'enchaîner : Lève-toi, on va chercher les filles.

— Non, non. *Tu* vas chercher les filles. C'est ton truc, à toi. Moi, je vais rester ici tranquillement et méditer sur le monde sordide et les richesses insoupçonnées du célibat. En moi, la Force est.

Connor riva les yeux sur son téléphone et lut un nouveau message. Il se leva du canapé, prit la télécommande et éteignit la télévision. Il se plaça entre l'écran et moi et me donna un coup de pied dans le tibia.

— Ash est à moitié nue chez Sher en train de danser sur le bar, lâcha-t-il.

Je me levai d'un bond, achevai mon genou dans la table basse et laissai échapper une litanie de jurons qui aurait fait saigner les oreilles d'une tribu de religieuses avant de clopiner péniblement vers la porte. En me dandinant, j'enfilai mes Converse et cherchai mes clés de voiture dans les poches de mon jean.

Ash nue devant d'autres hommes. Ash ivre et en train de danser sur le bar. Vivre avec cette femme, c'était comme vivre avec un anévrisme. Un jour ou l'autre, sans prévenir, cela vous tombait dessus et vous restiez impuissant.

— Ben ?

Connor me lança les clés, et un sourire s'afficha sur ses lèvres.

— Quoi ?

— Elle n'est pas réellement nue.

Mes épaules s'affaissèrent, et la frénésie qui m'avait

fait réagir aussi vite s'évanouit aussitôt. Tout cela n'était qu'un stratagème idiot pour me faire sortir de ma torpeur. Idiot mais efficace.

— Mais maintenant que tu es debout, chaussé et visiblement concerné par son sort, on va y aller.

— Parce que ? demandai-je en le fusillant du regard.

— Parce que, la dernière fois qu'une fille a bu une bouteille de tequila dans ce bar, il lui est arrivé des bricoles dans une voiture. Tu n'as pas réellement envie qu'elle rencontre un Connor ?

Je poussai un soupir et triturai mes clés de voiture. Connor enfila sa veste et me jeta la mienne au visage.

— Remballe ta fierté, Yoda, et ramène le popotin remuant de ta copine ici.

— Ash n'est plus ma...

— Tu n'as pas vraiment envie de finir cette phrase.

— Si !

— Ce n'était pas une question. Allons-y.

Le trajet se passa dans un silence relatif. Je marmonnais dans ma barbe, assez peu ravi de me faire embarquer en pleine nuit, dans une traque improbable à la Ashley ivre et sûrement fâchée contre moi.

— Je rentrerai en taxi avec Maddie, occupe-toi seulement d'Ashley.

— D'accord.

Dès le parking, le bruit impitoyable des basses nous parvint. Je poussai un nouveau soupir et passai une main sur mon visage fatigué. Je voulais dormir et oublier cette journée. Je voulais dormir, me réveiller auprès d'Ashley et me dire que rien n'avait changé entre elle et moi.

Je poussai la porte, Connor sur mes talons. La petite foule s'agglutinait sur la piste microscopique. Connor repéra Maddie au bar et me prit par le coude pour me guider vers elle. Arrivé à sa hauteur, il l'embrassa sur le front avec tendresse et l'étreignit puis demanda :

— Où est Ash ?

— Quelque part sur la piste.

Je tournai la tête vers l'arrière du bar. La piste était minuscule, mais il me semblait que la salle tout entière se déhanchait en rythme. Je cherchai Ash, tentai d'apercevoir sa folle chevelure blonde, mais c'est sa voix aiguë, haut perchée et fausse que je repérai en premier.

— Nom de Dieu, jura Connor près de moi.

Ashley apparut finalement, et j'eus un hoquet de stupeur. Debout sur l'une des enceintes, elle faisait tournoyer son gilet au-dessus de la tête. Elle portait toujours son jean, mais sa poitrine n'était couverte que d'un soutien-gorge minimaliste. Elle ondulait des hanches en chantant, récoltant des sifflements graveleux et autres remarques irrespectueuses.

— Et encore, tu as loupé *Total Eclipse of the Heart* ! commenta Maddie. Un grand moment.

— Et tu l'as laissée faire ? m'écriai-je, mécontent.

— Rambo lui-même ne serait pas venu à bout d'elle. Elle est ivre, en colère, et elle a le cœur brisé. Crois-moi, elle a de l'énergie pour un mois entier.

— Qu'est-ce que je suis censé faire ? demandai-je, perdu quelque part entre jalousie et colère.

— Il faut la sortir de là avant qu'elle regrette toute cette histoire, proposa Maddie.

Les Jackson Five se turent, et Blondie résonna dans le bar. Ashley bougea et, brutalement, son regard accrocha le mien. Habituellement, j'y aurais vu de la joie et du défi. Mais cette nuit, dans le brouillard de l'alcool, il n'y avait que du ressentiment. Elle ne chantait plus, mais entendre *Heart of Glass* suffisait à me faire comprendre le message.

Elle m'en voulait. Elle m'en voulait terriblement, au point de s'oublier dans la tequila. Et elle m'oublierait ensuite.

Elle passerait à autre chose, en un clin d'œil et une gueule de bois. Ashley avait appris à ne pas s'attacher, elle savait comment quitter les gens.

Moi, je n'avais aucune idée de comment je pourrais survivre sans elle.

Je risquai un sourire provocant. J'aurais pu fendre la foule, la saisir par les genoux, la renverser sur mon épaule et agir comme un homme de Cro-Magnon en la ramenant de force à l'appartement. Pour une fois, je préférais admirer le spectacle.

— Sher ? l'interpellai-je sans quitter Ash des yeux.

— Ouais ?

— Une bière et une tequila.

— Ben, ce n'est pas vraiment ce qu'on attendait de toi, intervint Maddie, inquiète.

— Je sais. Elle non plus. On peut être deux à jouer. Elle pense être la seule à avoir le cœur brisé ? Et je ne crois pas qu'elle soit si ivre que ça.

Sher me servit mes deux boissons. Je pris le petit shot de tequila et le levai vers mon ex-petite amie. En retour, elle leva son verre de bière et opina avec un sourire sadique sur les lèvres. Une jeune femme passa devant moi et rompit brièvement notre lien. Quand elle rejoignit sa table, je la suivis du regard.

Quand je retrouvai les yeux d'Ashley, elle fulminait de rage. Cette petite et ridicule victoire me mit du baume au cœur, et je commandai un second verre de tequila. Elle finirait par abandonner, je le savais. Elle finirait par venir me parler, au moins pour me provoquer.

Deux bières plus tard, j'entamai une conversation avec une jeune femme brune à l'humour dévastateur. Connor et Maddie avaient déclaré forfait, rentrant en taxi à l'appartement. Ashley était descendue de son trône et dansait toujours sur la piste. De temps en temps, son regard se braquait sur moi mais, dès que je le captais, elle détournait les yeux.

A près de 4 heures du matin, il était temps de mettre un terme à cette histoire. J'étais prêt à plaider le match nul. La foule avait progressivement déserté la piste, et Sher empilait les chaises sur les tables non utilisées.

— Je vais devoir fermer, m'annonça ce dernier.

— Je vais aller la chercher. Ash ? hurlai-je, sans même la regarder.

Sans surprise, elle m'ignora. Je finis ma bière d'un trait et poussai un soupir. Maintenant, il fallait affronter l'ouragan. D'un pas déterminé, j'approchai d'Ashley.

Elle me vit arriver et prit soin de reculer au fond de la piste au fur et à mesure que j'avançais. Quand elle heurta le mur, un sourire carnassier s'étira sur ses lèvres. J'approchai d'elle, laissant un espace minime entre nos deux corps. Sa peau luisait de sueur, et ses joues avaient une délicieuse coloration rouge. Le souffle court, elle me toisait.

— Sher va fermer. Il faut que tu rentres, dis-je.

— Je ne vis plus à l'appartement.

— Encore mieux, tu vas pouvoir m'aider à réaliser un nouveau fantasme en découchant avec moi.

Elle éclata d'un rire franc. Ses yeux brillaient, et de légers cernes de fatigue les cerclaient. Mon regard se braqua sur ses lèvres. En six mois de vie commune, lutter contre l'envie de l'embrasser n'avait jamais été aussi difficile.

Même après notre dispute.

Même avec la sourde colère qui me hantait.

Même après l'avoir vue danser à moitié nue avec d'autres hommes.

— Ben et sa longue liste de fantasmes, reprit-elle d'une voix amère. Il n'y a pas si longtemps, tu pouvais à peine prononcer le mot « culotte » sans rougir.

— Il n'y a pas si longtemps nous partagions le même

lit, et je t'enlevais moi-même ta fameuse culotte. Alors dis-moi, qu'est-ce qui a changé depuis ?

Elle porta son verre de bière à ses lèvres et, dans une ultime provocation, le but lentement. Elle s'essuya la bouche du dos de la main, et son regard flamboyant trouva le mien. Nous y étions : le bouquet final.

— Tu m'as dit de prendre la porte.

— Je t'ai dit de le faire si tu avais envie de le faire, lui rappelai-je. Tu essayes de me rendre responsable de la situation. Tu essayes de prendre la fuite en gardant la tête haute. Tu essayes de me rendre furieux en dansant ici, presque nue.

— Et j'y suis parvenue ?

— Haut la main, la complimentai-je. Qu'attendais-tu de moi ? Que je vienne te sauver ? Que je te fasse une scène en public ? Que je te bascule sur mon épaule en grognant comme un homme de Cro-Magnon ?

Elle rit à nouveau et chancela sur ses jambes. Je l'agrippai par le coude pour lui éviter une chute douloureuse et humiliante. A son regard fuyant et son rire nerveux, je savais que j'avais raison. Mettre Ashley devant ses contradictions était la meilleure parade à son comportement.

— Tu es incapable de faire ça. Tu es incapable d'agir comme un homme normal. Tu es trop bien élevé, expliqua-t-elle avec une lueur de défi dans le regard.

— A quel point es-tu ivre ? demandai-je.

— J'ai retiré mon gilet devant un tas de gens que je ne connaissais pas. Et je suis appuyée contre ce mur, car je ne suis pas certaine de pouvoir tenir debout.

— Bien. Je vais t'aider alors.

Sans demander son accord, je lui retirai le verre des mains, le posai sur une table et saisis Ashley par les cuisses pour la basculer sur mon épaule. Elle cria de surprise, avant d'éclater de rire.

— Waouhhh les montagnes russes ! gloussa-t-elle, la tête à l'envers.

Elle frappa des poings sur mes fesses et battit des pieds. Pour éviter un coup malheureux, je la débarrassai de ses chaussures et les jetai derrière moi.

— Mes chaussures ! cria-t-elle, folle de rage.

— C'est le seul moyen de te retenir. Continue de me frapper, et je te déshabille dans la seconde.

Elle gloussa à nouveau. Son état avancé d'ébriété ne faisait aucun doute. Lui parler ce soir serait parfaitement inutile. J'avais besoin d'une Ashley sobre et prête à m'écouter attentivement. Pour le moment, elle n'était que dans le défi et la colère, le tout baigné dans trop d'alcool.

— Je porte un de tes caleçons, m'annonça-t-elle d'une voix baignée d'alcool.

— Mon Dieu, Ash ! murmurai-je.

— C'est ce qu'ils disent tous !

Je gagnai la sortie du bar, saluant Sher d'un signe de main rapide. L'air frais me fouetta le visage et me dégrisa dans l'instant. J'avais prédit que cela finirait ainsi, aussi avais-je arrêté de boire depuis plus de deux heures pour être capable de conduire. Je rejoignis ma voiture et déposai Ash contre la porte pour l'ouvrir. Je retirai mon pull et le lui passai. Avec ce froid, dans cette tenue, elle finirait par attraper la mort.

Elle tangua et pencha dangereusement vers la gauche. Je la rattrapai in extremis, posai mes mains sur ses épaules et la fis asseoir dans la voiture.

— Salut, fit-elle, les yeux mi-clos.

— Salut, Ash. Est-ce que ça va ? Tu te sens de prendre la voiture ?

Elle opina furieusement du chef. Je me demandai vaguement qui elle cherchait à convaincre. Elle ferma les yeux et s'enfonça dans le siège. Je tirai la ceinture et parvins à la boucler sans même la faire ciller. Je fermai la porte aussi doucement que possible et contournai la voiture pour m'installer derrière le volant.

— Tu m'as touché un sein, dit-elle, alors que je quittais le parking.

— Je bouclais ta ceinture, corrigeai-je. Musique ?

— Oui. Mais pas l'histoire des noyés du lac.

Elle ouvrit un œil, et un petit sourire se dessina sur ses lèvres. Pendant une courte seconde, je me demandai si elle était réellement ivre ou juste très bonne comédienne. Je lançai l'autoradio, et Ashley éclata de rire. Je me surpris à sourire, et Ashley se pencha pour augmenter le son.

— Patrick Swayze, murmura-t-elle. Tu cherches à me draguer ?

— Mieux, je cherche à te garder, avouai-je.

Elle descendit la vitre, et l'air glacé de novembre s'engouffra dans l'habitacle, me faisant frissonner. Ashley tendit son bras vers l'extérieur, laissant le vent et le froid la saisir. Elle tourna son visage vers l'extérieur et rouvrit les yeux.

She's like the Wind entama ses dernières notes et, lentement, le visage d'Ashley se peignit de soulagement. Elle rentra son bras, remonta la vitre et se tourna vers moi.

— Quoi ? fis-je, inquiet de son changement d'attitude.

— Rien. Tu es plutôt mignon, en fait.

— Et tu es plutôt bourrée. Comme toujours quand tu me trouves mignon.

— Je crois que je vais vomir.

— Tu crois ?

Je lui lançai un regard effrayé, avant d'ouvrir précipitamment la boîte à gants et de la vider entièrement de son contenu. Je trouvai finalement un sac et le lui tendis.

— Tu as un sac à vomi dans ta voiture ?

— Tu changes ton annonce de répondeur tous les jours. Devons-nous trancher cette nuit sur le degré de bizarrerie de l'un ou de l'autre ?

Mon ton fut plus grinçant que prévu. Mes mains se

refermèrent durement autour du volant, et je roulai un peu au-dessus de la vitesse autorisée pour mettre un terme au plus vite à cette mascarade.

Je voulais discuter alors qu'Ashley cherchait un nouveau motif de dispute. Ma jauge de patience était déjà à sec depuis ce matin. Je garai la voiture devant notre immeuble et la contournai pour aller ouvrir à Ash. Elle détacha sa ceinture, et je la soulevai pour la porter. Elle gloussait toujours, pouffant de rire dans sa paume.

— Qu'y a-t-il de si drôle ? demandai-je en attendant l'ascenseur.

— Tu me fais franchir le seuil comme ça ? Comme si on venait de se marier ?

— C'est juste de l'entraînement.

Son rire s'éteignit aussitôt, et elle se raidit entre mes bras. La seule chose qui l'empêchait réellement de se dégager était la perspective de poser ses pieds nus sur le sol sale et glacé de l'ascenseur. Je ressentis une vague de fierté devant cette nouvelle petite victoire.

Devant la porte du loft, je bataillai de longues secondes avec mon trousseau de clés. Ashley avait changé de position, optant pour la prise du koala : ses bras étaient noués autour de ma nuque, pendant que ses jambes entouraient mes hanches. Elle sentait la bière et la tequila, et cela me fit grimacer.

— Je te rappelle que tu dois rester silencieuse.

— Je n'avais pas le projet de vocaliser ton prénom en pleine extase orgasmique.

— Je parlais du bébé, dis-je en levant les yeux au ciel.

Je franchis la porte et avançai prudemment sur le parquet. Je m'arrêtai près du canapé, attendant qu'Ashley daigne se décrocher de moi.

— Mademoiselle est arrivée, annonçai-je.

La seconde suivante, elle dégringola le long de mon corps et tomba à mes pieds, les fesses contre le sol. Un gloussement lui échappa, mais elle se bâillonna immédiatement de la main pour étouffer le bruit.

Je l'aidai à se relever, et elle se recroquevilla dans le coin du canapé. J'étendis ses jambes et la couvris d'un plaid. Elle somnolait presque déjà et se mit en chien de fusil, indifférente à ce que je faisais.

— Bonne nuit, Ash, murmurai-je en déposant un baiser sur son front.

Elle marmonna des sons inintelligibles et fronça les sourcils. Je repoussai ses cheveux loin de son visage et caressai sa joue.

— Pourquoi fais-tu cela, Ash ?

Pourquoi prenait-elle soin de tout détruire méthodiquement ? Pourquoi passait-elle son temps à fuir et à me repousser ? Je m'installai dans le fauteuil, me débarrassai de mes chaussures et posai mes pieds sur la table basse. Le sommeil ne tarda pas à m'emporter, et j'espérai que ce répit me permettrait d'arranger les choses avec ma colocataire dès demain.

Le claquement de la porte du loft me fit sursauter, et je me réveillai brutalement. Je clignai des yeux à la lumière du jour et frottai mon visage des deux mains. Je me redressai, et mon regard se dirigea aussitôt vers le canapé.

Austin y était assis. Son fils dormait contre son torse nu, ses petits poings serrés contre lui. Le père leva prudemment la main vers moi pour me saluer, s'assurant que son fils ne se réveille pas. Mon regard passa sur le reste de l'appartement, mais, hormis Austin, il n'y avait personne.

— Elle a laissé ton pull sur le bar et une liasse de billets pour sa part de loyer.

— De loyer ? Mais on n'a jamais payé quoi que ce soit !

— Je sais, je suis un chic type !

Je tirai mon téléphone de la poche arrière de mon jean,

vérifiant un éventuel message. Dans un dernier sursaut d'espoir, je composai son numéro. Après quatre sonneries, je tombai sur le répondeur. Le cœur battant et le souffle court, j'entendis la voix pâteuse — certainement de ce matin — débiter son message.

> Bonjour, vous êtes bien sur le portable d'Ashley. Je suis actuellement en partance pour une destination inconnue, mais chantez-moi *I Believe I Can Fly*, et je vous rappellerai peut-être.

— Je vais la tuer, murmurai-je.

— Elle a dit que tu allais dire ça. Et qu'il fallait que je t'empêche de la suivre.

Je haussai un sourcil, et Austin m'adressa un sourire. Il désigna son fils, toujours endormi sur son torse, et s'enfonça un peu plus dans le canapé.

— Comme tu le vois, je suis prêt à tout pour faire ce qu'elle me demande.

— Où est-elle ? m'enquis-je en enfilant mes chaussures.

— Elle raccompagne Connor et Maddie à l'aéroport. Elle a laissé son double de clés.

Je me figeai un court instant. Cette fois, elle avait vraiment décidé de partir. Mon monde se fendilla doucement, une faille profonde et interminable qui divisait ma vie en deux parties : le avant-Ashley, terne, gris et routinier, et le après-Ashley, fade et morose. Dans les deux situations, je n'étais pas heureux.

— Ils ont pris un taxi il y a environ dix minutes, tu as une chance de les rattraper.

— Je ne sais pas si j'ai encore envie de lui courir après.

— Si tu ne te décides pas à quitter cet appartement, je te botte le cul. Et je le ferai d'ici, assis sur ce canapé, avec le bébé dans les bras.

Son regard menaçant ne laissait pas vraiment de doute

sur sa motivation. Il se redressa légèrement, sa main gigantesque se posant sur le dos de son bébé.

— Tu veux cette fille, va la chercher. C'est ce que je dis à mes gars en briefing d'avant-match : tu veux ce putain de ballon ? Défonce tout et va le chercher.

— Ashley est un ballon de foot ?

— La vie entière est un putain de ballon de foot.

Malgré moi, malgré la situation de plus en plus catastrophique, je me surpris à sourire. Austin et son sens de l'analogie. Et ce type allait transmettre sa philosophie à son enfant ! L'univers n'avait pas assez d'Ashley et avait engendré un nouveau monstre.

— Et là, tu te demandes comment j'ai pu séduire Sophia ! fanfaronna-t-il.

— En effet, marmonnai-je, stupéfait.

— Trop long à expliquer. Va la chercher et ne reviens qu'une fois que vous aurez démêlé votre histoire.

J'enfilai ma veste, pris les clés de ma voiture, glissai mon portable et l'argent dans une poche et arrachai presque la porte du loft.

— Et ne claque pas cette porte, lança Austin en me fusillant du regard.

— A plus tard !

Le trajet jusqu'à l'aéroport se passa étonnamment bien. Je m'attendais à des bouchons, deux ou trois accidents, des feux récalcitrants. Mais mon épopée fut finalement bien loin du mythe d'Ulysse luttant pour retrouver les siens. Presque trop facile.

Ou alors, c'était un signe divin : on me faisait économiser mon énergie pour que je puisse mieux la dépenser en convainquant Ashley qu'elle et moi étions faits pour être ensemble. Cette seule pensée me fit ricaner. J'avais obtenu les conseils avisés de Connor — dragueur invétéré repenti —, de Jenny — mon ex sur le point de se marier — et d'Austin — qui avait sûrement perdu un tas de neurones à force de croire que « la vie est un putain de ballon ». Je ne partais donc pas avec les meilleures armes. Et j'allais affronter l'ouragan Ashley.

La situation était évidemment hors de contrôle.

A l'aéroport, le tableau d'affichage annonçait le vol pour Houston dans une heure. Je fonçai jusqu'à la porte, en espérant qu'Ashley attendrait sagement avec nos amis.

Cela aurait été bien trop simple. Maddie et Connor discutaient joyeusement, et je repérai clairement un sourire barrer leur visage quand ils me virent approcher. La seconde suivante, un Connor agacé donnait deux billets verts à Maddie. Pour lui et son compte en banque, il était temps que ce séjour se termine.

— Tu as vraiment cru que ça serait aussi simple ? fit Maddie, hilare.

— On a juste partagé le taxi. Ensuite, elle a disparu dans un nuage de fumée.

Je poussai un soupir à fendre l'âme. L'aéroport de Chicago était l'un des plus grands au monde. Chaque jour, des centaines de vols partaient d'ici.

Vous voyez la botte de foin ? Ashley était l'aiguille. Une aiguille qui avait peut-être déjà pris le large pour Dieu sait où...

— Est-ce qu'elle a dit quelque chose ? Est-ce qu'elle a parlé d'aller quelque part ?

— Elle voulait juste partir, Ben, expliqua Connor, laconique.

— Et donc je suis censé la laisser faire ?

— Toutes les filles rêvent d'être poursuivies, en particulier dans un aéroport, expliqua Maddie. Alors, si tu le fais, fais-le bien. Elle a dit que si tu réfléchissais un peu tu y arriverais.

Je pris brutalement le visage de Maddie entre mes mains et l'embrassai avec force sur la joue. Je l'entendis rire et la libérai avant que Connor me détaille en julienne. Je les laissai hilares et, alors que je courais jusqu'au tableau des départs, entendis Connor hurler que je lui devais deux cents dollars.

Ashley en valait chaque centime.

Il y a une semaine, Ashley et moi nous tenions au même endroit.

Il y a une semaine, alors qu'elle fouillait dans son sac à main à la recherche d'un billet de cinq dollars, elle avait réussi à me surprendre en me montrant son guide touristique de Rome.

Il y a une semaine, je n'aurais jamais imaginé être ici, à poursuivre une Ashley en cavale.

Le tableau des départs annonçait un vol dans trente minutes. Avec un peu de chance, elle était encore à l'embarquement. Avec un peu plus de chance, elle m'attendait. Ma relation avec Ashley ne tenait qu'à ce seul détail désormais : savoir si elle avait embarqué dès l'annonce ou si elle attendait le dernier appel.

Je remontai une succession de couloirs, courus sur les tapis et récoltai en retour des cris outrés et des grognements désapprobateurs. Je m'excusai à chaque fois, sans vraiment m'arrêter.

Porte 31. Porte 30. Porte 29.

La porte 25 était encore loin, et j'étais hors d'haleine. Je me penchai, mains sur les genoux, et tentai de trouver mon second souffle. Voire mon troisième. Dans les films, le héros court et tombe facilement sur la porte d'embarquement. Il est frais, dispos, son discours est parfaitement rodé, et il a deux minutes avant le générique de fin pour faire sa déclaration.

Personnellement, j'étais mal réveillé, à bout de souffle, dans des vêtements froissés et je n'avais pas préparé de sérénade irrésistible pour charmer Ashley. Pour être honnête, je redoutais le générique de fin.

Epuisé, je relevai les yeux vers la foule, espérant un

nouveau signe divin. En vain. Au contraire, il me sembla même que la foule s'agglutinait un peu plus pour m'empêcher de passer.

Soudain, on me tapa sur l'épaule.

Je pivotai, au bord de l'apoplexie, et trouvai le visage rayonnant d'Ashley.

— Salut, fit-elle, amusée.

— Sa... Sa... Salut, exhalai-je péniblement.

— Pas mal la course-poursuite.

— Tu m'as vu ?

— On n'a vu que toi à des kilomètres.

Je me redressai et passai une main sur mon visage trempé de sueur. Le héros romantique avait du plomb dans l'aile. Ce n'était pas prévu qu'Ashley me trouve en train d'agoniser. Elle réajusta son sac sur l'épaule et me dévisagea.

— Tu ne peux pas partir, dis-je finalement.

— J'ai mon billet et mon passeport. Je peux partir.

Elle me dépassa et contourna un groupe de touristes pour se diriger vers sa porte d'embarquement. La porte 25 était au bout de l'allée. Il y a deux minutes, cette maudite porte me semblait à un bon kilomètre. Maintenant, j'aurais pu jurer qu'elle était à moins de vingt mètres.

Et vingt mètres, c'est court pour convaincre une fille comme Ashley de changer d'avis.

— Tu ne dois pas partir, repris-je.

— Ben, nous n'avons rien à faire ensemble. Rien. Je finirais par te détruire, par te cramer totalement. Je suis ingérable.

— Je veux qu'on recommence. Qu'on revienne à la case départ.

Elle s'arrêta net, au milieu de la foule, et me fixa, éberluée.

— Tu veux quoi ?

— Qu'on recommence. Qu'on fasse à ta façon. Ash,

je n'ai aucune idée de ce que tu attends de moi. Tout ce que je sais, c'est que prendre la fuite ne va rien résoudre.

— Si on fait ça à ma façon, ça finira en pugilat.

— Alors laisse-moi une chance. Soyons honnêtes, je n'arriverai jamais à la cheville de Patrick Swayze, mais...

— Patrick n'aurait jamais amené sa petite copine à un rendez-vous qui consistait à admirer son ex en train de danser.

— Tu cherches un prétexte pour partir. Tu sais très bien que Jenny ne représente rien pour moi. Elle n'a plus rien représenté à l'instant où tu as débarqué chez Sher avec ton sourire et tes entrées fracassantes.

— Alors pourquoi n'as-tu pas parlé de Londres ?

— Parce que ce n'était pas un sujet. Tu vas être embauchée ici, j'ai un poste dans un chouette restaurant. Je ne suis pas le genre de type à tout envoyer valser et tout risquer.

Ashley haussa un sourcil et croisa les bras sur sa poitrine.

— Sauf, repris-je, sauf pour toi. Sauf avec toi. Si c'est ça que tu veux. Ce que je veux, Ash, c'est être avec toi. Et je crois que c'est ce que tu veux aussi.

Elle reprit sa marche et, après une seconde de stupéfaction, je la suivis et lui agrippai le coude. Elle râla et se dégagea en m'adressant un regard furieux.

— Si tu avais vraiment voulu prendre cet avion, tu l'aurais pris. Tu aurais embarqué dès la première annonce. Tu voulais que je te rattrape. Tu voulais que je vienne ici.

Elle soupira et riva ses yeux au sol.

— Et je suis venu. Pas pour te supplier de revenir, pas pour t'implorer de rester avec moi. Je veux juste... Je veux juste que tu comprennes que tu as changé ma vie. C'est ce que tu fais aux gens, Ash. Tu déboules dans leur monde et tu tires les rideaux pour laisser entrer la lumière du jour.

L'ombre d'un sourire flotta sur ses lèvres, et les traits

de son visage se détendirent un peu. Je pris ça comme un encouragement. Si je parvenais à chasser la tension désagréable entre nous deux, alors j'avais une chance. Mais je devais avant tout retrouver sa confiance et notre complicité.

— Ma théorie se confirme, ricana-t-elle. Je suis un putain de raptor.

— Mais de quoi parles-tu ?

— Le raptor. Celui qui mange la vache. Tu es la vache. Je suis le raptor, expliqua-t-elle en nous désignant de l'index tour à tour. Je savais que cela finirait comme ça.

— Comme ça ?

— Eh bien toi en miettes et moi... vainqueur par K-O.

— Je ne voudrais pas mettre ton ego à mal, mais je suis loin d'être en miettes. Si je l'étais, je ne serais pas là à tenter de te retenir. Tu n'es pas un raptor, Ash. Tu es inattendue, imprévisible et adorable. Le raptor n'est pas adorable. Le raptor n'illumine pas la vie des gens. Le raptor ne fait pas fantasmer.

J'approchai d'elle et m'éclaircis la gorge.

— Tu n'es pas un fichu raptor. En plus, ta peau est douce !

— C'est la bergamote, sourit-elle. Ecoute, Ben, tout cela n'est pas raisonnable. Tu n'as aucune idée de ton avenir, et je n'ai pas l'habitude de retenir les gens contre leur gré. Je ne l'ai jamais fait. Ils partent tous, les uns après les autres.

— Et ils ne savent pas ce qu'ils loupent en faisant ça. Si tu ne veux plus qu'on soit ensemble, cela me va. Ça va me briser le cœur, et je finirai moine bouddhiste, mais je l'accepterai. Mais ce que je ne peux pas accepter, c'est que tu quittes ma vie comme ça, comme si nous n'étions plus rien, ni amis ni colocataires. Tu ne peux pas claquer la porte et t'attendre à ce que je reprenne une vie normale.

— A quoi dois-je m'attendre alors ? demanda-t-elle avec hésitation.

— Je ne sais pas, Ash. Je n'ai pas de plan. J'ai juste envie de rester avec toi. Et si tu le veux toi aussi, ça sera encore mieux. La seule chose que je peux te promettre, c'est d'être avec toi. Même quand tu chantes faux, que tu es ivre et que tu me rends dingue.

— Même quand je te fais fantasmer ?

— Depuis ce matin, tous mes fantasmes incluent le fait de t'attacher à mon lit. Je ne veux pas que tu partes, Ash. Parce que, si tu le fais, je vais encore finir sur ce canapé à me gaver de céréales. Si tu ne restes pas pour moi, reste au moins pour sauver ce pauvre meuble.

— Tu n'as pas pris de douche ce matin ?

Le changement de sujet et son ton plutôt enjoué me désarçonnèrent. Je fronçai les sourcils, inquiet de la tournure de la conversation. J'étais en train de lui ouvrir mon cœur et elle me parlait douche ?

— Non. Je n'ai pas vraiment eu le temps, pourquoi ?

— Evite le shampooing. Enfin... Jette-le.

— Coloration ?

— Crème dépilatoire.

— Tu es diabolique.

— Je sais.

— Et tu es folle à lier.

— Je sais aussi.

— Et je suis amoureux de toi, Ash. Tu peux fuir autant que tu veux et me rendre chauve, ça ne changera pas. Rien ne changera ça, et surtout pas des milliers de kilomètres entre toi et moi.

Son sac glissa de son épaule et s'écrasa dans un bruit sourd contre le sol. Ash me dévisagea comme si une corne poussait au milieu de mon front. Je maintins une distance respectable entre elle et moi. Je devais tenir le coup. Je devais éviter de lui forcer la main. Parce qu'elle le prendrait comme une attaque ou un piège. J'étais à bout de forces, exténué par mes arguments. Avais-je au moins tout dit ? J'aurais été incapable de me rejouer la scène, tant tout était confus.

— On peut tout reprendre depuis le début. Tu peux prendre un appartement de ton côté, je peux aller à Londres. Je peux même gérer une relation à distance, je peux rester ton ami, ton colocataire, ton pâtissier particulier. La seule chose que je te demande, c'est de ne pas sortir totalement de ma vie.

— Et si on se plante ?

— Et si ça fonctionne ?

Je risquai un sourire et reculai d'un pas. Désormais tout était entre ses mains.

— Je vais te laisser prendre ton avion. A bientôt, Ashley.

Je tournai les talons, le cœur battant et le souffle encore plus court qu'après ma course effrénée dans l'aéroport. Depuis que je connaissais Ashley, j'avais toujours tout fait pour prévoir ses réactions ou, au pire, les canaliser. Là, je n'avais aucune idée de ce qu'elle allait faire.

Que la force et les ballons de foot soient avec moi ; sans elle, survivre je dois.

Chapitre 12

Bonjour, vous êtes bien sur le portable d'Ashley. Je suis en pleine course-poursuite, en sueur, et je subis mes cinq kilos en trop. Mais chantez-moi *I Will Survive*, et je vous rappellerai peut-être…

Toutes les femmes veulent être poursuivies dans un aéroport. C'est l'aboutissement ultime, la réussite absolue. C'est l'élan romantique sur lequel elles fantasment. L'héroïne admet ses erreurs, le héros n'est qu'indulgence, et ils finissent par s'étreindre au milieu de la foule.

Oui, toutes les femmes veulent être poursuivies dans un aéroport.

Toutes, sauf moi. En tout cas, pas comme ça. Pas avec un Ben à bout de souffle, couvert de sueur, et qui finit par me dire « A bientôt, Ashley ». Je le suivis du regard alors qu'il s'éloignait. Pour une fois que j'attendais de lui qu'il se comporte en gentleman bien élevé, romantique et prévenant, qu'il me fasse une splendide déclaration et qu'il me promette l'amour éternel, voilà qu'il avait revêtu son costume d'homme moderne, tendance goujat, option macho en me laissant tomber au milieu d'un hall grouillant d'aéroport.

Et c'est moi l'imprévisible de la bande ?

Je soupirai lourdement et ramassai mon sac. Une voix désincarnée annonça la fin de l'embarquement dans moins de cinq minutes. Au même moment, Ben pivota, et son regard trouva le mien. Pour la première fois de ma vie, je n'avais aucune idée de ce que je devais faire. Depuis toujours, j'avais l'habitude de prendre des décisions sans me soucier d'avoir des remords, de mener ma vie, indifférente à ce qui m'entourait.

Dans la mesure où ma naissance avait laissé ma propre mère indifférente, je ne voyais pas pourquoi j'aurais fait autrement.

Et puis j'avais rencontré Maddie. Et Connor. Et Ben.

— Votre attention, s'il vous plaît, dernier appel pour embarquement pour le vol AA8547 pour Rome.

Ben baissa les yeux et il pivota à nouveau, avant de reprendre son chemin. Mon cœur frappait dans ma poitrine, et mes mains tremblaient. J'accrochai la lanière de mon sac et, à l'instant où Ben disparaissait à l'angle d'un couloir, je compris que je devais le rattraper. C'était une certitude puissante et surprenante, plus forte que mes craintes et à contre-courant de mes habitudes. Je devais le rejoindre, je devais être avec lui. Vivre sans lui — ou du moins faire comme si depuis vingt-quatre heures — me faisait faire n'importe quoi et me rendait affreusement triste. Mes pensées n'étaient que pour lui, mon cœur ne battait que pour lui.

Et, à l'instant où je me mis à courir pour rejoindre mon colocataire, mon corps tout entier se rebella. Comme si je devais en plus souffrir physiquement pour mériter d'avoir Ben dans ma vie.

— Faut que je me remette au sport, marmonnai-je. *Demain, j'arrête les muffins.*

Mes poumons me brûlaient, et mes muscles crispés refusaient de me faire aller plus vite. Je trébuchai contre une valise et évitai de justesse une pirouette honteuse sur le tapis roulant.

— Ben ! hurlai-je.

Je sentis une goutte de sueur glisser le long de ma colonne vertébrale, pendant que je passais la bandoulière de mon sac par-dessus ma tête. L'adrénaline courait dans tout mon corps, me donnant suffisamment d'énergie pour continuer ma course-poursuite. J'aperçus la silhouette de Ben furtivement, avant qu'elle s'évanouisse dans la foule grouillante de l'aéroport.

— Merde ! râlai-je, essoufflée.

Je passai une main sur mon visage, constatant, défaite, que mon potentiel de sexyttude venait de toucher le fond : des cheveux humides de sueur collaient à mon visage, et mes joues, rouges, brûlaient contre mes paumes.

Mes yeux glissèrent sur la foule. J'en aurais presque regretté la tignasse framboise écrasée de mon colocataire — détonnante, certes, mais repérable. Je soupirai de lassitude et tournai sur moi-même. Logiquement, si Ben était une sorte d'âme sœur, j'aurais dû le repérer les yeux fermés.

Oui, les yeux fermés. Mais c'était là le nœud du problème entre Ben et moi : il avait fermé les yeux, quand moi j'avais lutté pour les garder ouverts. Mais désormais, c'était fini. J'avais décidé d'abandonner la lutte, de m'ouvrir complètement à Ben et de lui confier mon destin. Il valait ce risque. Il valait même plus que ça.

Abattue, je fendis la foule et traversai le grand hall de l'aéroport. Il ne me restait plus qu'à rentrer au loft et à l'attendre. Sur le chemin, je préparerais mon plaidoyer et trouverais un moyen très cochon de lui faire tout oublier. Tout cela ne transpirait pas le féminisme, et j'y perdrais sûrement un peu de ma fierté, mais je n'avais plus le choix.

— Mademoiselle ?

— Quoi ? grognai-je, mécontente.

— On m'a demandé de vous donner ça.

La vieille dame devant moi m'offrit un sourire édenté. Elle me tendit un post-it, et la vue de ce carré de papier assécha ma gorge. Il était encore là. Je le cherchai des yeux, mais la foule en mouvement m'empêchait de voir quoi que ce soit.

— Où est-il ?

Elle haussa les épaules, et je rétrécis le regard, prête à en découdre. Mais un vieux monsieur apparut à ses côtés et enroula son bras autour du sien.

— Il faut y aller, Magda.

Ils disparurent aussitôt, me laissant encore plus perdue qu'avant. J'ouvris le petit papier plié en quatre et découvris l'écriture de Ben.

Retour à la case départ.

Merci, Ben. C'était vraiment le bon moment pour lancer une chasse au trésor. J'activai mes quelques neurones encore vaillants. Soudain, cet aéroport m'horripilait. Le complexe était immense, et j'étais encore sous le coup de ma conversation avortée avec Ben et de ma course-poursuite honteuse. Réfléchir me demandait un effort presque surhumain.

Je relus le mot de Ben. Encore et encore, fouillant dans les recoins de ma mémoire.

Et alors, je compris.

Je remontai le hall, cherchant mes repères. Quand mes yeux tombèrent sur la silhouette de Ben, le soulagement s'empara de moi. J'avais toujours cette pointe d'anxiété au creux de l'estomac, mais ce n'était plus lié à son absence. Maintenant, je redoutais ce que nous allions nous dire.

S'il était là, c'est qu'il y croyait encore.

Si j'étais là, c'était que je voulais y croire.

Adossé contre le Photomaton, les mains dans les poches, il riva son regard sur moi. Même d'ici, je sentais une pointe d'arrogance et un soupçon d'autosatisfaction. Il était parvenu à ses fins.

— J'ai failli attendre, lâcha-t-il quand j'approchai de lui.

— Mes excuses, mais je n'ai jamais été très forte en énigme, répondis-je en sortant le post-it de la poche de mon jean.

— Le billet de cinq dollars ne t'a pas mise sur la voie ?

— Quel billet de cinq dollars ?

Il se redressa, et je vis son sourire disparaître. Je ravalai un rire tonitruant. A force d'évoluer dans le siècle précédent, Ben en avait oublié que nous vivions dans le monde réel, un monde où même une vieille dame sans dents pouvait vous voler cinq dollars. J'aimais tellement sa candeur.

— On ne peut plus faire confiance à personne, marmonna-t-il.

— Sur le papier, c'était une super-idée, souris-je.

— C'était pour compenser mon cœur de pierre. Je voulais... Je veux, corrigea-t-il, reprendre depuis le début. Et je crois que c'est ici que les choses ont commencé.

Il tira le rideau de la cabine de Photomaton et m'invita à entrer. Nous échangeâmes un regard : Ben m'invitait à entrer, confiant et raptorisé, pendant que je fronçais les sourcils, presque aussi naïve que la chèvre. Il me suivit et s'installa sur le minuscule tabouret. Il m'attira sur ses jambes, sortit un nouveau billet de cinq dollars de sa veste et me le donna.

— A toi de jouer.

Mon estomac fit un petit bond, avant de dégringoler à mes pieds. Etait-ce réellement si simple : quatre photos de nous et l'affaire était réglée ? Ben trônait au sommet du mont Indulgence, pendant que je me sentais inquiète et désarmée.

— Tu ne veux pas qu'on discute avant ? proposai-je.

— On est très mauvais en communication. Tu as fait le choix de rester, c'est ce qui compte pour le moment.

— Une chance que tu aies un autre billet de cinq dollars, murmurai-je en le poussant délicatement dans la fente de l'appareil.

— Une chance que tu aies payé le loyer et que j'en aie dix autres dans ma poche.

Je me tournai vers lui et retrouvai son sourire chaleureux. Il dégagea mes cheveux de mon visage et posa sa main contre ma joue. Puis, doucement, il m'attira contre ses lèvres, mais juste avant que nos bouches se joignent je le vis sourire.

— Et dire que tu n'avais même pas de billet pour Rome, chuchota-t-il.

— Comment sais-tu que... ?

— Maintenant, je sais.

Je fermai les yeux, à la fois agacée par sa perspicacité et émue. Ben me connaissait mieux que personne. Ses lèvres effleurèrent les miennes, et le premier flash illumina la cabine. Dans un équilibre précaire, je me concentrai sur les sensations. Ici, dans ce tout petit espace et seulement avec Ben, le doute m'avait désertée. J'étais confiante et prête à laisser mon destin entre les mains de Ben.

Sous réserve que ma ration de muffins me soit livrée chaque matin — si possible au lit et par un Ben nu —, je pouvais tout affronter.

De la pointe de la langue, il me fit entrouvrir les lèvres, et les fameux papillons dont tout le monde parle se multiplièrent et prirent leur envol. Un deuxième flash nous éclaira, et Ben étouffa un gémissement dans ma bouche quand nos langues se trouvèrent. Je me redressai légèrement et changeai de position, m'installant face à lui, sur ses cuisses.

Il grogna à nouveau, et notre baiser s'intensifia. Ben

prenait le contrôle de la situation, tenant désormais mon visage à deux mains. Sous moi, je sentis son corps tout entier se tendre, pendant que mes doigts se perdaient dans sa chevelure.

Il libéra mon visage et glissa ses mains le long de mon dos, avant de les passer sous mon pull. Un soupir de frustration m'échappa quand il les retira pour les mettre dans les poches arrière de mon jean. Il m'attira un peu plus contre lui, son bassin frottant audacieusement contre le mien.

Le troisième flash rompit le charme et Ben, hors d'haleine, s'écarta de moi. Son regard était plus sombre, ses joues un peu rouges et ses lèvres gonflées. Ses cheveux, hirsutes et rebelles, lui donnaient un air de mauvais garçon qui me fit rire.

— Quoi ? demanda-t-il.

— Fantasme #1 : t'offrir un Perfecto.

Un sourire timide s'étira sur ses lèvres, et mon beau fantasme bercé par *Born to Be Wild* s'évanouit aussitôt. Son rougissement s'accentua et il baissa la tête, la nichant contre ma poitrine. Sa légère barbe piqua la peau fine de ma gorge.

— Ne refais plus jamais ça, dit-il finalement en relevant les yeux vers moi. Ne prends plus jamais la fuite comme ça. Je ne m'en remettrais pas.

— Je t'ai déjà dit qu'une femme normale ne quittait pas un homme qui faisait des muffins. Et encore moins un homme qui crée un dessert pour elle.

Ben me fixa avec intensité, et cela me donna assez de force pour finir. Je repris mon souffle et m'élançai dans le précipice, façon saut de l'ange artistique.

— Et surtout pas un homme dont elle est tombée amoureuse.

Le dernier flash nous éblouit et nous ramena à la réalité. Ben profita de cet instant pour capturer à nouveau mes lèvres et m'embrasser tendrement. Les premiers instants de passion et de désir avaient maintenant laissé place à une tendresse encore inédite pour moi.

— On ne laisse pas Ash dans un coin, chuchota-t-il contre mes lèvres.

Je passai ma main à l'intérieur de sa veste et sortis un autre billet de cinq dollars. Sans lui demander son avis, je le glissai dans l'appareil. Je m'assis confortablement sur ses genoux, et nous prîmes quatre photos supplémentaires, entre hilarité et émotion. Quand nous sortîmes du Photomaton, nous étions tous les deux échevelés et énamourés comme des adolescents. Ben prit ma main dans la sienne, et nous attendîmes nos photos patiemment.

— C'est une première, avouai-je.

— Qu'on te tienne la main ?

— Que je tombe amoureuse. Je crois que c'est vraiment le bon mot, « tomber ». Tu m'as flanquée par terre. Comment as-tu pu faire ça sans que je m'en aperçoive ?

— Je ne sais pas. Mais je ne suis pas mécontent de mon coup. Une vraie belle prise.

— Et il révéla son véritable visage !

Il m'adressa un sourire lumineux, qui me fit fondre aussitôt. Mon estomac fit un petit bond, et ma gorge se serra d'émotion. Cet homme était à moi. La vie était belle.

Si les quatre premières photos frôlaient l'indécence — on ne voyait que mes fesses moulées dans mon jean en gros plan —, l'autre série était regardable si, toutefois, vous n'étiez pas diabétique et écœuré par l'excès de mièvrerie qui suintait des clichés.

— Celle-ci est définitivement ma préférée, annonça Ben, pendant que nous nous dirigions vers le parking de l'aéroport.

— C'est la plus ratée d'entre toutes, marmonnai-je en jetant un œil à la photo en question.

Elle était floue, mal cadrée, et si Ben avait un sourire

géant sur les lèvres je faisais une moue affreuse, comme si on venait de me réveiller brutalement.

— C'est ça qu'on appelle « les yeux de l'amour » ? Quoi que je fasse, je serai toujours parfaite et idéale à tes yeux ? m'enquis-je, dubitative.

— Je t'ai vue avec un masque à l'avocat sur le visage, ça a déjà brûlé mes rétines. Et mes yeux de l'amour, répondit Ben, sarcastique.

Galamment, il portait mon sac sur son épaule et se précipita sur la portière de la Mustang pour me l'ouvrir. Avant que je puisse m'asseoir, il me coinça entre la voiture et son corps et plongea son regard dans le mien.

— Tu fermes les yeux, expliqua-t-il. Sur la photo.

— Coïncidence, le taquinai-je.

— J'aurais pu te faire l'amour dans ce Photomaton.

— Fantasme #486 ? demandai-je avec innocence.

— J'ai passé la barre des 700 cette nuit.

Il appuya son bras sur la carrosserie et se pencha vers moi. Son souffle balaya mon visage, pendant que son regard me scrutait, comme s'il déchiffrait un parchemin illisible. Lentement, ses lèvres fondirent sur les miennes, et il m'offrit un baiser d'une douceur atroce, rallumant le brasier dans le creux de mon ventre. Mes jambes tremblèrent, et ma peau me picota agréablement.

Il s'écarta légèrement pour mieux revenir, faisant glisser sa bouche le long de ma mâchoire. Il prit soin de ne pas toucher le reste de mon corps, laissant une trace brûlante de son passage sur ma peau. Quand il trouva mon cou, je le sentis sourire, et il me mordilla. Je me laissai aller, submergée par les sensations nouvelles qui déferlaient en moi.

Pour la première fois de ma vie, je m'abandonnai dans les bras d'un homme sans craindre qu'il me piétine sur son passage ou, pire, qu'il me quitte sans un remords. Quand mes paupières se fermèrent, je ne sentis ni honte ni embarras ; seulement un désir puissant, mêlé d'adrénaline et de confiance.

— Tu es tachycarde, constata Ben en posant ses lèvres dans mon cou.

— Et si tu continues, je vais mourir ici, chuchotai-je.

— Parce que je te touche ?

— Parce que tu ne me touches pas. Parce que je veux que tu me touches. Parce que... Ben, s'il te plaît, suppliai-je.

— Rentrons, il faut qu'on parle de toute façon.

— Au loft ?

— Non. Ailleurs. Je t'ai proposé de revenir à la case départ et j'y tiens.

Il s'écarta de moi et, pantelante, je m'assis dans la voiture. J'avais laissé toute mon énergie dans cet aéroport, et Ben voulait encore qu'on parle. J'allais finir par m'effondrer.

On achève bien les raptors.

Nous n'avions pas atteint l'autoroute que je riais déjà comme une folle furieuse dans la voiture. Du coin de l'œil, je vis Ben serrer le volant fermement, un sourire crispé barrant son visage.

— De toutes les réactions que j'avais envisagées, je t'assure que je n'avais pas prévu celle-ci, grommela-t-il, les dents serrées.

Je redoublai de rire et montai le son de l'autoradio. Les envolées électroniques de Daft Punk emplirent l'habitacle. Malgré le froid polaire de Chicago, je descendis la vitre, laissant la musique se diffuser à l'extérieur. Je scrutai le visage de Ben, masqué partiellement par ses cheveux un peu trop longs. Je me penchai vers lui et déposai un baiser sur sa joue.

Sa crispation s'atténua. Du bout des doigts, je dégageai sa chevelure et dessinai la ligne de sa mâchoire.

— Mets ta ceinture, murmura-t-il.

— Est-ce que tu aimes au moins ? demandai-je en désignant l'autoradio.

Il haussa les épaules, mais, à sa moue, je vis qu'il feignait une indifférence polie. Peut-être que je devrais m'habituer à accepter nos différences. Y compris en matière de musique.

— C'est pas mal, dit-il du bout des lèvres.

— On croirait que je t'arrache les codes de l'arme nucléaire !

— Presque.

— Bienvenue dans le XXIe siècle ! m'exclamai-je.

— Un siècle où les femmes courent après les hommes dans un aéroport ?

— Plutôt le siècle où tu vas enfin savoir ce qu'est une fellation.

Il m'adressa un regard consterné, et un rougissement massif fleurit sur ses joues. Il se tortilla sur son siège et j'étouffai un nouveau rire. Embarrasser Ben devrait être un sport olympique.

— Je n'ai pas dit que je serais ton initiatrice, précisai-je.

— Dommage, tu es passée à rien de me faire oublier toutes les femmes qui ont jalonné ma vie, dit-il, moqueur. J'avais pourtant de grandes espérances pour nous deux. Au moins sur ce sujet.

— Sur le sexe ?

— Sur le sexe, nous sommes en phase. D'ailleurs, je pense que...

Il ne termina pas sa phrase et se contenta d'un sourire énigmatique. Soudain, il bifurqua, frôlant une voiture sur notre droite, qui pila pour nous éviter. Je me cramponnai sur mon siège, stupéfaite et un peu affolée.

— Une chance que tu finisses ta phrase avant que je

fasse une rupture d'anévrisme ? demandai-je, les yeux rivés sur la route.

— Je viens d'avoir une idée.

— Ben, tu sais que je n'étais pas convaincue par la perspective de me noyer dans un lac, haletai-je pendant que nous coupions la route à un camion loin d'en être heureux. Eh bien, je tiens à te dire que l'idée de finir dans un amas de tôle ne me séduit pas totalement non plus.

— Fais-moi confiance.

— C'est justement ce qu'a dit le capitaine du *Titanic* avant le naufrage.

Ben dépassa une série de voitures, avant de se faufiler dans la circulation pour tourner à droite. Ses doigts tapotèrent nerveusement le volant, et il m'adressa un regard effrayant, entre folie furieuse et amusement. Alors que le feu était encore rouge, il passa une vitesse et traversa le carrefour dans un crissement de pneus que n'aurait pas renié Bruce Willis. Mes doigts s'agrippèrent à la ceinture. Ben venait de découvrir le siècle actuel, et je regrettais déjà que nous ne soyons pas assis tranquillement dans une calèche.

— C'était vraiment nécessaire ? demandai-je.

— Non, pas vraiment. C'était juste pour t'impressionner.

— OK. Je suis impressionnée. Maintenant, tu peux ralentir ?

Ben esquissa un sourire, puis, à la faveur d'un retour à un taux normal d'adrénaline, il freina. Mes doigts relâchèrent leur emprise sur le siège pendant que je tournais le visage vers la vitre. Je ne reconnaissais pas les lieux et me demandais même si Ben savait où nous allions.

— C'est là qu'on reprend notre petit jeu de devinettes ? dis-je après quelques secondes de silence.

— Eventuellement. Je t'avais trouvée très créative sur ce sujet la dernière fois.

— Tu m'as trouvée folle furieuse ! Alors... Au loft ?

— Non.
— Dans ton restaurant ?
— Non.
— Dommage, j'avais un fantasme #2 qui germait. Genre sur l'inox, précisai-je, mutine.
— Une prochaine fois, peut-être. Là, je préférerais justement un lieu où on discute.
Il m'adressa un clin d'œil, et j'aurais pu jurer sur la tête de mes enfants imaginaires qu'un éclair fendit le ciel au même moment. Ben allait remettre en cause l'équilibre de l'univers à force de faire des allers-retours entre son siècle et le mien.
J'aimais le Ben prévenant, gentleman et rougissant. Mais je devais admettre que le Ben aventurier, confiant et propriétaire d'une longue liste de fantasmes me concernant avait son petit charme. Bon, d'accord, son gros charme.
— Bien. Est-ce que je peux au moins avoir un indice ?
— Tu as ton indice. Je t'ai dit qu'on reprenait depuis le début.
— Le bar de Sher ? proposai-je.
— Pour toi, tout a commencé là-bas ?
— Tout à fait. Tu as refusé de danser et tu étais pris. C'était un défi que tu me lançais !
— On ne va pas chez Sher.
Soudain, il s'arrêta au milieu de la rue, et un valet vint m'ouvrir la porte. Ben jeta ses clés à un second et me retrouva sur le trottoir. Il enroula son bras autour de ma taille pendant que je levais les yeux vers le bâtiment devant moi.
Nous étions bien revenus à la case départ. Ou du moins, à la case qui avait suivi la case départ. Nous étions devant l'hôtel qui avait abrité notre première nuit ensemble.
— A l'hôtel ?

— Oui. L'idée m'est venue à l'aéroport. On est très mauvais en communication, mais je pense avoir trouvé un stratagème pour te faire parler.

— Tu ne vas pas me menacer de m'étouffer avec un muffin industriel ? m'inquiétai-je pendant que nous grimpions la volée de marches.

— C'est le plan B, admit-il dans un rire. Viens, prenons une chambre.

Ben, roi de l'improvisation. J'étais en jean troué et pull trop large, au milieu du hall d'un hôtel de luxe, pendant que Ben, mon petit ami, futur ex-colocataire et détenteur de mon cœur fragile, nous réservait une chambre.

D'ici, je sentais le doux parfum de l'audace de Ben. Un parfum auquel je n'étais pas encore habituée, mais puissamment entêtant. En parvenant à décoller mon regard des fesses de mon amant — fesses honteusement emprisonnées dans un jean —, je devinais même une pointe d'indécence. Un réceptionniste me jeta un coup d'œil soupçonneux avant que Ben revienne vers moi, une lueur victorieuse brillant dans le regard.

— Retournons sur les lieux du crime.

Dans l'ascenseur, je fus prise d'une furieuse envie de chantonner *Pretty Woman.* Je me dandinais d'un pied sur l'autre, pendant que Ben m'adressait des regards complices. J'avais le trac. Un trac monumental de faire une gaffe gigantesque et de ruiner le moment.

— Donc, on vient dans un hôtel pour... parler ? dis-je finalement en me tordant les mains.

— Dans un premier temps.

Il soupira et se racla la gorge. Je me retins de sourire, mais je compris que Ben ressentait lui aussi ce désir intense qui avait envahi la cabine dès que les portes s'étaient refermées. A dessein, je reculai, préférant éviter de le toucher. Nous étions encore dans l'euphorie de nos retrouvailles, saupoudrée d'un restant d'adrénaline de notre trajet en voiture.

Nous devions nous calmer. Nous devions parler. Et je devais penser à respirer normalement, tant que mes poumons me l'autorisaient.

— Dans un premier temps, répétai-je. Donc, tu as d'autres... projets ?

— Ashley, je crois que tu as une image de moi très surestimée. Fantasme #710 : te faire l'amour dans un ascenseur, dit-il en tirant sur le col de sa chemise.

Quand il tourna son visage vers moi, l'air me manqua. Mon cœur se comprima lourdement, et son regard brûlant transperça le tréfonds de mon âme. Je serrai les mains autour de la bandoulière de mon sac, me retenant douloureusement de le toucher. Mes doigts m'en picotaient presque.

— Tout va bien se passer, Ash, ajouta-t-il d'une voix confiante. Si tu me laisses une chance.

J'opinai à peine, impressionnée par cet homme que je pensais pourtant inoffensif et timide. Il tendit la main vers moi, et les portes s'ouvrirent dans un tintement. La bouche sèche, je sortis de ma torpeur et entrelaçai mes doigts aux siens.

— J'ai pris la suite 458, dit-il, une fois dans le couloir.

— Une chance qu'elle soit libre.

— Elle ne l'était pas. Ta part de loyer a fini en pot-de-vin auprès du réceptionniste.

Il glissa le pass dans la serrure et ouvrit la porte. Il s'effaça et, d'un geste du bras, m'invita à entrer. Je retirai mes chaussures et me délectai du contact de la moquette épaisse sous mes pieds. Tout était comme dans mon souvenir : du lit recouvert de coussins au guéridon surmonté d'un bouquet de roses.

— Là, j'ai du mal à y croire, dis-je d'une voix étranglée.

— A la suite ?

— A toi. A nous. De quoi voulais-tu parler ?

Il secoua la tête et, alors que j'approchais de lui, posa ses mains sur mes épaules pour me maintenir à distance. Je fronçai les sourcils, sans comprendre.

— Reste ici. Je crois que... Je crois que nous devons vraiment parler. Et, si tu me touches, je vais perdre toute raison. Un peu de distance me permettra de garder l'esprit clair.

Ses bras retombèrent le long de son corps, et il me fixa longuement. Sa pomme d'Adam tressauta d'anxiété et il s'éclaircit la gorge.

— Puisque nos derniers échanges ont été houleux, on va tenter de faire simple. On va fonctionner par question et on répond uniquement par oui ou par non. Cela te va ?

— Euh... oui, mais...

— Uniquement oui ou non, rappela-t-il, impérieux.

— Bien. Oui, alors.

— Après toi, sourit-il.

Surprise et prise au dépourvu, je levai les yeux au ciel. Je n'avais pas eu le temps de remettre mes pensées en ordre, et voilà que Ben me faisait participer à une séance de contre-interrogatoire.

— Est-ce que Connor t'a vraiment proposé un poste à Londres ? demandai-je finalement.

— Oui.

Il ne cilla même pas, ses yeux rivés aux miens, honnêtes et sincères. Je me trémoussai sur place, cherchant à calmer les battements affolés de mon cœur.

— Veux-tu finir la grille de mots croisés que nous avons commencée à la laverie ?

— Oui, murmurai-je.

D'un sourire, je le remerciai d'alléger l'atmosphère. Il savait que je paniquais, que je redoutais déjà la réponse à ma prochaine question. Je me tordis les mains nerveusement et, dans un souffle, l'interrogeai :

— Vas-tu accepter cette offre ?

— Non.

— Pourquoi pas ?

— Tu ne respectes pas les règles. Juste oui ou non.

Je soupirai et passai une main dans ma longue chevelure. Voilà exactement pourquoi les héros romantiques tourmentaient les femmes : ils tenaient au cadre, aux règles bien établies, quand nous, nous ne cherchions qu'à nous en échapper. De nos jours, on appelait cela des différends irréconciliables.

— Accepterais-tu de vivre avec moi dans un nouvel endroit ? reprit-il.

— Oui. Au moins pour les muffins.

Son sourire aurait pu illuminer toute la ville pendant la période des fêtes. Si j'avais furtivement envisagé la possibilité de vivre enfin seule, j'étais vite revenue sur Terre. J'étais incapable de solitude. J'en avais trop souffert. Et Ben, sa patience, son don pour les pâtisseries et son talent pour le linge m'avaient conquise.

Mon cœur, ma tête et mon estomac n'appartenaient plus qu'à cet homme.

D'un geste brusque, il effaça l'espace entre nous, et sa main s'enroula autour de ma nuque. Il posa ses lèvres contre les miennes, et un gémissement de joie m'échappa.

— Tu ne respectes pas les règles, murmurai-je contre sa bouche.

— On se fout des règles.

Il me fit reculer en direction du lit. Quand mes genoux heurtèrent le rebord, je m'effondrai sur les coussins, et Ben me couvrit de son corps. Il plongea son regard dans le mien et plaça ses avant-bras de chaque côté de ma tête. Du bout des doigts, il caressa mon visage, rallumant aussitôt la flamme du désir qui m'avait presque entièrement consumée dans l'ascenseur.

— Tu ne veux pas aller à Londres, murmura-t-il. Et je ne veux pas vivre sans toi, là-bas.

— Et cette fameuse relation à distance dont tu me parlais ?

— Enfumage, avoua-t-il. Je te veux avec moi. Est-ce que c'est assez XXIe siècle pour toi ?

— Je me demande si je ne préférais pas que tu me fasses la cour. Tu sais, sérénade, fleurs, promesse d'amour éternel.

Une de ses mains quitta mon visage et se faufila sous mon pull. Il le releva légèrement, laissant apparaître mon nombril tandis qu'il descendait le long de mon corps. Je me cramponnai aux draps, submergée par une nouvelle vague de désir. Des lèvres, il caressa mon ventre avant de déposer un baiser sur mon nombril.

— Ashley Jordan.

Je me tendis comme un arc et Ben remonta encore mon pull. Un frisson me parcourut et Ben releva les yeux vers moi.

— Mon cœur, mon âme et mes cheveux brun cannelle n'appartiennent qu'à vous.

Un rire honteux m'échappa. Non, pas un rire, un couinement hormonal et humiliant. Je redressai la tête pour voir celle de Ben, heureux comme un gamin un matin de Noël. Il parsema mon ventre de baisers, et ses mains caressèrent mes côtes.

— Je déposerai mes muffins à vos pieds, vous ferai votre dessert chaque dimanche, prendrai vos messages.

Il découvrit ma poitrine, enfermée dans un soutien-gorge noir en dentelle. Son regard s'assombrit, et je sentis mon corps réagir. Je m'arquai contre lui, espérant un contact plus rapproché. Son souffle effleura mes seins et, délicatement, il repoussa le sous-vêtement.

Quand sa bouche se posa sur la pointe de mon sein gauche, je criai de soulagement. Son sexe tendu et comprimé dans son jean frotta contre ma cuisse, et je basculai la tête en arrière. Il taquina mon téton pendant de longues secondes, puis remonta un peu pour que sa bouche soit à proximité de mon oreille.

— Et, si Dieu me prête vie encore quelque temps, je jure de t'aimer. Les yeux fermés, ajouta-t-il d'une voix tremblante.

— Les yeux fermés, approuvai-je.

D'une main mal assurée, Ben déboutonna mon jean et glissa sa main à l'intérieur.

— Mon Dieu, Ash, tu n'as pas de culotte ? !

— On dirait bien que non.

Je repoussai sa main et fis basculer Ben. Je m'assis sur lui et retirai mon pull et mon soutien-gorge. Ses mains se posèrent sur mes seins, et un sourire diabolique s'étira sur ses lèvres.

— Champagne ? proposai-je.

— Caramel. Chaud, précisa-t-il.

Je frissonnai rien qu'à l'idée, pendant que Ben rougissait violemment. Je déboutonnai son jean et le lui retirai. Il croisa les bras derrière sa tête et me regarda faire, à la fois heureux et alangui sur le lit. Puis je tirai sur son boxer pour libérer son sexe.

— Je crois que je te dois un dessert, moi aussi, dis-je d'une voix sensuelle.

Ben écarquilla les yeux, avant de se cacher derrière son avant-bras. J'éclatai de rire et fis courir mes doigts le long de son sexe. Il réagit aussitôt, se raidissant un peu plus et se gonflant d'anticipation.

Quand ma bouche se posa sur la peau veloutée de son sexe, ce fut la première fois que j'entendis Ben jurer.

Le lendemain, vers 10 heures, alors que nous prenions notre douche ensemble, Ben jura encore. Pour la quatrième fois.

Après un petit déjeuner copieux, nous devions rendre la suite. La suite 458 : l'endroit où Ben m'avait fait la cour, m'avait fait l'amour et m'avait massé les pieds. Dans l'ascenseur, mon téléphone vibra, et Ben m'adressa un regard étonné.

— C'est Austin, murmurai-je. Je rappellerai.

Ben hocha la tête et sortit son téléphone. Il me fit un sourire et, à ma grande honte, mes joues se couvrirent de rouge.

— Tu l'as changé ? demanda-t-il.

— Ce matin. Pendant que tu finissais ta douche. Mais peut-être que tu devrais... attendre, finis-je alors qu'il composait déjà mon numéro.

Le silence de l'ascenseur me parut insoutenable. Je n'étais pas le genre de fille qui faisait des déclarations enflammées et ridicules à ceux qu'elle aimait.

Non, moi, j'étais le genre de fille à changer son message de répondeur deux fois par jour.

Ben enclencha le haut-parleur, et ma voix — un pauvre murmure — rompit le silence.

Bonjour, vous êtes bien sur le portable d'Ashley. Je suis actuellement très occupée avec mon petit ami, mais chantez-moi Crazy in Love, *et peut-être que je vous rappellerai.*

Je reculai contre la paroi pendant que Ben réduisait l'espace entre nous. J'étais mortifiée. A nu. Désarmée. Je n'avais jamais exprimé mes sentiments aussi ouvertement à quelqu'un. Le cœur battant et le souffle court, je sentis les mains de Ben se poser sur ma taille. Il souda son front au mien et son sourire lumineux nous remua, les papillons, les rouges-gorges et moi.

Il ferma les yeux et je l'imitai.

— *Baby you got me, you got me, so crazy baby*, murmura-t-il, comme un poème.

Il posa sa bouche contre la mienne et m'embrassa tendrement. Quand l'ascenseur rouvrit ses portes, Ben rangea son téléphone et prit ma main.

— Tu connais Beyoncé ? demandai-je, stupéfaite.

Il me répondit d'un simple clin d'œil, et cela m'acheva. Ben n'avait pas chamboulé l'équilibre de l'humanité, il venait juste de bouleverser le mien. Le vide auquel j'étais habituée rapetissait. Il ne m'effrayait plus, et avoir un preux chevalier comme Ben dans ma vie me rassurait. Il était bienveillant et attentionné.

— J'adore ce message. Ne le change pas tout de suite.

Son téléphone vibra dans sa main, et il fronça les sourcils.

— C'est Austin.

Il décrocha et j'entendis des éclats de voix, des jurons, des menaces de mort et une ribambelle de sortilèges vaudous. Ben éclata de rire et nous dirigea vers la sortie de l'hôtel, ponctuant sa conversation de « oh » et de « ah ». Quand il raccrocha, il secoua la tête et mit son portable dans sa poche.

— On rentre au loft.

— Pourquoi ? Austin a promis de t'écarteler, avant de t'arracher les ongles avec une pince ?

— Parce qu'il est chauve.

Dans un fou rire, Ben m'ouvrit la portière de la voiture. Juste avant que je m'installe, il m'embrassa à nouveau, chastement.

— Tu es diabolique, murmura-t-il.

— Je sais. Mais tu m'aimes quand même, et je sais que tu caches ta feuille d'impôts dans le revers de ta veste.

— Comment sais-tu que...

— Maintenant, je sais.

C'était quoi le 8 vertical déjà ? Ah oui... « amoureuse ».

Sophia & Austin

- Couches
- Gel douche
- Vinaigre
- Viande pour le barbecue
- Shampooing (non, c'est une blague mon cœur !)

Un jour, je dirai à ton fils à quel point sa mère est mesquine avec moi. Les gus arrivent demain matin à l'aéroport.

Complément de courses :
- tequila (demande d'Ash)
- caramel (demande de Ben)
- fromage (demande de ta sœur)

Connor demande si on a un moule à soufflé de 21 cm ?

Il faut rappeler le mec de la piscine.

J'ai retrouvé le bikini de ma soeur dans le filtre. Je refuse d'y penser.

Tu es sûr que c'est celui de ta sœur ? Ash m'a demandé de la dépanner d'un maillot ce matin...

Vu la taille des bonnets, c'est forcément Maddie. Et Ash fait du topless.

Tu as de la chance d'être chauve et que je sois d'une grande mansuétude.
Je vais seulement t'arracher les yeux pour cette fois.
Regarde encore une fois les seins de Ash et je t'arrache autre chose.

La femme de ménage vient de me féliciter.

A qui est ce test de grossesse que j'ai entre les mains ?

Tu ne sais pas qui a fait pipi dessus et tu tripotes un test de grossesse ?
Interdiction de toucher le bébé jusqu'à nouvel ordre.

Connor & Maddie

Dès qu'ils sont couchés, je privatise la piscine.
Ensuite, je te privatise toi. Dans la piscine.

Il faut la jouer serré.
Je crois que Ben et Ash complotent aussi pour la piscine.
Laisse-moi le temps de sortir une bouteille de tequila pour assommer Ash.

Quand je me suis couché, Ash chantait "Tequilation" debout sur la table.
Et tu mettais des billets dans son maillot de bain. Très sexy.

Quand je me suis couchée, tu roupillais comme un mort. Et il y avait une bouteille de bière sur l'oreiller. Très sexy.

J'ai vérifié :
on ne peut pas faire d'enfants avec ce qu'on a fait hier soir.

Tu as vérifié ? Connor !
Contente-toi de cuisiner.
Et de me faire l'amour.
Evite de réfléchir !

Austin et Sophia sont de gros dégoûtants. Je viens de trouver un test de grossesse utilisé sur leur table de cuisine.

Rappelle-moi ce que nous avons fait sur cette même table cette nuit ? C'était génial, d'ailleurs. Tu as gardé ma culotte en otage ? Encore ? Ash a râlé parce que "quelqu'un" avait volé son chocolat.

- Tu es insatiable.
- Tu es sensible des seins.
- Tu as dévoré ton assiette ce soir.

Ma question : ce test est à toi ?

- Avec toi, je suis toujours insatiable.
- Avec toi, je me suis découverte très sensible des seins.
- Et ton soufflé d'hier soir était exceptionnel !
Ma réponse : nous sommes trois femmes dans cette maison. Réveille la "Agatha Christie" qui sommeille en toi.

Ben & Ash

Sophia et Austin ont une piscine, pense à prendre ton maillot.
Ou pas.
On gagnera du temps.

Sophia et Austin ont une piscine.
Pense à me prendre tout court.

J'y penserai.
J'ai pris (aussi !) cinq dollars pour le photomaton.

Comme j'aime ton côté organisé ! Je t'ai piqué des boxers dans ton placard. Et j'aimerais qu'on parle de la paire de menottes que je viens de trouver.

Plutôt que de parler, je vais te montrer.
J'ai aussi mis une option sur le jacuzzi.

Avoue que c'était
ta première fois
dans un avion…

J'avoue.

Je crois qu'on va se
faire griller la piscine
par Connor et Maddie.

Le soleil,
Une bière,
Des potes,
Toi.
Et ton bikini
trop petit.
J'adore la Californie.

Aura post-baise.
Tu t'y feras.
Ne te rase plus
jamais la barbe.

Je crois que l'aura
post-baise me donne
des hallucinations.
Sur le lavabo, j'ai vu
un truc qui ressemble
à un test de grossesse.
Des réponses, je veux !

Je viens de perdre
mes 5 kilos.
Si on te pose la question,
dis que tu ne sais rien. Et
que la force soit avec toi !

Remerciements

J'ai tellement de monde à remercier qu'un bloc entier de post-it ne suffirait pas.

Je vais commencer par mon mari. Ce maître Yoda de la patience, qui me soutient, me supporte, m'analyse, me canalise et m'aime (oui... aussi !) depuis plus de dix ans. Cet homme sera canonisé et deviendra saint patron des « maris des auteurs de romance un peu barrées ».

Mes enfants, qui n'ont pas la patience de mon mari, mais qui sont des puits de compréhension, des aimants à bisous, des sources d'inspiration (et parfois d'agacement...). Je les aime, même quand ils viennent m'interrompre quinze fois en deux heures d'écriture.

Ma team de choc, souvent imitée, jamais égalée. Aline, Gaelle, Garance, Loubna et Valérie. Sans elles, tout cela serait nettement moins drôle. Sans elles, ma boîte mail ne serait pas aussi funky. Sans elles, Connor, Maddie, Ben, Ash, Austin et Sophia auraient été une tribu de croque-morts en plein désert du Ténéré.

Mon équipe de choc chez Harlequin : Sophie Copperfield© (oui, je copyrighte !), Karine en bleu, Romy (Mme Harlequin France !), Mélanie, Marianne, Emmanuelle, Anne et Antoine, et toutes celles et tous ceux que j'oublie (et qui pourront me fouetter avec un poireau pourri et une ceinture à clous au prochain Salon du livre).

A vous toutes, lectrices, blogueuses, amoureuses de la romance, toutes celles qui ont fait vivre tous ces personnages, qui ont aimé les détester, qui ont apprécié leur humour (douteux), qui ont demandé ensuite à leur mari/homme/amant/M. Bricolage de leur monter un bar dans leur cuisine.

Donc, oui, merci. Merci. Merci. Merci. Encore et toujours.

Et à très vite pour une nouvelle aventure.

Garder ton calme (et boire de la tequila) tu dois

Bonus 1

— Je vais la tuer, marmonnai-je.

Je me tournai dans mon lit, enfonçant ma tête dans l'oreiller. La sonnette de la porte perça de nouveau le silence, suivie d'un tambourinement désormais familier. C'était la deuxième fois en moins de douze heures qu'elle avait oublié de prendre ses clés.

A 16 heures, j'avais ri.

A 3 heures du matin, mon sens de l'humour était porté disparu.

— Ben, c'est moi, hurla Ashley. Ouvre-moi !

Nouveau tambourinement. Je grognai contre le drap et enfonçai mes poings dans le matelas. Tant que Connor et Maddie avaient rôdé dans le coin, la vie avec Ashley avait été supportable. Je réalisais maintenant qu'ils avaient simplement laissé filtrer un peu de sa folie furieuse. Désormais, j'étais l'heureux colocataire d'une Ashley très dynamique, à tendance amnésique — au moins pour ses clés — et oublieuse des règles élémentaires de la vie sur Terre.

— Allez, Ben !

En y réfléchissant, avec un bon avocat et en plaidant la légitime défense — oui, on peut étrangler quelqu'un en légitime défense —, je pourrais éviter la peine capitale. De toute façon, quand le jury entendrait le récit de ma vie commune avec Ashley, il comprendrait mes pulsions meurtrières.

— Ben, si tu n'ouvres pas, je vais devoir dormir dans le couloir, cria Ashley.

Je relevai la tête, cherchant l'ombre d'un coup tordu dans cette phrase anodine. Car oui, Ashley, parmi ses nombreux talents, savait manier l'art de l'entourloupe et du guet-apens. Une phrase innocente ne l'était pas.

— Ben ?

Elle frappa à nouveau contre la porte. Je me tournai dans mon lit et, des yeux, trouvai mon boxer. Je poussai un soupir et décidai de me lever. Dans tous les cas, je ne parviendrais pas à dormir : soit Ashley continuerait à frapper contre la porte, soit la culpabilité me rongerait jusqu'à l'os.

— Ben, je sais qu'il est encore tôt dans notre relation pour te faire part de mes petits secrets intimes, mais sache que je dors nue. Et du coup, si je dois dormir dans le couloir, je vais devoir dormir nue. Et, vu tes bonnes manières, jamais tu ne toléreras que je dorme...

J'ouvris la porte du loft et lui adressai un regard noir. Ashley Jordan, la fille avec qui je vivais — douloureusement — et qui passait son temps à me rendre fou — régulièrement — se tenait devant moi.

— ... dans ce couloir sombre et froid, finit-elle dans un grand sourire. Salut !

— Salut, marmonnai-je.

— Joli boxer. Je peux entrer ?

— Je ne sais pas. Je me dis que maintenant que je suis levé je peux tout aussi bien te claquer la porte au nez et te laisser dormir dans ce couloir.

— Dormir « nue », précisa-t-elle.

Je la détaillai. Elle portait encore sa tenue d'infirmière couleur lavande, avec une paire de baskets blanches un peu abîmées. Sa longue chevelure blonde tenait dans une pince rose fluo sur le haut de sa tête. Elle me dévisagea avec un grand sourire.

Elle savait pertinemment à quoi je pensais.

— Et là, tu m'imagines nue.

— Je t'imagine en train de roupiller sur le paillasson.

— Bien. Puisque tu ne souhaites pas coopérer, soupira-t-elle en retirant sa pince.

Ses cheveux cascadèrent sur ses épaules, et elle me toisa avec une lueur de défi dans le regard. Cette fille n'avait aucune limite. Elle passa une main dans sa chevelure emmêlée, puis se débarrassa de ses chaussures et commença à faire glisser son bas d'uniforme le long de ses jambes.

Aucune limite. Aucune décence.

— Mais tu es complètement folle ! m'écriai-je en vérifiant que personne n'assistait à cette scène. Entre !

Habillé de mon seul boxer et grelottant dans le froid sibérien du couloir de l'immeuble, je poussai ma colocataire à l'intérieur de l'appartement. Elle éclata de rire pendant que je ramassais ses baskets et les jetais dans l'entrée. Je claquai la porte derrière moi et retrouvai Ash, le nez dans le réfrigérateur.

— J'ai ramené des légumes et du saumon du restaurant, si tu veux.

— Super !

— Et tes clés sont sur le guéridon. Comme d'habitude, ajoutai-je avec lassitude.

Elle se prépara une assiette et la glissa dans le micro-ondes. Je bâillai et me frottai les yeux. Je savais qu'il me serait impossible de me rendormir. Je m'assis sur l'un des tabourets du bar, face à Ash.

— Tu dormais ? m'interrogea-t-elle.

— Ash, sais-tu au moins quelle heure il est ?

— Je dirais 3 h 25. A dix minutes près. Donc tu dormais.

— C'est ce que je fais normalement à cette heure. Du moins, c'est ce que je faisais avant que le destin te mette sur mon chemin.

— Ne refais pas l'histoire : j'habitais ici, quand tu as débarqué ivre mort au loft.

— Tu t'étais imposée ! corrigeai-je.

— Parce que prendre possession du canapé pendant des semaines et manger des Rice Krispies en matant du télé-achat, c'est agir en tant qu'invité poli ?

— Soit. Un partout. Match nul. Cela ne change pas le problème initial : je dormais, Ash. Et, crois-moi si tu veux, mais mon destin ne se résume pas à t'ouvrir la porte à chaque fois que tu as oublié tes clés.

— Vraiment ? s'étonna-t-elle faussement en posant son assiette chaude sur le bar.

— Vraiment.

— Et à quoi se résume ton destin ? demanda-t-elle en glissant un brocoli dans sa bouche.

— A survivre à ma vie commune avec toi.

— Ça ne fait que trois jours.

— Ça fait soixante-douze très longues heures, soulignai-je. Ecoute, Ash, je ne sais pas si notre colocation peut fonctionner ainsi.

— Et pourquoi pas ?

— Parce que j'ai voulu te tuer environ trente-cinq mille quatre cent douze fois en trois jours.

De sa fourchette, elle piqua un morceau de saumon, puis elle le fourra dans sa bouche. Un silence inédit s'abattit entre nous deux, pendant que j'attendais une réaction de sa part. J'appréciais Ash. Mais vivre avec elle me rendait dingue.

— Je ne veux pas qu'on finisse par se détester, ajoutai-je.

Elle m'adressa un sourire heureux, avant de prendre un morceau de carotte entre son pouce et son index et de le croquer avec gourmandise.

— Tu sais, je n'aime pas cette conversation, dit-elle finalement. Parce que j'ai comme l'impression que nous sommes en train de rompre.

— Techniquement, il n'y a que les couples qui peuvent rompre.

— C'est bien le problème : pourquoi n'aurais-je que les inconvénients de la vie de couple ? Si on doit rompre, il faut qu'on couche ensemble, proposa-t-elle avec conviction.

Je retins un rire tonitruant. Ash garda son sérieux, continuant de piocher dans son assiette comme si nous avions une conversation normale à un horaire... décent. C'était la différence principale entre Ash et moi : si je tentais de m'adapter à sa douce folie, elle ne faisait aucun effort pour vivre avec le commun des mortels que j'étais.

— Pour quelle raison au juste ? L'équilibre de ta balance karmique ? Une notion floue de la justice d'Ashley ? l'interrogeai-je en prenant un visage neutre.

Elle balaya mes questions d'un geste de la main et fit une grimace. Elle avala rapidement ce qu'elle avait dans la bouche et pointa sa fourchette vers moi.

— Tu es torse nu, dit-elle finalement. Et tu m'as gardé de quoi manger.

— Donc, deux bonnes raisons de coucher ensemble ?

— Trois, si on prend en compte le fait qu'un homme dort toujours mieux après le sexe. Rien ne vaut une bonne partie de jambes en l'air pour bien dormir ensuite.

— C'est l'infirmière qui parle ?

— Aucunement. C'est la femme en sevrage de sexe depuis son emménagement ici qui parle. Mais, évidemment, c'est toi qui vois.

— Tu es fort aimable de me laisser le choix, souris-je en me levant de mon tabouret.

Ashley me suivit du regard, en fronçant les sourcils. Elle avala un morceau de carotte pendant que je me dirigeais vers ma chambre. En vrai, je prenais la fuite.

— Tu vas dormir ? demanda-t-elle.

— Je vais enfiler un T-shirt. Par respect pour ta libido agonisante. Je m'en voudrais d'être trop irrésistible pendant que tu manges, répondis-je en lui tournant le dos.

— Culpabilise autant que tu veux, la vue est loin d'être désagréable.

Je tournai légèrement la tête pour constater que ma colocataire ne dévorait plus son assiette. Non, Ash dévorait en toute impunité mon arrière-train. Le rouge me monta aux joues, tandis que son regard gourmand réveillait une once de désir. Je me précipitai dans ma chambre, enfilai un T-shirt et sautai dans un jean.

Pas aussi efficace qu'une ceinture de chasteté, certes, mais je devais imposer une certaine distance entre Ash et moi. Ce jean, c'était notre distance. Ce jean, c'était la clé de notre colocation. Je pris une profonde inspiration — le même type d'inspiration que celle que vous prenez avant de plonger en apnée au fond d'un océan infesté de requins — et retournai à la cuisine.

Ashley passait son index sur l'assiette, avant de le glisser dans sa bouche. Une nouvelle salve de désir me saisit, et je me figeai. Son doigt toujours dans la bouche, Ash me fixa avec inquiétude.

— Quoi ? fit-elle. C'est interdit ?

« Interdit » n'était pas le premier mot qui me venait à l'esprit.

Obscène. Scandaleux. Désirable. Appétissante. Colocataires.

Je répétai le dernier mot plusieurs fois, histoire de me calmer. Fixer des règles devenait impératif. Je ne l'aurais pas fait avec Connor, ni avec Maddie. Mais avec Ashley, imprévisible et redoutable, je devais me doter d'un arsenal de règles de vie.

— Ash, on devrait fixer des règles.

— Des règles ?

— Des règles. Une sorte de... règlement, donc. Ce que tu peux et ne peux pas faire en vivant ici.

— Les règles ne s'appliqueraient qu'à moi ? s'inquiéta-t-elle.

— Non. Non, bien sûr que non, répondis-je tout en cherchant une règle qui serait applicable sur moi.

Elle me dévisagea avec curiosité, pendant que, mal à l'aise, je cherchais comment lui faire entendre raison. Peut-être que les règles n'étaient pas une bonne idée. Mais, si nous voulions faire fonctionner notre colocation, elle devait comprendre qu'elle ne pouvait pas agir de façon inconsciente.

— Et tu veux faire ça maintenant ? demanda-t-elle.

— Tu as mieux à faire ?

— Dormir était sur ma liste. Prendre une douche aussi.

— Ça nous prendra cinq minutes.

J'en doutais réellement. Je savais qu'Ashley allait parlementer, transiger, râler et sûrement faire un ou deux caprices. C'était le prix à payer pour ma tranquillité et pour mon sommeil. Ashley m'adressa une moue dubitative. Je pris le paquet de post-it près du téléphone et saisit un stylo.

— Prête ?

— Demande-moi plutôt de sauter en parachute, grommela-t-elle en croisant les bras sur sa poitrine.

— On parlemente, mademoiselle Jordan ?

— Je ne suis pas une fille facile, monsieur Harris. Donc, oui, je parlemente. Note « saut en parachute » ?

— Ça n'est pas vraiment une règle. Et si on disait

« éviter de réveiller son colocataire, surtout pour une histoire de clés » ?

Ashley me jaugea du regard. On vivait ensemble, certes, mais je savais qu'elle ne me faisait pas encore totalement confiance. Elle mettait en doute mes intentions, et j'étais décidé à faire preuve de bonne volonté.

— Cette règle s'applique à nous deux, précisai-je.

Un sourire carnassier s'étira sur ses lèvres. Elle contourna le bar et s'installa sur le tabouret près du mien. Elle posa son avant-bras sur mon épaule et déposa un baiser furtif sur ma joue.

— Très bien, on va le faire ton règlement. Fais-moi rêver, Harris !

— Il me semble que la première règle est évidente, dis-je, d'une voix assurée.

— Il me semble qu'elle est totalement orientée. Cette règle ne me sert à rien.

— Elle sert à me garder de bonne humeur et à préserver ma jauge de tolérance vis-à-vis de ta passion douteuse pour le chant.

— J'aime le chant, râla-t-elle en me donnant un coup de coude.

— Je sais. C'est le chant qui ne t'aime pas. Donc, règle adoptée ?

— Cette règle n'empêche pas que je te fasse des choses dans ton sommeil ? demanda-t-elle avec malice.

Mes joues se mirent à chauffer, et Ashley ravala un rire en secouant la tête. Elle descendit de son tabouret et se dirigea vers le réfrigérateur. Je tentai de me concentrer sur mon post-it, mais imaginer Ashley me réveiller autrement qu'en tambourinant à la porte était déstabilisant.

Et très érotique.

— Je propose un amendement, dis-je sans oser regarder ma colocataire.

Au bruit, je compris qu'elle avait ouvert la bouteille de tequila. Je relevai les yeux vers elle et arquai un sourcil.

Tequila ? A 3 heures du matin ? Ça sentait une potentielle gueule de bois et, surtout, une perte de contrôle assurée. En gros, une très mauvaise idée.

— Un amendement ? répéta-t-elle en nous préparant deux verres.

— On ne réveille pas son colocataire pour une histoire de clés.

— Mais on peut te réveiller pour... autre chose ? demanda-t-elle en poussant un verre dans ma direction.

Je haussai les épaules, sentant ma timidité reprendre le pas sur ma volonté farouche de cadrer notre cohabitation. Je n'allais pas survivre à cette nuit.

— D'accord, dit-elle finalement, avant d'avaler son verre d'un trait.

— D'accord.

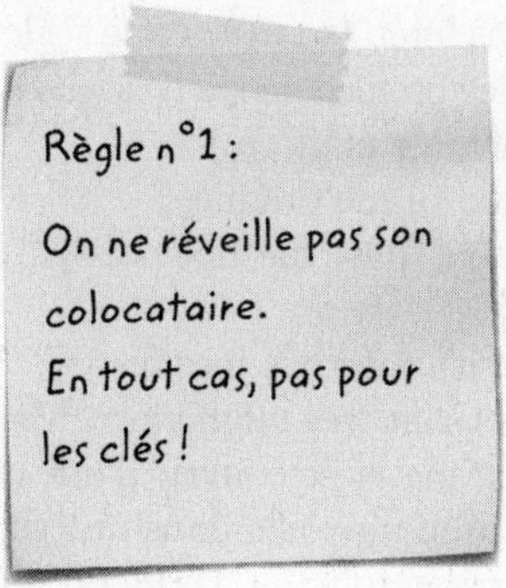

Je bus mon verre à mon tour, scellant ainsi notre première règle. La brûlure de l'alcool me tira une grimace, pendant que mon estomac vide se révoltait. Ashley remplit de nouveau nos verres. Je me levai et collai mon post-it de la victoire sur le réfrigérateur.

Quand je me tournai vers ma colocataire, elle m'adressa un regard amusé.

— Prochaine règle ? me provoqua-t-elle.

***

— Je me permets de protester, dit doucement Ashley, son verre de tequila vide à la main.

— Proteste autant que tu veux, je ne changerai pas d'avis.

— Ben, les règles, c'est ton idée. Et donc, ces règles sont censées servir tes intérêts, non ?

— Elles servent les intérêts de notre colocation.

— Et en quoi me balader fesses nues pourrait être néfaste à notre colocation ?

— Tu pourrais attraper froid ? tentai-je maladroitement.

Ashley éclata de rire et me dévisagea d'un air dubitatif. Elle ne pouvait plus se promener ici sans culotte. Cette règle servait mes intérêts : avec cette règle, j'allais cesser d'imaginer Ashley promenant ses délicieuses fesses partout.

Ma santé mentale était en jeu.

— Est-ce que tu me dragues ?

— Absolument pas, me défendis-je, les yeux rivés sur mon post-it.

— Donc, tu n'aimes pas mes fesses ?

— Tes fesses sont très mignonnes. Mais elles doivent rentrer dans le rang et se couvrir d'une culotte.

— String ? proposa-t-elle dans une supplique.

— Culotte obligatoire. Je vérifierai, s'il le faut.

— Là, tu me dragues ! affirma-t-elle en descendant de son tabouret.

— On n'a pas terminé.

— Je sais. J'applique la règle. Je vais aller mettre une culotte.

Elle se dirigea vers sa chambre d'un pas vif, pendant

que, consterné, je demeurais immobile sur mon tabouret. Si Connor apprenait que j'avais instauré un port obligatoire de culotte dans l'appartement, il demanderait à vérifier qu'un vagin ne soit pas en train de prendre la place de ma prostate. Ashley réapparut quelques instants plus tard, vêtue d'un T-shirt long et, je l'espérais, d'une culotte. Je la suivis du regard, pendant qu'elle se rasseyait près de moi. Elle remplit nos verres à ras bord et me tendit le mien.

— Pas de pantalon ? Ou de peignoir ? demandai-je, sous le choc.

— Tu as demandé que je porte une culotte. J'applique la règle.

D'un geste élégant et très féminin, elle tira sur l'élastique de son sous-vêtement et le fit claquer contre sa peau. J'en étais à deux verres de tequila et j'étais déjà dans un état second. Si en plus je devais juguler l'excitation qui me gagnait, je ne survivrais pas à cette nuit.

Elle m'arracha le post-it des mains et courut presque pour le coller sur la porte du réfrigérateur.

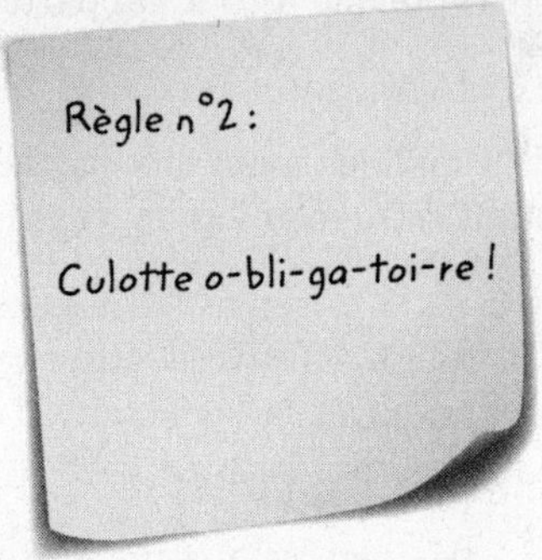

— Règle n°3 ? m'encouragea-t-elle dans un rire.

***

— Et c'est quoi la différence avec la règle n°1 ? demanda Ashley avec une moue dubitative.

— C'est juste un peu plus spécifique, expliquai-je calmement. La cloison entre nos deux chambres est fine.

— Ah, d'accord ! Franchement, ça me rassure.

Je me tournai vers elle sans comprendre.

— Cette règle parle d'horaire, pas de lieux. Donc, je peux tout à fait m'envoyer en l'air sur ce bar.

— Ce bar-là ? répétai-je, effrayé, en levant mes mains de la surface en question.

— C'est une possibilité. Comme le mur en face. Ou la porte de ta chambre.

— Je te demande pardon ? m'écriai-je d'une voix aiguë.

— L'extérieur de la porte de ta chambre, précisa-t-elle dans un sourire entendu. Oh ! et sans oublier le canapé, bien sûr !

Je pris mon verre et bus une gorgée de tequila. D'habitude, l'alcool me désinhibait. Mais Ashley était particulièrement en forme cette nuit, et je n'avais pas assez dormi. Je passai une main sur mon visage avant de prendre une profonde inspiration.

— La règle s'applique à tout l'appartement.

— Donc, il reste la laverie, l'escalier de secours et l'ascenseur.

— La règle s'applique aussi aux parties communes, dis-je en ajoutant cette mention, rageusement, sur mon post-it.

Ashley se versa une nouvelle rasade de tequila. Elle entrechoqua son verre contre le mien et le porta à ses lèvres.

— Donc, si tu te mets au régime, je devrai moi aussi m'y mettre ? s'inquiéta-t-elle. Et, si tu te mets au sport, je dois acheter des baskets ?

— J'ai fait l'amour le mois dernier, râlai-je en buvant une gorgée de tequila.

— On parle de sexe, Ben. Pas d'une vague habitude hebdomadaire dans le noir avec ton ex !

Sous le choc, je recrachai la moitié de mon verre, et Ashley en profita pour approcher son visage du mien. De sa main, elle traça des arabesques sur le bar, jusqu'à frôler mes doigts. Je retirai ma main, comme si une flamme m'avait léché la peau.

— On parle de désir. De frénésie. De culotte arrachée et d'orgasme, murmura-t-elle d'une voix chaude.

Je détournai le regard, redoutant d'être hypnotisé. Avec mes deux verres et quelque de tequila, ma capacité de résistance était écornée. Je ne survivrais pas à cette nuit. Je rivai les yeux sur mon post-it — ma bouée dans la tempête Ash — et m'éclaircis la voix.

— Donc, tout ça... le désir, la frénésie et l'arrachage de culotte, c'est interdit à partir de 23 heures. Ni dans l'appartement, ni contre ma porte, ni dans l'ascenseur. On valide ?

— Tu as oublié les orgasmes, rit-elle. A tout point de vue d'ailleurs.

— Cette règle est validée, donc, soupirai-je avec soulagement. On attaque la prochaine ? demandai-je en me levant pour coller le post-it sur le réfrigérateur.

***

Ashley m'arracha mon stylo des mains et m'adressa un regard malicieux. Je lui pris la bouteille et nous servis maladroitement, éclaboussant le bar de tequila.

— Celle-ci, elle est pour moi ! s'exclama-t-elle.

Elle rédigea sa nouvelle règle sur un post-it et, sans attendre mon avis, alla le coller sur le réfrigérateur.

— Attends, on doit en discuter et ensuite la valider. C'est la règle.

— Il y a une règle pour fixer les règles ?! demanda-t-elle, ahurie.

— Pas une règle. Disons une méthode. On doit tout de même en discuter un minimum.

— En discuter ? Tu as rédigé les trois premières règles, et j'ai à peine protesté. Tu peux bien en accepter une sans broncher !

— Avec toi ? C'est hors de question ! Montre-moi.

Quand je découvris sa règle, j'éclatai de rire. Ashley croisa les bras sur sa poitrine et me lança un regard sévère. Je ravalai mon rire et retournai à ma place.

— Est-ce que cette règle sous-entend qu'on doit le faire ensemble ? l'interrogeai-je.

— C'est mieux. Sur le canapé.

— Evidemment.

— Et cela n'interférera aucunement avec la règle n°3. Enfin, sauf concernant les potentielles culottes arrachées et autres orgasmes.

— Ça me va, dis-je, sans hésitation.

— Vraiment ? s'étonna-t-elle.

— Vraiment. Je n'ai pas de contre-argument.

Elle arbora une mine défaite, et ses bras tombèrent le long de son corps. Un nouveau rire menaça de s'échapper de ma gorge, mais je parvins à pincer les lèvres et à garder mon calme. Déstabiliser Ash était bien trop jouissif.

— L'intérêt de ces règles, ce sont justement les contre-arguments. Fais au moins semblant de résister !

— Je ne simule pas. Jamais. L'idée est sympa. Je pourrais nous faire un dessert à cette occasion.

— Tu ressembles à l'homme idéal. Sauf que tu es turquoise. Et que tu es bien trop d'accord avec moi, fit-elle d'un ton boudeur, contrariée.

— Promis, je vais travailler mon sens de la contradiction.

— S'il te plaît. Histoire qu'on ne tombe pas dans la routine et l'ennui. Tu me donnes la bouteille ?

Je la glissai vers elle, et Ash leva les yeux au ciel. Je compris que j'avais été, une fois encore, trop sympa avec elle. Apparemment, être serviable n'était pas une qualité fondamentale pour Ash. Ce qui, en quelque sorte, expliquait qu'elle s'entiche des enfoirés de l'hôpital.

— On a du boulot sur la contradiction ! Donc, on valide cette règle ? Une fois par mois alors ?

— Ça me va, assurai-je avec un grand sourire.

— On a vraiment beaucoup de boulot, répondit Ash en riant.

Elle se tourna vers le post-it et, de l'index, s'assura qu'il tenait parfaitement sur la porte du réfrigérateur. Elle se pencha légèrement, et je baissai la tête pour vérifier la bonne application de la règle n°2. Quand Ash me fit face de nouveau, elle me prit sur le fait.

— Ben, l'espace de ma culotte est mon espace. Prochaine règle ? demanda-t-elle.

— Prochaine règle, approuvai-je, mortifié.

***

— C'est médicalement prouvé, lança Ash en griffonnant sur un nouveau post-it.

— Et donc, pour cette simple raison, je ne peux pas m'y opposer ?

— C'est de la science, Ben. Chanter favorise l'oxygénation, évacue le stress et me permet d'éviter l'utilisation d'une crème antirides grâce aux expressions faciales.

— Sortir sur l'escalier de secours favorise l'oxygénation, le sexe évacue le stress, et je t'achèterai une crème antirides.

— Je te parle d'une règle sur le chant, et tu me proposes du sexe sur l'escalier de secours ? s'amusa-t-elle en rétrécissant le regard.

— Si tu veux. Sauf après 23 heures, bien sûr.

Je pris mon verre de tequila et en bus une gorgée. Après les concessions sur les réveils nocturnes et sur ses activités débridées éventuelles, je me devais de faire moi aussi un pas vers elle. Je poussai un soupir et prononçai ma sentence.

— Bien. D'accord, abdiquai-je. Tu pourras chanter.

Elle cria de joie et sautilla autour du bar, avant d'enrouler ses bras autour de mon cou pour me serrer contre elle. Lui aurais-je annoncé qu'elle avait gagné à la loterie qu'elle n'aurait pas été plus heureuse. Sa liesse me tira un rire, et Ashley se rassit près de moi.

— Il faut fêter ça.

J'arquai un sourcil, inquiet. Nous étions ivres tous les deux et, à jeun, Ashley était déjà redoutable. Elle tira le répondeur sur le bar et appuya sur deux touches.

— On va chanter, Ben. On va faire un truc génial, toi et moi, sur ce répondeur.

— Un truc génial... et provisoire donc.

— Un truc génial, point barre. On va chanter, et ce chant scellera pour de bon notre colocation.

Je lui adressai un regard catastrophé, pendant qu'Ashley commençait à vocaliser pour s'échauffer la voix.

— Je ne sais pas chanter, Ash, dis-je, dans le vague espoir d'échapper au pire.

— Comme si on devait s'arrêter à ce genre de détail. Qu'est-ce que tu as envie de chanter ?

— *La Traviata* ? *Carmen* ? *La Flûte enchantée* ?

— Cette chanson sera entendue par les vivants, Ben. Il faut trouver quelque chose de ce siècle.

Elle remplit à nouveau nos verres, me tendit le mien et le fit tinter contre le sien. Nous bûmes d'un trait. L'alcool, qui avait déjà commencé à dissoudre une partie de ma capacité de réflexion, me retirait maintenant toute retenue. Je n'allais pas survivre à cette nuit.

— *I Got You Babe* ? proposai-je.

Elle hocha la tête et, l'instant suivant, nous hurlâmes à l'unisson dans notre micro improvisé — la bouteille de tequila — pendant que le répondeur enregistrait notre performance improbable. Tout en chantant, Ashley contourna le bar et colla son post-it sur le réfrigérateur.

***

— C'est bassement terre à terre, mais je pense que nous devons en parler, dis-je, d'une voix assurée. C'est la base de toute colocation réussie.

— Bien. Chips, pizza, glace. Ça me semble plutôt simple, répondit-elle en haussant les épaules.

— Et des légumes. Et du poisson ?

— Ben, tu es pâtissier. Si j'ai accepté de vivre avec toi, c'est uniquement dans la perspective de potentiels dîners délicieux. Donc, tu t'occupes du poisson, et j'achète les pizzas.

— Je parlais d'un roulement de courses équitable, où on ferait une liste commune, y compris pour l'entretien de l'appartement.

Ashley avala rapidement sa gorgée de tequila et me dévisagea avec consternation. Je notai la règle sur le post-it, décidé à ne pas céder un pouce à ma colocataire.

— Comme... de la lessive ? grimaça Ashley.

— Lessive, détergent, de quoi nettoyer les toilettes. La routine quoi.

— La tequila est ma routine, bougonna-t-elle.

— Ta routine, ça va être de vivre avec moi. Contrairement à Connor, je sais me servir d'un aspirateur et je risque donc d'être pénible. Il faut que notre relation, ici, reste équitable.

— Je n'aime pas vraiment quand tu parles comme un adulte. Je propose qu'on rechante !

Je claquai ma langue contre mon palais et secouai la tête. Les yeux rivés aux siens, je collai le post-it sur le réfrigérateur.

— Règle adoptée.

— Règle qui craint adoptée, corrigea Ashley.

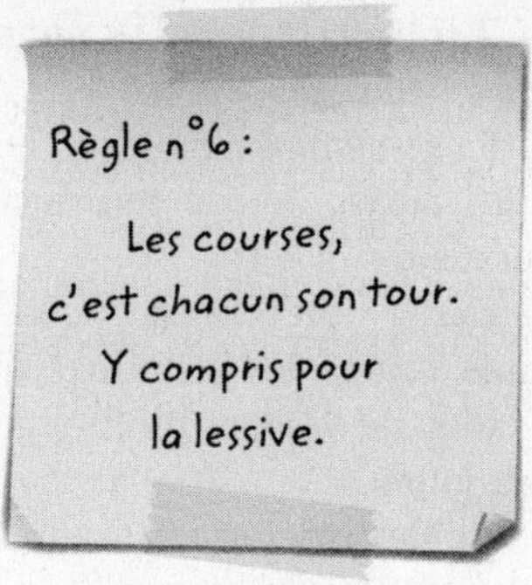

***

— A mon tour ! s'exclama Ashley. Nous avons exploité mes talents, je propose qu'on exploite les tiens.

— Tes talents ?

— Je chante, rappelle-toi. C'est un talent.

— Tu veux dire, pour rendre ton entourage sourd ?

— Du sarcasme ?

— De l'amour, Ash.

Elle se figea, stupéfaite, et en laissa tomber le stylo sur le bar. Je lui adressai un sourire complice, avant de m'asseoir face à elle et de planter mon regard dans le sien.

— J'aime ton culot, expliquai-je. J'aime ta façon de pousser les gens dans leurs retranchements, de les défier. Et, même si tu chantes horriblement, je suis admiratif de ta capacité à entraîner les gens avec toi.

— Donc... Tu aimes mon culot ? répéta-t-elle, troublée.

— Absolument.

— Tu sais, on n'aurait pas dû boire autant, car je risque de ne pas me rappeler exactement ce que tu viens de dire d'ici quelques heures, regretta-t-elle.

— Alors, c'est quoi ta règle ?

— Oh ! oui. Eh bien, puisque tu aimes mon culot, je vais amender cette règle.

Elle raya furieusement un mot sur le post-it et le remplaça par un autre. Je me redressai légèrement pour lire au-dessus de sa tête.

— Tous les jours ? ! ! m'écriai-je, sous le choc.

— J'avais mis toutes les semaines mais, puisque tu aimes mon culot, je vais en profiter un peu. Donc, muffins tous les jours.

J'éclatai de rire devant son air assuré et confiant.

— Et je te les amène au lit aussi ?

— J'aime ton culot, Ben, rit-elle. Mais il va falloir en faire plus pour arriver dans mon lit. Et tout cela, en gardant ma culotte et avant 23 heures.

Elle contourna le bar et colla son post-it sur le réfrigérateur. Dans son regard, je décelai la lueur de la victoire. Pour une fois, je n'avais aucune envie de parlementer. Si elle voulait des muffins, elle les aurait. Et si elle les voulait au lit, je trouverais un moyen de les lui apporter.

***

Ashley bâilla, et je jetai un coup d'œil à l'horloge. Il était presque 5 heures, et l'idée de retourner dormir quelques heures avant de rejoindre le restaurant était tentante.

— On peut finir demain, proposai-je.

— On ne sera plus dans l'ambiance. Et je serai à jeun et donc moins encline à accepter ce genre de bêtises. A la base, je voulais juste rentrer pour dormir.

— A la base, tu as tambouriné comme une folle furieuse à cette porte !

— Je cherchais un refuge. J'avais peur que Steve finisse par prendre l'ascenseur et se faufile dans ma chambre.

— Steve ? Qui est Steve ?

— Officiellement ? Un chirurgien digestif.

— Et officieusement ?

— Un type qui a demandé à partager l'addition à la cafétéria de l'hôpital.

Stupéfié par cet épisode peu glorieux, je me mis à chercher dans mes souvenirs. Comment s'appelait ce type avec qui elle était sortie en début de semaine ? En vain. La tequila paralysait ma capacité à réfléchir convenablement. Puis, dans un éclair de lucidité, cela me revint.

— Mitch ! m'écriai-je. Avant-hier, tu es sortie avec Mitch, ophtalmologiste ! débitai-je, comme si je jouais à un jeu télévisé.

— Euh, oui, bégaya-t-elle. Tu tiens un décompte ?

— Non. Disons que je vigile. D'ailleurs, cela pourrait être notre prochaine règle.

Je pris le paquet de post-it et griffonnai la règle n°8. Ce n'était pas vraiment une règle pour contenir Ashley, mais plutôt pour apaiser mon esprit. Je pouvais envisager Ashley avec d'autres hommes, mais j'estimais, en tant que pâtissier, qu'une catégorie lui était formellement interdite.

— Je suis interdite de... nutritionniste ? dit-elle avant d'éclater de rire.

— Je le prendrais comme un affront personnel. Tape-toi un urologue si tu veux, mais pas un nutritionniste.

— Bien. Mais dans ce cas, ne sors pas avec une infirmière. Je le prendrais aussi comme un affront personnel et chanterais jusqu'à t'en faire saigner les oreilles.

— J'amende donc : pas de nutritionniste pour toi, pas d'infirmière pour moi. Cela me semble juste.

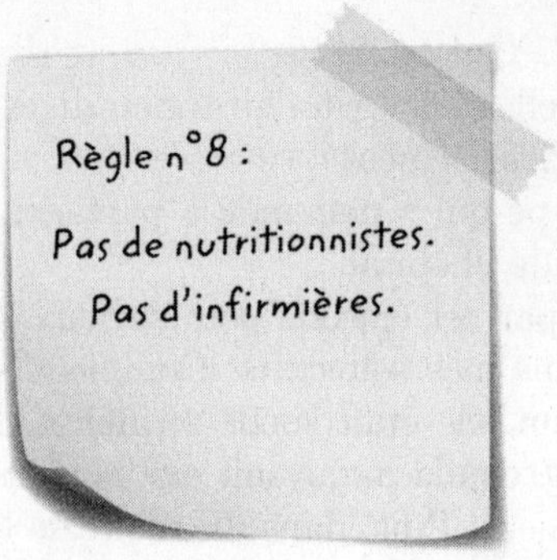

— Je ne peux pas croire qu'on soit d'accord aussi facilement, se moqua Ashley. On se ramollit.

Je collai cette nouvelle règle sur le réfrigérateur, satisfait d'avoir eu gain de cause. J'entendis Ashley remplir nos verres. Un nouveau round s'annonçait.

***

— On n'a qu'à dire que c'est la dernière, proposai-je.

Ashley porta le stylo à ses lèvres et se mit à fixer le plafond. De toute évidence, elle cherchait une règle qui ferait durer notre nuit dans cette cuisine. Je trouvais cela à la fois touchant... et fatigant. Je bâillai ouvertement, m'étirai, envoyai tous les signaux possibles signifiant ma fatigue et ma volonté de regagner les bras de Morphée.

Rien à faire, Ashley était bien trop déterminée pour remarquer quoi que ce soit.

Ou alors, elle aimait simplement me contrarier. J'optais plutôt pour cette option.

— Je vais aller dormir, Ash, la prévins-je en descendant de mon tabouret.

— Tu veux faire ça au lit ?

— Ça ? C'est quoi « ça » ? l'interrogeai-je en m'arrêtant net.

— La dernière règle. Je peux être charitable : allons dans ton lit et parlons-en.

— Il n'est pas question que tu viennes dans mon lit.

— Et pourquoi pas ?

— Ta culotte est ton espace vital, ma chambre est mon espace vital, souris-je. Bonne nuit, Ash !

— Tu manques cruellement de fantaisie.

— Je tente d'être la personne rationnelle dans cette conversation. Il est plus de 5 heures du matin, nous sommes ivres tous les deux, et nous retrouver dans un lit n'est pas du tout une bonne idée.

Elle m'adressa un sourire mutin, avant de descendre à son tour de son tabouret et de me suivre jusqu'à ma chambre. Je passai une main dans mes cheveux, exaspéré par son entêtement.

— Tu as toujours été comme ça ? demanda-t-elle, alors que je m'apprêtais à fermer la porte de ma chambre.

— « Normal » tu veux dire ?

— Chiant à mourir. Tiens, d'ailleurs, voilà notre dernière règle, se réjouit-elle. Tourne-toi.

Et, comme un idiot, je m'exécutai, tournant le dos à ma colocataire. Elle s'en servit d'appui et nota notre ultime règle sur son post-it. Elle me le tendit, ravie comme une enfant et sautillant presque de joie.

— Et on commence maintenant, annonça-t-elle.

Elle enroula son bras autour du mien et m'attira dans la cuisine. Nos deux verres étaient toujours sur le bar, la bouteille était presque vide. Elle plaqua le post-it sur le réfrigérateur, puis ouvrit la fenêtre à guillotine. L'air froid s'engouffra dans la pièce, attisant ma mauvaise humeur.

— On va aller fumer une cigarette en regardant le lever du soleil.

— Je ne fume pas, Ash.

— Tu es vraiment rabat-joie. Allez, viens.

Sans attendre, elle se glissa par la fenêtre, et sa silhouette fut bientôt hors de vue. Je soupirai à nouveau et, malgré moi et ma volonté, je passai à mon tour par la fenêtre. Ash était assise sur l'escalier de secours, tapant son paquet de cigarettes dans sa paume pour en sortir une. Je m'installai près d'elle, frissonnant au contact des marches froides sur mon arrière-train.

— Alors, pour toi, ça, c'est un truc fou ? demandai-je en parcourant des yeux la vue devant moi.

— Vivre avec toi est un truc fou, répondit-elle d'une voix douce.

Elle se tourna vers moi, et la lumière du soleil levant illumina son visage. Elle pinça les lèvres, comme si elle était embarrassée, puis haussa les épaules. Ma jambe frotta contre la sienne. Peu importait qu'il fasse un froid polaire ou que je veuille dormir.

Ces règles nous avaient amenés ici, au lever du soleil.

— Tu crois qu'on va tenir ces règles longtemps ? m'inquiétai-je.

— Au moins celle-là, murmura-t-elle.

— Au moins celle-là, approuvai-je.

Faire des compromis (et draguer Ash) tu dois

Bonus 2

Troisième semaine de territoire partagé

Ash était dans sa chambre. Même de la cuisine, je l'entendais chantonner. Oui, malgré le sèche-cheveux et grâce à une performance vocale heureusement inégalée dans cette galaxie, la douce voix de ma colocataire — comprendre : trop aiguë, à tendance nasillarde — me parvenait. Vu les sons qu'elle émettait, elle devait même bouleverser le sonar de Flipper le dauphin. Après ma journée de service au restaurant, où régnaient agitation, bruit et folie furieuse, j'avais naïvement cru que l'appartement serait calme. J'avais fantasmé sur une soirée télévisée, du pop-corn, du silence.

C'était sans compter les ablutions pré-rendez-vous galant de ma colocataire. Cela faisait vingt minutes que le sèche-cheveux vrombissait. Cela faisait vingt minutes que je relisais sans la comprendre la même recette.

Je jetai un œil vers le jeune homme brun assis devant moi. Il m'adressa un sourire hésitant, avant de froncer les sourcils.

— Je suis juste son colocataire, dis-je en replongeant le nez dans mon livre de pâtisserie.

— Oh. Je sais, Ashley me l'a dit. Vous vivez ensemble depuis longtemps ?

— Trois semaines.

Je relevai les yeux vers lui. L'information le laissa de marbre. Son regard se perdit derrière moi, et je compris qu'il observait la façon dont Ashley et moi communiquions le mieux : la porte du réfrigérateur. Du moins, les post-it qui la recouvraient. Il cherchait visiblement une explication, mais je refusais de la lui fournir. La porte du réfrigérateur — et la cuisine de manière générale — était mon royaume.

Et mon royaume n'était pas ouvert aux hérétiques, qui débarquaient pour un premier rendez-vous sans fleurs, sans cravate et avec une odeur douteuse d'éther et de désinfectant industriel.

— Benjamin, dis-je finalement en tendant la main vers lui pour me présenter.

— Aaron.

— Infirmier ?

— Médecin.

Il m'adressa un sourire suffisant. Un infirmier se serait excusé de ne pas être médecin en haussant les épaules. De mon livre, je sortis une feuille de papier. Je relevai les yeux vers mon vis-à-vis. Sur ma liste, j'avais déjà rayé, entre autres, « radiologue », « stomatologue » et « podologue ». Il me restait donc encore quarante possibilités.

Trente-neuf, si on éliminait la seule spécialité dans laquelle Ash n'avait pas le droit de chasser.

Ashley sortit de sa chambre avec un grand sourire. Elle portait sa robe rouge. Donc, elle serait de retour d'ici à minuit. Je me demandai furtivement si je ne préférais pas la robe bleue. Parce que avec la robe bleue elle revenait toujours pour 22 heures. J'avais eu le temps de peaufiner cette analyse fine, à la faveur de la multitude de rendez-vous qu'avait eus Ashley depuis le début de notre vie commune.

— Vous faites connaissance ?

— Plus ou moins. Je réfléchis, dis-je en désignant Aaron du menton.

Aaron suivit l'échange des yeux, sans comprendre.

— Je croyais qu'on avait fixé des règles, me rappela ma colocataire en approchant du réfrigérateur.

— Parce que maintenant tu veux suivre les règles ?

J'éclatai de rire, pendant que Ash, les poings sur les hanches, attendait que je me reprenne, en tapant du pied nerveusement.

— C'est toi qui voulais des règles, dit-elle. J'en ajoute une : pas d'interférence dans mes relations amoureuses.

— Parce que, lui — je ricanai comme un fou, en désignant Aaron du pouce derrière moi —, c'est une « relation amoureuse » ? Je te rappelle la règle n°3 : pas de sexe après 23 heures. J'ai besoin de dormir.

Elle écarquilla les yeux de stupeur, et son regard passa d'Aaron à moi. Je ne pouvais m'empêcher de sourire. Elle approcha son visage du mien et pointa un index impérieux vers moi.

— Un jour, crois-moi, tu regretteras cette règle.

Ses lèvres se retroussèrent dans un sourire énigmatique. Je commençai à m'inquiéter. Ashley ne s'avouait jamais vaincue. Elle trouvait toujours comment me clouer le bec. Elle savait comment maintenir l'équilibre inexplicable de notre relation : elle, fantasque et drôle ; moi, ligoté par mes bonnes manières et d'une rationalité effrayante.

— Enfin, tant que tu auras ces cheveux, je présume que je n'aurai pas vraiment besoin de te rappeler la règle n°3.

Elle passa près de moi, contourna le bar et alla rejoindre son cavalier de la soirée. Je pivotai vers eux et constatai qu'Aaron était toujours médusé, pendant qu'Ashley ricanait. Je détaillai sa tenue, m'attardant volontairement sur la courbe de ses hanches et le haut de ses fesses. Ashley sentit mon regard, et, pendant que je fronçais les sourcils de désapprobation, son sourire s'élargit.

Elle savait que je savais. Et elle savait qu'elle contrevenait à la règle n°2. J'étais à deux doigts de la réexpédier dans sa chambre, mais je poussai un profond soupir et pris sur moi. Je pouvais me contenter d'agir comme un père de famille avec sa fille adolescente : le rappel des horaires, le broyage réglementaire de la main de son cavalier, les regards assassins. Ce n'était pas l'envie qui me manquait. Mais, si j'en croyais Connor, cela conduirait à la catastrophe. Et Connor s'y connaissait en catastrophe.

Ashley mit son manteau et enfonça son bonnet sur la tête. Aaron la suivit, pendant que j'ouvrais la porte. A défaut d'agir comme son père, je pouvais au moins agir comme un imbécile de majordome. Je dévisageai Aaron. Il avait la tête d'un psychiatre. Oh! non : il était dermatologue. Je le sentais à la façon dont il scrutait mon visage, comme s'il cherchait un mélanome.

— A tout à l'heure, dis-je, alors qu'ils franchissaient le seuil.

— Pas avant minuit, répondit Ashley.

— Oui. Je sais.

Quand la porte se referma sur eux, l'appartement me sembla plus vide que jamais. J'avais des scrupules à l'admettre mais, sans Ashley, je m'ennuyais parfois. L'appartement redevenait calme. Je m'installai sur le canapé, allumai la télé, m'armai de ma boîte de céréales cachée entre l'accoudoir et le coussin du canapé et pris une profonde inspiration.

J'avais réussi à survivre sans Ashley pendant plusieurs années. A cette époque, ma vie était normale. Ma vie était équilibrée. Ma vie n'était pas un karaoké perpétuel. Avant Ashley, je pouvais me contenter de mes soirées devant la télévision, je parvenais à faire le vide, à apprécier le néant.

Je regardai l'heure sur ma montre. Maintenant, je redoutais le néant. Végéter devant la télévision ne me faisait plus envie. Sûrement parce que mon esprit vagabondait ailleurs, se demandant à l'envi ce qu'Ashley faisait au même moment.

Dans quatre heures, elle serait de retour. Dans quatre heures, le juke-box reprendrait du service.

Dans quatre heures, Ashley serait de nouveau toute à moi.

Quand je rouvris les yeux, le présentateur à la peau orangée du télé-achat vantait les mérites d'un aspirateur sans sac. Etrangement, l'appareil ressemblait à un petit R2D2. Je me frottai les yeux et m'étirai. Le soleil se levait.

Et, quand cette simple information fut enfin traitée par mon cerveau encore embrumé, je me redressai d'un bond. La boîte de céréales glissa et s'écrasa sur le parquet. Je passai une main sur mon visage et soupirai lourdement. Je frottai mon sweat tapissé de miettes et me levai. Dans la manœuvre et dans un accès de chance, mon pied s'enfonça dans la boîte.

— Bordel ! grognai-je.

Une porte grinça, et je sus immédiatement qu'Ashley était là.

— Pourquoi ne m'as-tu pas réveillé ? demandai-je, sans prendre la peine de la regarder.

— Ash a dit que c'était contraire à la règle n°1.

Je me tournai vivement et trouvai Aaron, légèrement décoiffé, sa chemise mal boutonnée et un air coupable sur le visage. Je tirai sur mon pull, dans une veine tentative de ne pas avoir l'air aussi défait que lui. Le regard d'Aaron se braqua sur le bar, puis sur la machine à café. Je retins un rire, espérant que ma colocataire surgirait pour lui montrer la porte. Il était hors de question que je fasse un café à ce type.

Sauf s'il m'autorisait à cracher dedans. Auquel cas, on pouvait trouver un compromis acceptable.

Nous nous dévisageâmes pendant de longues minutes, nous affrontant du regard. Ce type occupait une partie de mon territoire et avait l'audace de me défier. Il baissa finalement les yeux, signant ainsi sa défaite. Aaron, sourcils froncés, avança finalement vers la porte.

— Je vais y aller, dit-il.

— D'accord.

Il se tourna vers la chambre d'Ashley, espérant sûrement une apparition de sa part qui lui offrirait une excuse parfaite pour rester ici. Je retins un sourire cruel. Il tendit sa main vers moi, son regard soudé au mien.

— A bientôt !

J'arquai un sourcil moqueur — était-il naïf au point de croire qu'il reviendrait ici ? — avant de faire preuve de mansuétude et de serrer sa main. J'ouvris la porte de l'appartement, et il en sortit. J'avais presque de la peine pour lui : avoir passé la nuit avec Ashley et ignorer que cela ne se reproduirait pas. La chute serait douloureuse. Je me fis un café et m'installai sur un des tabourets du bar de la cuisine. La porte de la chambre d'Ashley grinça de nouveau, et elle passa la tête par l'entrebâillement. Elle promena son regard dans l'appartement, retenant son souffle.

— Le champ est libre, murmurai-je, avant de prendre une gorgée de mon café.

— Super.

Elle sortit de sa chambre avec les cheveux humides et le corps enroulé dans une serviette de bain blanche. Elle avança vers moi d'un pas lent, passant ses mains dans sa chevelure, pendant que sa serviette, déjà bien courte, révélait un peu plus de ses cuisses. Je m'éclaircis la voix, me surprenant à fredonner l'air de la « Reine de la nuit » dans *la Flûte enchantée.* Ashley était la Reine de la nuit : bien plus redoutable que son apparence angélique ne le laissait paraître.

Elle resserra le nœud de tissu autour de sa poitrine et grimpa sur un tabouret, un grand sourire sur les lèvres.

— Bien dormi ? demanda-t-elle.

— Bien. Tu aurais pu me réveiller.

— Et la règle n°1 ? s'amusa-t-elle en prenant ma tasse pour boire une gorgée de mon café.

— Tu es donc rentrée après 3 heures du matin ?

— En effet. Tu roupillais devant une démonstration de crème anticellulite. Du coup, Aaron m'a tenu compagnie.

Elle but une nouvelle gorgée de mon café et riva son regard au mien. J'y décelai une pointe de défi. Mon manque de sommeil et un sentiment ressemblant beaucoup à de la jalousie m'empêchaient de réfléchir convenablement. Je secouai la tête, mais je ne parvins qu'à imaginer Ash et Aaron tendrement enlacés — ou pire, en pleine séance de sexe débridé —, et cela me rendit dingue.

— Je propose qu'on supprime les règles, déclarai-je d'un ton neutre.

— Et les réveils à 3 heures du matin, quand j'ai oublié mes clés ?

— Je survivrai.

— Et la règle n°2 ?

— J'aimerais tout de même que tu portes des culottes. Sur une base régulière.

— D'accord. Attends, est-ce que la règle n°7 est caduque ?

J'éclatai de rire devant son air sérieux et concerné. Je lui adressai un sourire, pour la rassurer.

— Tu auras toujours des muffins, assurai-je.

— Et la 4 ?

— Tu vois qu'il faut qu'on supprime ces règles ! C'est beaucoup trop de contraintes !

— Regarder *Dirty Dancing* n'est pas une contrainte ! s'écria-t-elle. J'aurais pu te l'imposer une fois par semaine !

— Et anéantir mon taux de testostérone ?

— Tu es turquoise. Ton taux est nul depuis un bail ! Donc, tu es bien certain de vouloir abolir les règles ?

Elle me fixa avec attention, serrant ses mains autour de ma tasse. Pour une fille qui ne voulait aucune règle depuis le début, je la trouvais étonnamment prudente. Trop prudente. J'examinai à mon tour son visage avec attention, avant de comprendre.

— Tu l'as fait, affirmai-je en pointant un index inquisiteur vers elle.

— Je ne vois pas de quoi tu parles, rit-elle.

— Si, tu vois. Tu l'as fait. Tu as couché avec lui.

— Ça me semblait évident.

— Aaron est nutritionniste, c'est ça ?

Son seul sourire me confirma l'information. Elle avait bafoué la règle 8. *La* règle. Celle qui comptait le plus à mes yeux, celle qui m'assurait que je pouvais avoir totalement confiance en Ashley, que notre relation serait solide et saine. Et gourmande : je cuisinais, elle mangeait. Fin de la chaîne alimentaire… et surtout pas de nutritionniste-charognard pour troubler notre relation.

Qu'elle transgresse cette règle était de la provocation. Qu'elle transgresse cette règle m'agaçait et mettait en péril notre mode de fonctionnement. Nous avions enfin trouvé un équilibre, et voilà qu'il me semblait vaciller.

Je me levai de mon tabouret pour approcher d'elle. Ash, sur la défensive, se leva à son tour. Elle me lança un regard inquiet, reculant prudemment vers sa chambre.

— On a aboli les règles, me rappela-t-elle.

— Je sais.

Elle recula à nouveau, jusqu'à heurter la porte de sa chambre. Elle me fixa avec circonspection, incapable de prévoir ce que j'allais faire.

— Il faut rééquilibrer notre relation, déclarai-je.

— Rééquilibrer ?

— Le nutritionniste ne peut pas gagner devant le pâtissier. Et vu que tu as passé la nuit avec lui…

— Tu veux que je passe la nuit avec toi ?

J'approchai mon visage du sien, me régalant du parfum subtil de son gel douche. Nos souffles se mêlèrent, et je remarquai sa respiration haletante. Je la troublais et je devais admettre que mon assurance soudaine me surprenait aussi.

— N'exagérons rien : une nuit avec un nutritionniste ne vaut pas une nuit avec un pâtissier.

Du bout des doigts, je touchai le nœud de sa serviette. Il aurait été tellement simple de tirer doucement dessus pour la faire tomber. Mais cela aurait changé trop de choses dans notre relation.

— Dîner ce soir ? proposai-je d'une voix rauque.

Ashley laissa échapper un soupir, entre soulagement et déception.

— Dîner ce soir, approuva-t-elle d'un hochement de tête.

Je ravalai ma frustration de ne pas pouvoir la toucher et fis un pas en arrière. Il fallait que je rétablisse une distance acceptable entre Ashley et moi, une distance qui me permettrait de garder mon sang-froid. Une dernière idée me vint. Je me tournai vers ma colocataire, toujours tétanisée contre le mur.

— Ash ?

— Oui ?

— Mets ta robe rouge.

Elle m'adressa un sourire fabuleux et hocha la tête.

Ce soir, Ashley serait à moi.

Communiquer avec l'ennemi (et apprendre à danser) tu dois

Bonus 3

Deuxième mois de territoire partagé

Je crois que tu vas
avoir un problème
d'agenda mardi :
- Paul à 20 h ;
- James à 21 h ;
- Patrick à 22 h 45.
Et dire que je voulais
t'inviter à dîner !

Un problème ? Quel problème ?
1) Je bois un verre avec Paul.
2) Puis mange sur le pouce avec James.
En revanche, je ne me souviens
pas d'un Patrick. Tu es sûr ?
Tu peux encore m'offrir le
dessert. Je ne dis jamais non
à un dessert. Surtout aux tiens.

Pour Patrick, le rendez-vous
est noté page 124
du programme TV.
Je t'aurais bien proposé
un plateau-télé, mais tu
sembles si occupée…

J'ai annulé Paul et James.
Patrick Swayze est évidemment prioritaire. Je te prends ton menu sashimi habituel, avec supplément brochettes de canard ?
Oh, et cette fois, interdiction de dormir !

Je ne dormais pas !
Je fermais les yeux pour m'imprégner de « Time of my Life ».
Moelleux au chocolat, cœur caramel, avec framboise enrobée de chocolat blanc en dessert pour toi ? J'ai racheté de la glace. Soirée spéciale sucre.

Je suis à deux doigts de briser une règle ancestrale.
Je me lance : Ben, veux-tu m'épouser ?
Même une journée, pour rire.
On n'aura qu'à dire qu'on était ivres.

Proposition alléchante,
mais je dois décliner.

Tu dois décliner ??
Une tripotée d'hommes se bat pour avoir mes soirées ! Je me sens vexée et envisage une thérapie d'au moins… trois visionnages de « Dirty Dancing » d'affilée !

La tripotée d'hommes ne sait pas que ton dernier rendez-vous chez l'esthéticienne remonte à un bon mois !

Oublie le mariage.
Tu n'es qu'un goujat !
Mais je te laisse une dernière chance :
tu peux te faire pardonner
en me préparant tes délicieux
scones aux myrtilles.
Je finis à 8 h.

Je prends mon
service à 17 h.
Ai donné les scones
à un infirmier.
Ce soir : toi, moi
et Patrick ?

Et un massage des pieds.
Et de la glace au caramel.
Et toi, nu ?

Vous vous demandez à qui appartient le test de grossesse découvert par Austin ?

Découvrez vite la réponse dans ce nouveau bonus inédit !

Passez du côté obscur (et y rester) tu dois

Bonus 4

Nous vivions nos dernières heures au loft. Depuis qu'Austin nous avait annoncé la signature de la vente de son appartement, nous avions repoussé l'idée même d'emballer nos affaires. Cependant, depuis deux jours, Ash et moi avions dû nous faire à cette douloureuse réalité : nous devions faire nos cartons.

Enfin, quand je disais « nous », je parlais surtout de moi. Dès qu'elle avait entendu le mot « déménagement », Ash avait haussé les épaules et pris la fuite. Elle avait filé à l'hôpital, et je m'étais promis qu'à son retour je parviendrais à la convaincre de faire face à ses obligations. Ramener Ash sur Terre était un boulot épuisant et imprévisible. J'adorais sa fantaisie, son humour et sa manière bien à elle de dédramatiser toutes les situations — apparemment, chanter était toujours *la* solution. Sauf que, cette fois, la situation allait beaucoup plus loin qu'une pénurie de tequila ou un accident de laverie. Cette fois, Ashley me glissait entre les mains comme une savonnette. Pour elle, il ne s'agissait pas seulement de faire les cartons. Il s'agissait de quitter le loft, d'envisager notre avenir et d'accepter d'agir en adulte. Ma mission était donc périlleuse, et j'oscillais tel un équilibriste entre l'envie furieuse de la voir prendre une décision — et donc de faire ses cartons — et la peur incontrôlable de la perdre si je la pressais trop.

Si jamais je parvenais à faire en sorte qu'Ash accepte de mettre ne serait-ce qu'une chaussette trouée dans un de ses fichus cartons, je pourrais nouer les attaches de mon tablier autour de mon cou et je me ferais appeler « SuperBen ».

Mon téléphone sonna dans la poche arrière de mon jean. *She's like the Wind* retentit dans la pièce, me tirant instantanément un sourire. Je m'assis sur le lit et décrochai.

— Dis-moi que tu as au moins vidé ton casier à l'hôpital ? demandai-je.

— Parfaitement. J'ai écouté religieusement tes instructions : à garder, à jeter ou à donner.

Je me redressai, inquiet. Un monde où Ash m'écoute est un monde en sursis. Je pouvais tout craindre : de la banale chute de météorite à l'improbable résurrection de Patrick Swayze en passant par le retour du disco. Quelque chose de grave allait se produire. Je le sentais.

— Et tu as raison, c'est une super méthode.

Quelque chose de *très* grave allait se produire. Peut-être la fin de l'humanité ou un remake de *la Petite Maison dans la prairie* avec une Kardashian dans le rôle de Caroline.

— Je vais donc l'appliquer à la maison, reprit-elle. Histoire de nous débarrasser de cette corvée.

— D'accord, répondis-je, incertain.

— Ensuite, on pourra passer une soirée agréable avec les autres. Libérés, en quelque sorte.

— Ash, tu es certaine que tout va bien ? m'inquiétai-je.

— Parfaitement bien. Tu avais raison depuis le début : on doit quitter cet appartement, et il faut faire nos cartons. J'ai trop tardé.

Mes sourcils se levèrent jusqu'à la racine de mes cheveux. J'étais constamment sous le charme d'Ashley mais, sur ce coup, j'étais épaté. Elle devenait rationnelle et raisonnable. Peut-être était-ce le moment de lui parler d'avenir. Sa formation était terminée, nous rendions l'appartement : officiellement, plus rien ne nous retenait à Chicago. Je pouvais trouver un poste ailleurs, nos amis étaient dispersés un peu partout. Il ne tenait qu'à nous de définir notre avenir.

Connor avait réitéré son offre : le rejoindre dans sa brigade, à Londres. Pour moi, c'était une opportunité unique. Devenir chef-pâtissier dans un palace était une étape de plus dans ma carrière, étape dont je n'avais pas vraiment parlé avec Ashley. La dernière fois que le sujet avait surgi, nous avions eu une dispute monumentale, et j'avais dû lui courir après dans un aéroport. Mon niveau en course ne s'étant guère amélioré, je préférais éviter de prendre un nouveau risque.

Je me levai et fourrageai dans ma chevelure. Maintenant qu'Ashley était apprivoisée, je ne trouvais pas comment aborder le sujet. Le mont Ashley ne m'avait jamais autant impressionné. Je choisis de jouer le jeu : si elle avait décidé de faire ses cartons, je ne pouvais pas lui en demander trop.

— Parfait, dis-je finalement, je suis ravi. Je vais te préparer ce qu'il faut, des cartons, des post-it. Enfin, tout ce dont tu as besoin pour t'attaquer au problème en arrivant.

— Et ensuite ? demanda-t-elle.

— Et ensuite, on ira dîner avec les autres, proposai-je.

— Ce n'est pas ce que je voulais dire. Et ensuite ? Nous, qu'est-ce qu'on devient ?

Je faisais nerveusement les cent pas dans ma chambre. Je ne voulais pas avoir cette conversation au téléphone. C'était trop important. Quand je faisais face à Ashley, je pouvais détecter dans son regard l'ombre du doute ou la lueur de la peur. Je connaissais les réactions de son corps, de la façon dont elle levait les yeux vers moi à la manière dont son souffle s'accélérait quand elle paniquait.

Je devais la voir pour savoir comment réagir. Au téléphone, j'étais désemparé. Les murs de la chambre semblaient se refermer sur moi. Partout, des cartons, des vêtements, des photos, des souvenirs. Rien qui ne m'aiderait à avoir un raisonnement et une argumentation solides.

La main crispée sur le téléphone, je décidai de sortir de la chambre.

A peine eus-je franchi le seuil de la chambre que je me figeai. Le téléphone manqua de m'échapper, et j'ouvris la bouche, sans pour autant être capable de sortir le moindre son.

— Tu vois, j'écoute tes conseils, me provoqua Ashley d'une voix langoureuse.

— Je... euh... vois, lâchai-je péniblement.

De toute évidence, mon cerveau avait court-circuité. Ashley se tenait devant moi, assise sur le bar de la cuisine, jambes croisées.

Et nue. Entièrement nue. A l'exception, évidemment, de quelques post-it judicieusement collés sur son corps. La gorge sèche, j'approchai d'elle. J'ajustai mon jean, maintenant trop serré pour contenir mon érection. J'aurais dû me douter que sa soudaine coopération cachait un traquenard. Dans lequel j'étais ravi de tomber.

— J'ai un doute sur le code couleur. Jaune, c'était pour « à garder » ? minauda-t-elle.

— Jaune, « à jeter ». Bleu, « à garder », lui rappelai-je.

Elle fit une moue contrariée et agita un paquet de post-it bleus devant moi. Je posai une main sur sa cuisse droite, ma paume rugueuse retrouvant sa peau satinée et douce. Elle m'adressa un sourire coquin, avant d'arquer un sourcil.

— Je compte te garder, quel que soit la couleur du post-it, avouai-je.

Mes yeux se promenèrent sur son corps. Ses longs cheveux blonds cascadaient dans son dos, et ses yeux pétillaient de malice. Elle était si fière de son guet-apens. Elle avait pris le temps d'appliquer un post-it sur chacun de ses seins et un autre sur son nombril. Je me doutais qu'un dernier devait m'attendre entre ses cuisses.

— Toujours aussi inventive, la complimentai-je.

— Toujours.

— Notre conversation sur notre avenir est donc terminée ?

— Notre avenir, pour le moment, se résume à toi et moi sur ce bar de cuisine, annonça-t-elle en décroisant les jambes.

Comme je l'avais imaginé, un post-it m'attendait entre ses jambes. Toujours aussi créative, Ashley y avait dessiné une petite cible noire. Comme si je pouvais la louper !

Je m'approchai d'elle, avançant entre ses jambes. Mes mains enserrèrent sa taille, et je l'attirai contre moi d'un geste vif. Elle ravala un rire, avant de crocheter ses chevilles dans mon dos et de passer une main dans mes cheveux. Tout mon corps se tendit, et mes doigts glissèrent sur la courbe de ses fesses.

— Et ensuite ? demandai-je.

— Il nous reste des surfaces à essayer. Avant qu'on quitte définitivement cet endroit.

Je remontai mes mains dans son dos. Elle frissonna à mon contact et se cambra légèrement. Le bout de ses cheveux effleura la surface du bar. Je sentis son corps se tendre, et la prise de ses jambes se resserra.

— Tu sais ce que je veux dire, chuchotai-je contre sa peau.

Je déposai un baiser sur sa gorge, avant de lécher sa peau jusqu'à la courbe de son épaule. Elle gémit contre moi, me laissant peu à peu prendre le contrôle de la situation. Mon érection comprimée me faisait mal, et mon T-shirt me paraissait maintenant sans intérêt. Faire l'amour avec Ashley était une expérience unique, mais ce que j'appréciais le plus, c'était le frottement de nos deux corps, la caresse de sa peau qui enflammait la mienne et le crépitement intense de l'air qui nous enveloppait.

— Je sais.

Son aveu ne fut qu'un murmure, mais, à mes yeux, il valait tout l'or du monde. Ashley avait toujours cette réserve sur notre histoire, conséquence d'un mélange d'inexpérience relationnelle et de peur de l'engagement. Cela la rendait hésitante, parfois fuyante. Mais je faisais avec. J'avais appris à apaiser ses tensions, à détecter ses tourments. Avec elle, rien n'était jamais acquis. C'était ce que j'aimais : me battre pour elle continuellement, faire comme si chacune de nos minutes ensemble était volée.

— Quelles sont les options ? demanda-t-elle.

Elle agrippa mon T-shirt et le fit passer par-dessus ma tête. Ses mains caressèrent mes épaules, pendant qu'elle me laissait parcourir le haut de sa poitrine. Son cœur cognait, signe qu'elle appréhendait cette conversation. Sa nudité, le sexe, ce n'était qu'un prétexte. Ashley faisait toujours en sorte de fuir les conversations sérieuses et conventionnelles. Mais, puisqu'elle avait abordé le sujet, j'allais saisir l'opportunité.

— Première option, répondis-je en décollant doucement le post-it qui couvrait son sein gauche, la proposition de Connor.

— Londres ?

Je posai ma bouche sur la pointe rose et gonflée de son sein. Elle cria de surprise et se pencha en arrière pour me faciliter l'accès. Une de mes mains glissa sous sa cuisse, effleurant son intimité sans jamais s'y attarder. Je suçai son téton et le mordillai tendrement.

— Londres, haleta-t-elle. Quoi d'autre ?

Elle tira sur mes cheveux, emportée dans ses sensations. Je libérai son sein et soufflai dessus. Après le traitement féroce que j'avais réservé à ce dernier, la caresse de mon souffle tira un gémissement à Ash. Elle se tortilla sur le bar, comme si elle contenait difficilement le désir qui l'animait. Je décollai le deuxième post-it, remarquant que sa poitrine se soulevait à un rythme saccadé. Je relevai les yeux vers elle. Son regard brûlant me saisit. Le désir le disputait à l'amour.

C'était la première fois qu'Ash me regardait ainsi : elle s'abandonnait tout entière à moi, à mon désir, à mes décisions. Elle me confiait son corps et son cœur, sans l'ombre d'une crainte.

— On peut rester ici : trouver un nouvel appartement, trouver un poste pour toi.

Elle hocha la tête et assimila l'information. J'embrassai son sein, pendant que ma main abandonnait sa cuisse. Je m'appuyai contre le bar, puis enroulai mon autre main autour de sa chevelure. Je tirai dessus, faisant cambrer Ashley un peu plus. Je pris son sein entre mes lèvres et l'aspirai durement. Elle murmura un juron, puis mon prénom, ce qui fit gonfler un peu plus mon sexe. Etre en elle n'avait jamais été aussi urgent.

Je dégustai son sein pendant de longues minutes, savourant chacun de ses gémissements. Sentir le corps d'Ashley vibrer pour moi, répondre à mes caresses était une véritable récompense. Je ne m'en lassais pas.

J'abandonnai sa poitrine et retirai le post-it de son

nombril. Un petit rire nerveux lui échappa, et elle desserra ses jambes de ma taille. Elle enroula ses bras autour de ma nuque et, doucement, descendit du bar. Sa poitrine s'écrasa contre la mienne, et nos bouches se trouvèrent, avides et frénétiques. Les mains d'Ash se baladèrent sur mon torse, électrisant tous mes sens. Elle nous fit reculer et repoussa mes mains, qui se dirigeaient vers ses fesses.

— Le canapé, murmura-t-elle. Il est temps de le baptiser.

Elle me poussa en arrière, et je m'étalai sur le canapé. Je pris un coussin et le calai sous ma nuque, admirant le corps nu — à l'exception de la cible — de ma petite amie. Elle s'assit sur mes cuisses et ouvrit le premier bouton de mon jean.

— D'autres options ? demanda-t-elle, les yeux brillants de désir.

Elle passa sa langue sur sa lèvre inférieure, ses mains défaisant un deuxième bouton.

— Ce que tu veux, murmurai-je d'une voix étranglée. Ce que tu veux, Ash.

— Je te veux, toi, répondit-elle.

Je levai les hanches, aidant Ashley à faire glisser mon jean. Mon boxer enfermait mon sexe dans une douloureuse prison de tissu. D'un mouvement de pied désordonné, je repoussai mon pantalon au sol. Ashley posa sa main sur mon sexe tendu et le serra doucement.

— Ash, soufflai-je.

Sur le bar, j'étais parvenu à contenir le désir fulgurant qui m'avait saisi ; je n'avais d'yeux que pour elle, d'attention que pour elle. Maintenant qu'elle était sur mes cuisses, le défi était de plus en plus difficile à relever.

— Ce que je veux ? répéta-t-elle d'une voix suave.

Sa main s'égara à l'intérieur de mon caleçon. Je fermai les yeux, mon sexe entre ses mains, totalement à sa merci. A ce stade, j'aurais pu lui promettre n'importe quoi. Décrocher la lune, lui faire un enfant, déclamer un opéra.

Tout.

— Je ne veux pas rester ici, dit-elle en faisant coulisser sa main sur mon sexe.

Tous les muscles de mon corps se tendirent. Je tentai de rester concentré sur notre conversation, mais les forces me manquaient. Je rouvris les paupières, découvrant qu'Ashley avait retiré son dernier post-it. Nous échangeâmes un sourire. Dans ma bulle de désir, j'étais heureux comme jamais. J'étais sur le point de jouir dans sa main, je le savais. Je sentais mon bas-ventre se contracter, pendant que le désir déferlait dans tout mon corps par salves de plus en plus puissantes.

Sans retirer sa main, elle parvint à dégager mon sexe de mon caleçon. Je ne pus m'empêcher de regarder le résultat : voir la main d'Ashley cajoler mon sexe était incroyable.

— Fantasme #125, murmura Ashley : te faire l'amour sur ce canapé.

Instinctivement, je tendis la main vers le tiroir derrière moi. Si mes souvenirs étaient bons, il devait rester quelques préservatifs. Un seul suffirait à mon bonheur pour le moment. Ashley secoua la tête, avant de s'allonger sur moi. Elle embrassa mes lèvres, puis la ligne de ma mâchoire, avant de sucer la peau de mon cou.

— Sans préservatif, précisa-t-elle d'une voix chaude.

— Sans ? Tu es sûre ?

— Certaine.

La stupéfaction me coupa le souffle. Ce n'était pas la première fois que nous abordions le sujet mais, à chaque fois, Ashley avait clos le débat : elle avait déjà subi les effets indésirables des contraceptifs hormonaux et ne souhaitait pas prendre la pilule. Retirer la barrière du préservatif n'était donc pas un détail dans notre vie de couple. Elle se redressa et plongea son regard dans le mien.

— C'est ce que je veux, ajouta-t-elle pour raffermir sa décision : toi, moi et un avenir.

— Ash...

— Enfin, si c'est ce que tu veux toi aussi.

Sa voix trembla, et une lueur de doute éclaira son beau regard. Je me redressai immédiatement et pris son visage entre mes mains. Les yeux dans les yeux, je l'embrassai, et son souffle haletant se mêla au mien. Les battements de mon cœur résonnaient dans tout mon corps, et ma gorge s'assécha.

— C'est ce que je veux, murmurai-je d'une voix rauque.

Un sourire s'étira lentement sur ses lèvres, et sa bouche trouva la mienne. Une de mes mains se perdit dans sa longue chevelure ; je l'entortillai autour de mon poignet et tirai dessus pour dégager sa gorge. Mes lèvres glissèrent sur son menton, puis dans son cou. Je souris en sentant son pouls battre frénétiquement. Je suçai sa peau, pendant que ses mains s'accrochaient à mes épaules.

Quand j'abandonnai sa gorge, elle grogna de frustration. Je me débarrassai de mon caleçon, le lançant à travers le salon. Je me réinstallai, m'asseyant confortablement sur le canapé. J'invitai Ashley à s'asseoir sur mes cuisses, et elle passa sa langue sur ses lèvres en lorgnant mon sexe tendu et gonflé.

— Pas maintenant, dis-je d'une voix autoritaire.

Elle s'installa au-dessus de moi, un genou de part et d'autre de mes cuisses.

— Et pourquoi pas ? demanda-t-elle, avec provocation.

— Parce que je ne tiendrai pas deux minutes. Et

parce que je veux jouir en toi et te voir jouir avec moi. Je veux te sentir autour de moi. Je veux sentir ton sexe chaud et brûlant se contracter autour du mien et me dire que tu m'appartiens totalement.

Elle descendit doucement sur moi. Elle passa son pouce sur le bout de mon sexe, qui perlait déjà d'excitation, puis se baissa davantage et le glissa dans sa bouche. Mon sexe tressauta, et une vague de désir puissante et dévastatrice me parcourut. Tous mes muscles se tendirent, et j'en eus le souffle coupé.

— Dieu du ciel, Ash ! gémis-je, au bord de l'implosion.

— Te faire perdre le contrôle est absolument jouissif.

Elle prit mon sexe dans sa main et l'aligna avec le sien avant de descendre lentement. Au premier contact, dès la première seconde, je suffoquai de plaisir. Ash était brûlante et mouillée. Elle poussa un cri, pendant que, centimètre par centimètre, je prenais possession d'elle. Son intimité se resserra autour de moi : un étau moelleux et agréable, que je ne voulais plus quitter. Elle enroula ses bras autour de ma nuque, et mes mains trouvèrent sa taille.

Je fermai les yeux, heureux comme jamais et sur le point de jouir de la manière la plus spectaculaire et la plus prépubère possible. A la minute où elle bougerait, mon corps lâcherait prise.

— C'est génial, murmura-t-elle à mon oreille.

Elle bougea les hanches et ondula lentement au-dessus de moi. Heureusement, je parvins à garder le contrôle. Quand je rouvris les paupières, je ne vis que son visage inondé de plaisir. La bouche entrouverte, elle semblait danser sur moi, dans un rythme langoureux. Je me redressai et passai ma langue sur la pointe de son sein. Elle se cambra et je sentis son sexe se contracter. J'entourai sa taille de mes bras et accentuai le rythme. Je n'allais pas tenir longtemps.

Ashley n'était plus qu'une poupée de chiffon entre mes mains. Submergée par son plaisir, elle se laissait aller. Ses seins tendus effleuraient mon torse, déclenchant de minuscules décharges électriques dans tout mon corps. Elle murmurait mon prénom, me demandait d'aller plus vite, plus fort.

C'était toujours comme ça avec Ashley : toujours plus. Plus vite, plus fort, plus intense ; plus de folie, plus d'amour, plus de chansons. Une vie, rien qu'avec des « plus ».

Plus d'elle et plus de nous, cela me convenait parfaitement.

Elle accorda ses mouvements aux miens, ondulant du bassin, se soulevant dans un rythme de plus en plus frénétique. Sa peau chaude brillait au soleil, et son sourire satisfait me rendit encore plus heureux. Soudain, ses mains quittèrent ma nuque, et l'une d'elles se faufila entre ses cuisses. Du bout des doigts, elle caressa mon sexe qui allait et venait en elle.

— Je vais jouir, la prévins-je.

Son sexe se resserra aussitôt, et son regard noir de désir plongea dans le mien. Sa main remonta sur son sexe et trouva son clitoris.

— Maintenant, m'intima-t-elle.

Mon corps se tendit brutalement, et un orgasme puissant me cloua sur le canapé. Ashley poussa un cri de plaisir et ferma les yeux. Son corps trembla contre le mien, pendant que son sexe trempé gardait le mien prisonnier. A bout de souffle, elle s'effondra sur moi.

— Fantasme #1548 : remettre le couvert maintenant, sur ce canapé, jusqu'à ce qu'il finisse par décéder, murmurai-je.

— Fantasme #126 : remettre le couvert maintenant et te faire jurer comme jamais.

Je ravalai un rire, puis passai ma main sur son dos.

Elle était détendue, contre moi ; elle s'était décidée à lâcher prise et à me confier son destin.

— Et je sais exactement comment, ajouta-t-elle en capturant ma main dans la sienne.

Elle prit mon index et le glissa dans sa bouche brûlante. Elle l'aspira entre ses lèvres, et tout mon corps se réveilla. Mon sexe reprit de la vigueur et je sentis Ashley adapter sa position.

— Bordel de merde, Ash. Si tu continues, on n'atteindra jamais la chambre.

Elle libéra mon index, puis le promena sur son corps, de la pointe de ses seins jusqu'à l'aube de son sexe. Elle se souleva doucement de mes cuisses, avant de se mettre debout. Elle m'adressa un regard, avant de chalouper jusqu'à la cuisine.

— Plus de préservatif alors ?

— Et pas de contraception, ajouta-t-elle. Je ne veux pas attendre. Tu es le genre de type qui fait ça dans l'ordre : vie commune, demande en mariage, maison en banlieue et 2,5 enfants. Tu as besoin de... sortir du cadre.

— Donc, la grossesse de Sophia t'a définitivement convaincue ?

— Sa grossesse, ses hormones galopantes et son 95 E aussi. Crois-moi, Austin a été un homme très heureux. Tu as fait des muffins ? demanda-t-elle en désignant la cloche qui les protégeait habituellement.

— Evidemment.

Je me levai du canapé et la rejoignis dans la cuisine. Je me plaçai derrière elle, mon sexe à moitié érigé collé contre ses fesses. Mes mains se promenèrent sur le plat de son ventre, avant de remonter jusqu'à sa poitrine.

— J'aime quand tu me surprends, murmurai-je à son oreille.

— Tu as besoin d'être surpris. Sinon, tu serais terriblement chiant.

Elle souleva la cloche en porcelaine et se figea. Je sentis chacun de ses muscles se tendre, pendant que son cœur se mettait à battre frénétiquement dans sa poitrine. Je dégageai les cheveux qui masquaient son cou et léchai sa peau délicieuse.

— Fantasme #1549, dis-je, d'une voix assurée.

— Ben...

— Epouse-moi.

Elle se retourna, et un sourire fantastique éclaira son visage. Son regard pétillait de malice et, soudain, ma belle assurance s'effrita. Elle tendit la main derrière elle et, l'instant suivant, me colla un post-it bleu sur le torse.

— A garder, chuchota-t-elle. Définitivement, à garder.

Découvrez sans plus attendre les autres titres

d'EMILY *Blaine*

Dans la même collection :

Dear You

All I Want for Christmas

Le club des héroïnes qui n'ont pas froid aux yeux

Toi. Moi. Maintenant ou jamais

Dans la collection HQN :

Passion sous contrat

Pourquoi choisir ?

Une nuit dans tes étoiles

Ma vie sous tes étoiles

Les filles bien ne tombent pas amoureuses des mauvais garçons

The Man Next Door

Pour ton bien

Amis ou amants ?

Composé et édité par HarperCollins France.

Achevé d'imprimer en septembre 2016.

BLACK PRINT

Barcelone

Dépôt légal : octobre 2016.

Pour limiter l'empreinte environnementale de ses livres, HarperCollins France s'engage à n'utiliser que du papier fabriqué à partir de bois provenant de forêts gérées durablement et de manière responsable.

Imprimé en Espagne.